KU-149-785

GREGORIO Y YO

GREGORIO Y YO

MEDIO SIGLO
de
COLABORACIÓN

MARÍA MARTÍNEZ SIERRA

Edición de ALDA BLANCO

PRE-TEXTOS

LA PRESENTE EDICIÓN HA RECIBIDO
UNA AYUDA DE LA DIRECCIÓN GENERAL DEL LIBRO,
ARCHIVOS Y BIBLIOTECAS DE LA CONSELLERIA DE CULTURA
Y EDUCACIÓN DE LA GENERALITAT VALENCIANA

Diseño gráfico: Pre-Textos (S.G.E.)
Diseño sobrecubierta y cubierta: Ramón Gaya y M. Ramírez
Viñeta: Ramón Gaya

Luis Santángel, 10
46005 Valencia

IMPRESO EN ESPAÑA/PRINTED IN SPAIN
ISBN: 84-8191-312-x • DEPÓSITO LEGAL: B-38.678-2000

A Margarita Lejárraga

PRÓLOGO*

* Quisiera agradecer a Antonio González Herranz su imprescindible ayuda y cariñosa amistad. A Margarita Lejárraga le quiero agradecer el que me haya abierto el archivo de su tan querida tía y las muchas maravillosas conversaciones.

EN UNA CARTA desde Niza fechada en 1948, María Martínez Sierra le escribe a María Lacrampe, vieja amiga y compañera de lucha que, «En fin, por el momento me tiene contenta haber vuelto a ver y poder trabajar que no me dejo entristecer demasiado por la situación paradójica en que me encuentro de haberme muerto en vida y tener que resucitar para seguir viviendo. Sería una novela sensacional, pero ésa, precisamente, no la quiero escribir».[1] Habiendo recuperado la vista después de una operación de cataratas en París, la infatigable escritora se ve inesperadamente en la necesidad de «resucitar» ya que en octubre de 1947 había muerto en Madrid el hombre que había sido su marido y con él la firma con la cual había publicado y escenificado la casi totalidad de su obra desde 1898.[2] Fiel a su intachable

---

[1] María Lacrampe militó en el PSOE con María Martínez Sierra a la vez que participó con ella en la AFEC (Asociación Femenina de Educación Cívica). Carta a María Lacrampe, 22-III-1948. Fundación Ortega y Gasset.

[2] Con la excepción de dos obras, María Martínez Sierra firmó toda la producción literaria anterior a 1947 con la firma «Gregorio Martínez Sierra». Las obras son: *Cuentos breves*, Madrid, Imprenta de Enrique Rojas, 1899, y *La mujer española ante la República*, Madrid, Ediciones Esfinge, 1931.

palabra nunca escribió esa «novela sensacional». En cambio, lo que sí hizo fue escribir un volumen de memorias, *Gregorio y yo: medio siglo de colaboración* (1953), que no solamente narra episodios de su vida literaria vivida junto a Gregorio Martínez Sierra, sino que constata, por primera vez, lo que para muchos de sus contemporáneos había sido un secreto a voces: que ella había sido la colaboradora de la obra firmada «Gregorio Martínez Sierra».[3] Por medio de este libro se propone nuestra autora, finalmente, salir del anonimato público que ella misma había elegido desde los albores de su carrera literaria. Sin embargo, el que María Martínez Sierra rompiera su largo silencio acerca de lo que había sido indudablemente su verdadera contribución a la firma «Gregorio Martínez Sierra» y que explicara las razones que le habían llevado a adoptar el nombre de su marido como pseudónimo,[4] no surtió el efecto deseado de «resucitarla» en tanto que se dio de bruces con un silencio que, irónicamente, ya no dependía de ella.

La censura se encargó, en un primer momento, de impedir que el público de España, que aún seguramente recordaría, entre otras, su obra más sonada, *Canción de cuna* (1911), leyera *Gregorio y yo.* Curiosamente, María que había previsto la prohibición de su primer libro de memorias, *Una mujer*

---

[3] La cuantiosa documentación que constata la autoría y colaboración de María Martínez Sierra se encuentra principalmente en Patricia W. O'Connor, *Gregorio y María Martínez Sierra: Crónica de una colaboración*, Madrid: La Avispa, 1987 y Antonina Rodrigo, *María Lejárraga: Una mujer en la sombra*, Barcelona: Círculo de Lectores, 1992.

[4] Ver mi «Introducción» a María Martínez Sierra, *Una mujer por caminos de España*, Madrid, Castalia, 1989, en la cual propongo las razones por las cuales el nombre «Gregorio Martínez Sierra» es el pseudónimo de nuestra autora.

por caminos de España (1952), por tratarse de lo que ella misma llama «propaganda política», no podía –o no quería– imaginarse en 1949, cuando empezaba a pensar en el libro que sería *Gregorio y yo*, que no le sería posible publicarlo en España. Nuestra autora, que no abandonaría el deseo de publicar y escribir para la escena española hasta no verse definitivamente instalada en Buenos Aires en 1951, le escribe acerca de este segundo proyecto autobiográfico a su hermano Alejandro en Madrid que «[el] que más convendría para España es *Horas serenas (medio siglo de colaboración)* porque en él no se trata más que de vida literaria sin política ni religión. Si verdaderamente están dispuestos a publicarle, en cuanto termine con *España triste* (título que se convertiría en *Una mujer por caminos de España*, empezaré con él».[5] A pesar de que, finalmente, publica *Gregorio y yo* en la editorial Gandesa, empresa literaria de los exiliados políticos en México, habiéndose dado cuenta de que su original intención de publicarlo en España es una imposibilidad, una incrédula María le pregunta a Alejandro todavía en 1954 si «[l]a prohibición de vender *Gregorio y yo*, ¿es absoluta?».[6] Casi parece que María se resiste a aceptar una de las verdades del franquismo que tan bien hemos llegado a comprender: su obsesivo afán de intentar borrar las huellas culturales de todo aquello identificado con la República. Porque lo que no vio María –o una vez más no quiso ver– fue que a la percibida talla de presentarse como «colaboradora» de un hombre de letras –como si a un escritor de la audacia de Gregorio le hiciera falta una colaboradora– se sumaba también lo que ella, indudablemente, representaba para los censores de la pri-

---

[5] Carta a Alejandro Lejárraga, 26-III-1949. Archivo María Lejárraga.
[6] Carta a Alejandro Lejárraga, 21-IV-1954. Archivo María Lejárraga.

mera postguerra. María Martínez Sierra había sido, al fin y al cabo, destacada militante del PSOE, diputada en Cortes por este mismo partido, activista feminista, y representante de la República en Suiza como Agregada Comercial del Ministerio de Agricultura, Industria y Comercio entre 1936 y 1938. Si ella no se veía a sí misma desde una óptica política, los que habían de decidir su futuro literario dentro de España no estaban dispuestos a olvidar el significante lugar que había ocupado en los quehaceres políticos de la República. Cayó, entonces, sobre la figura de María y su obra, el silencio característico en que los vencedores sumieron a los vencidos.

Y así, por ejemplo, en el único estudio monográfico dedicado a la obra de «Gregorio Martínez Sierra» de la postguerra, *Imagen humana y literaria de Gregorio Martínez Sierra* (1965), Andrés Goldsborough Serrat[7] solamente la menciona una vez y es para aportar el superfluo dato del matrimonio de Gregorio con nuestra autora. Aunque es perfectamente posible –pero altamente improbable– que no se refiriera a ella porque no supiera de la colaboración literaria de los cónyuges, no deja de ser significativo que su silencio con respecto a María coincida con el de otros críticos de la época. El silencio de Goldsborough Serrat al que se suma el de Sáinz de Robles,[8] por ejemplo, se puede interpretar como emblemático de la política cultural del franquismo en tanto que no solamente se conocía la colaboración del matrimonio, sino que ya Julio Cejador y Frauca en

---

[7] Andrés Goldsborough Serrat, *Imagen humana y literaria de Gregorio Martínez Sierra*, Madrid, Gráficos Condor, 1965.

[8] Federico Carlos Sáinz de Robles, «Nota preliminar» a Gregorio Martínez Sierra, *Teatro* (vol. 233), *Novela* (vol. 234), *Ensayos* (vol. 235), Madrid, Aguilar, 1948.

su *Historia de la lengua y la literatura castellanas*[9] de 1919, la primera historia sistemática de las letras españolas y de obligada lectura para los estudiosos de la literatura, había convertido los rumores del trabajo conjunto de la pareja en un hecho literario. «Dejemos –escribe– a doña María con su reserva y, según su deseo, llamemos Martínez Sierra al autor de las obras en que ella ha participado tanto o más que su marido».[10]

Existían, sin embargo, fisuras en el muro de silencio y no se pudo borrar por completo la voz de María que había reaparecido con *Gregorio y yo*. Con la publicación de este libro comienza lo que será una larga controversia sobre la autoría de María. Si sus antiguos colaboradores que aún vivían en 1953 mantuvieron un silencio sepulcral acerca de la manera en que trabajaban Gregorio y María, no así sus varios amigos que compartieron con ella la vida literaria que narra en estas memorias o los que la conocieron de cerca durante la época en que compaginó su tarea literaria con una activa labor política. Quizás sea el crítico y escritor Pedro González Blanco, al que María llama «amigo fantástico» en *Gregorio y yo* y que en una carta a su muy querido compañero de partido, Ramón Lamoneda, describe como el mejor conocedor de su trabajo literario, el que más incondicionalmente apoya la narrativa de María como colaboradora de Gregorio llegando, incluso, a negar la autoría de Gregorio.

> Gregorio Martínez Sierra jamás escribió nada que circulase con su nombre. Ya fuese novela, ensayo, poesía o teatro. Eso es algo que Juan Ramón Jiménez, Ramón Pérez de

---

[9] Julio Cejador y Frauca, *Historia de la lengua y literatura castellanas*, Madrid, Tipografía de la Revista de Archivos, 1919..

[10] *Ibid.*, vol. 11, pp. 185-186.

Ayala y yo sabemos muy bien. Eso es algo que Usandizaga sabía muy bien; sabía que el libreto de *Las golondrinas* era de María. Turina sabía que el libreto de *Margot* era de María. Falla sabía que las directrices para los ballets de *El sombrero de tres picos* y *El amor brujo* eran de María. Eso es algo que Marquina sabía muy bien; *El pavo real* fue escrito por María y puesto en verso por Eduardo. Arniches lo sabía: los dos actos de *La chica del gato* eran de María, etc. Pero quienes mejor lo sabían eran los actores, que siempre estaban nerviosos cuando salían de Madrid y en especial cuando viajaban por América: «El tercer acto que tiene que enviar doña María no ha llegado todavía y tendremos que suspender los ensayos».[11]

Se zanjará en España esta desdichada controversia en 1987 con la publicación de *Gregorio y María Martínez Sierra, crónica de una colaboración* de la crítico literaria norteamericana Patricia W. O'Connor, en cuyo libro se puede leer, por primera vez, una selección de cartas autobiografiadas por Gregorio dirigidas a María en que éste le pide a su colaboradora textos originales o correcciones para las obras que él está montando en diferentes localidades de España y Latinoamérica. Con las irrefutables pruebas que aporta O'Connor se desvela, finalmente, el «secreto» de la firma «Gregorio Martínez Sierra». Si María Martínez Sierra ha «resucitado» ahora para nosotros, nunca pudo volver a la escena española ya que no le fue posible desenmarañar las paradojas autoriales que ella misma había tejido en vida. Augusto Martínez Olmedilla explica la razón por la cual se dio esta desafortunada situación:

María Martínez Sierra hubiera querido reanudar su labor teatral. Pero no pudo, porque no la reconocían perso-

[11] Citado en Patricia W. O'Connor, *ob. cit.*, p. 43.

nalidad en el mundillo farandulero. Todos sabían que ella era la autora de las obras que firmó su marido; pero oficialmente no era nadie y no pudo romper el hielo para su reaparición en el ambiente donde había triunfado.[12]

El que se haya centrado gran parte de la atención crítica sobre la cuestión de la autoría de María ha frenado, en cierta medida, el revisitar su obra con nuevas aproximaciones teóricas que quizás nos permitirían hacer frescas re-lecturas. Sin embargo, no por ello deja de ser significativa la controversia autorial en tanto que muestra la profunda resistencia de los hombres de letras a permitir la entrada de una escritora en ese feudo masculino que ha sido el parnaso literario español. No es éste el lugar más apropiado para explayarme sobre este importante tema aunque mucho se podría decir. Basta con reproducir las palabras de Federico Carlos Sáinz de Robles en 1971 cuando, finalmente y a regañadientes, admite la colaboración de Gregorio y María.

> Se dijo –y es posible que fuera verdad en contados casos– que María de la O Lejárraga colaboró con Gregorio Martínez Sierra en novelas y obras escénicas de las que delatan una sensibilidad *femenina*; aun cuando yo debo advertir, pues que conocí a los dos, siquiera ocasionalmente, que doña María de la O tenía un espíritu bastante más viril que el delicado y sensibilísimo don Gregorio. Muerto éste, su viuda ha reivindicado para sí –en desdichado libro y numerosas cartas– la *paternidad* de toda la producción escénica y libresca de Martínez Sierra. Reivindicación que me parece enteramente desprovista de buen tono, y aun de buen gusto.[13]

---

[12] Augusto Martínez Olmedilla, *Arriba el telón*, Madrid, Aguilar, 1961, p. 249.

[13] Federico Carlos Sáinz de Robes, *Raros y olvidados*, Madrid, Editorial Prensa Española, 1971, p. 107.

Es reveladora la manera en que Sáinz de Robles utiliza, aquí, un marcado discurso de género sexual para registrar su profunda disconformidad con *Gregorio y yo.* No solamente masculiniza la figura de María para así justificar su entrada al mundo masculino de la literatura –y de paso feminiza la de Gregorio–, sino que le arrebata a nuestra autora dos de los atributos requeridos para ser una mujer «respetable»: el buen tono y el buen gusto convirtiendo, de este modo, a María en una mujer «vulgar».

Si la controversia sobre la autoría de María acapara la atención crítica, también –pero en tono menor– se establece un debate acerca de su persona. En un gesto típico de vencedor, pero ya ante la imposibilidad de negar la autoría de nuestra escritora, Martínez Olmedilla en *Arriba el telón* (1961) expresa lo que suponemos fue la actitud de la cultura literaria franquista ante la figura de nuestra memorialista.

> Andando el tiempo se supo que, efectivamente, detrás de Martínez Sierra había otro escritor: su esposa María de la O Lejárraga, que por un complejo de modestia, abnegación y cariño prefería quedar en el anónimo. Mujer inteligentísima, de gran cultura y fina sensibilidad, por una aberración inconcebible, durante nuestras revueltas políticas tomó partido por los rojos más avanzados y manchó su historial de dulzura y serenidad predicando ideas disolventes en los agros andaluces y extremeños; proceder más absurdo, cuanto que vivía suntuosamente en un magnífico inmueble de la calle Génova, desde el cual lanzaba sus alegatos demoledores.[14]

Obviamente ofendido por el rastrero ataque de Martínez Olmedilla, Indalecio Prieto, amigo político y compañero de

---

[14] Martínez Olmedilla, *ob. cit.*, p. 248.

partido de María, arremete contra el historiador de teatro al que llama «mezquino analizador» y defiende la integridad y honestidad de nuestra autora:

> Cualquier mortal –escribe Prieto en 1962– dotado de sentido común estimará que cuanto mayor sea el bienestar de una persona, más generosa resultará su consagración a los humildes. Cosa distinta sería si ese bienestar o esa riqueza –caso de haberla y en María nunca la hubo– estuvieron logrados a costa de sudores y sufrimientos ajenos, y no con el trabajo propio que fue el único manantial de mi excelsa amiga.[15]

Y en el ojo de este huracán está María que se mantiene en silencio durante la tormenta que gira en torno suyo. Hemos de suponer que no entra en las diversas controversias por haber ya presentado su versión de la vida literaria que llevó junto a Gregorio en su libro de memorias. Si hacia el final de su vida en algunas entrevistas celebradas en Buenos Aires cambia ligeramente su narrativa de «colaboración» dejando entrever que en gran medida había sido ella la autora de los textos, jamás sacó a relucir las cartas de Gregorio que sin duda hubieran sido las pruebas definitivas de su autoría. A diferencia de otra valiosa correspondencia que había dejado en Madrid, y que según ella «habrá servido de combustible algún crudo día de la guerra civil para cocer una cazuela de humildes sopas de ajo cuando no había a mano otra cosa que quemar»,[16] mantuvo siempre consigo las cartas de Gregorio en su largo peregrinaje de exiliada por tierras americanas. Ante este misterioso proceder, es posible especular que las guardara para dejar constancia ante la posteridad

---

[15] Indalecio Prieto, *Le socialiste*, 22-X-62, p. 2.

[16] María Martínez Sierra, *Gregorio y yo*, p. 376.

del lugar que ocupó en la obra escrita de «Gregorio Martínez Sierra» ya que nunca las utilizó en vida para sustanciar lo que escribe en *Gregorio y yo*, ni para conseguir los derechos de autor que reclamó después de la muerte de Gregorio.

El que María no hiciera públicas las pruebas que apoyaban la narrativa de colaboración elaborada en sus memorias literarias se debe, probablemente, a una combinación de razones complejas que son difíciles de desenredar pero que seguramente brotan del desarrollado sentido de fidelidad de una persona que fue siempre consecuente y honesta. Podríamos proponer que a un sentimiento de lealtad hacia Gregorio se une el no haberse querido traicionar a sí misma y a las decisiones que había tomado por muy desatinadas que resultaran ser. En *Gregorio y yo* no parece quererle ser infiel a la memoria, por muy revisionista que sea, de lo que recuerda fueron sus «horas serenas». Por otra parte tampoco sería raro que quisiera proteger la intimidad de una vida compartida con su marido a pesar de que su matrimonio se había venido abajo alrededor de 1922. Y tampoco habría que descontar un profundo sentido de pudor ante un mundo que, aunque parecía conocer los entresijos de su vida conyugal y literaria, cuán a menudo disfruta de la desdicha ajena. En un gesto que podríamos interpretar como estratégico, mantiene y elabora la ficción del matrimonio en gran medida y ante todo como colaboración literaria. Sin embargo, en una carta a su hermano Alejandro desde Niza en 1948 en un tono que se desmarca del tono sereno que utilizará en su libro de memorias, escribe:

> De que soy colaboradora en todas las obras no cabe la menor duda, primero porque es así, y después porque lo acredita el documento voluntariamente redactado y firma-

do por Gregorio en presencia de testigos que aún viven y que dice expresamente: «Declaro para todos los efectos legales que todas mis obras están escritas en colaboración con mi mujer, Doña María de la O Lejárraga y García. Y para que conste firmo ésta en Madrid a catorce de abril de mil novecientos treinta». Además, aunque, después de esto, todo es superfluo, tengo numerosas cartas y telegramas que prueban no sólo mi colaboración sino que varias obras están escritas sólo por mí y que mi marido no tuvo otra participación en ellas que el deseo de que se escribiesen y el irme acusando recibo de ellas, acto por acto, según se los iba enviando a América o a España cuando yo viajaba por el extranjero. Las obras son de Gregorio y mías, todas, hasta las que he escrito yo sola, porque así es mi voluntad.[17]

Hasta su muerte en 1974 se mantuvo fiel a la noción de «colaboración» que había establecido en *Gregorio y yo* a pesar de haber podido, en cualquier momento, sacar a relucir las cartas que hubieran callado a todos aquellos que intentaban borrar su autoría, apenas recuperada, como dramaturga y novelista.

Sin embargo, la noción de la colaboración en que ella tanto insistió se ha visto desplazada en los últimos años por la idea de que María fue, por encima de todo, la «negra» de Gregorio.[18] Es decir, que se ha elaborado una narrativa en la cual se ha creado una imagen de nuestra autora como víctima de la explotación literaria y amorosa de un Gregorio, que es caracterizado como «predator»,[19] dando pie a una representación de María que poco tiene que ver con

---

[17] Carta a Alejandro Lejárraga, 11-IX-1948. Archivo María Lejárraga.
[18] Esta es la tesis que mantiene Antonina Rodrigo en su libro. *Ob. cit.*
[19] *Ibid.*, p. 177.

previas representaciones de ella como lo fueron la de mujer casi viril o como la predicadora «roja» de Martínez de Olmedilla. Y así, por ejemplo, Andrés Trapiello en un reciente libro, al abordar lo que para él es uno de los «casos más anormales de nuestra literatura» –manera en que evalúa la relación entre María y Gregorio–, describe a la escritora como abnegada musa de sí misma, alma grande, ser puro y desinteresado.[20] Inverosímilmente, Trapiello convierte a María en una especie de «ángel del hogar» decimonónico, codiciada figura de la mujer tradicional burguesa que la ideología de género sexual tanto exaltó y que María tanto combatió en sus ensayos feministas publicados entre 1916 y 1932. Esta interpretación de María se fundamenta, en parte, qué duda cabe, sobre la representación que se ha hecho de ella como víctima en tanto que se asume, equivocadamente, que el no resistir o combatir la victimización es una muestra de abnegación de un ser desinteresado.

Si toda biografía representa una hipótesis, en la versión de María-víctima nos encontramos con un personaje que, en el mejor de los casos, es incomprensible y, en el peor de ellos, adolece de un amor que raya en lo neurótico. Si no, ¿cómo entender, se pregunta su biografía más ilustre, una «autoanulación» que duró hasta su muerte en tanto que nunca reclamó para sí la completa autoría de la obra de «Gregorio Martínez Sierra»? Se interpreta su anonimato como escritora, pues, no como una estrategia que alivia una clara ansiedad sobre lo apropiado de su género sexual en el ámbito literario, sino que se explica por medio del amor, y más concretamente, a través de una de las muchas posibles varian-

---

[20] Andrés Trapiello, *Los nietos del Cid: La nueva Edad de Oro de la literatura española (1898-1914)*, Barcelona, Editorial Planeta, pp. 264-290.

tes de la narrativa amorosa, el amor romántico. Según Antonina Rodrigo «en María las otras razones son pretextos, la verdadera motivación de su total entrega y renunciamiento a favor de Gregorio era el amor».[21] Aunque Rodrigo nunca califica este supuesto amor de María como enfermizo, no le es necesario hacerlo ya que cuenta con nuestra propia incomprensión ante una relación tan poco ortodoxa que refuerza al proponer que «[d]esde una óptica analítica del presente no es fácil comprender la pública anulación de María de la O».[22] No tendríamos por qué desechar esta explicación de entrada ya que el amor, como bien sabemos, puede crear una infinidad de trampas emocionales de las cuales es a menudo difícil salir; la historia está llena de amores poco convencionales.

Basta aquí recordar la «incomprensible» defensa que hizo la demócrata judía Hannah Arendt de su antiguo amante Nazi, Martin Heidegger. No creo que exista la menor duda de que María estuvo profundamente enamorada de su marido. El tono cariñoso de gran parte de *Gregorio y yo* y de algunas comunicaciones privadas de nuestra autora comprueban este hecho biográfico. Por ejemplo, en un raro momento de gran intimidad reflexiona sobre lo que hemos de suponer fue su desengaño amoroso con Gregorio:

> Yo ahora –le escribe a María Lacrampe en 1948– estoy haciendo no examen sino recuerdo de mi vida porque quiero escribir un libro de memorias con el plausible fin de ganar un poco de dinero con una bonita obra de arte y al recorrer las horas pasadas siento rabia contra mí misma por

[21] Antonina Rodrigo, *ob. cit.*, p. 59.
[22] *Ibid.*, p. 59.

> las muchísimas que he desperdiciado en sufrir por amor: ahora que lo veo a la clara luz de la ancianidad[23] veo que no valía la pena «esa pena insolente y mal nacida que no tiene consuelo ni medida». Claro es que como he seguido siempre el consejo de Goethe: «Si tienes un monstruo, escríbele». Tal vez a esa calamidad debo el haber escrito algunas cosas que no están mal del todo.[24]

Pienso que, aunque no se pueden minimizar ni descontar las misteriosas razones del corazón, tendríamos que ir más allá de una explicación intimista con el fin de captar la complejidad de una escritora que vivió, amó y escribió en un mundo repleto de convenciones sociales que trazaban para la mujer comportamientos sumamente delimitantes ante los cuales, incluso las escritoras más rebeldes, tuvieron que elaborar creativas estrategias –el uso del pseudónimo y el travestismo, por ejemplo– para bregar con ellas. En una cultura en que ser hija, esposa y madre eran los únicos papeles apropiados para la mujer, el matrimonio, por ejemplo, era la principal relación social que acordaba a la mujer respetabilidad social ya que dentro de él la mujer estaba bajo la tutela, simbólica y real, de su marido. Dada esta realidad era prácticamente imposible que una mujer se pensara a sí misma fuera del matrimonio. Sin embargo, es legítimo preguntarnos por qué María no se divorció de Gregorio en 1931 cuando las Cortes republicanas legislaron el divorcio por primera vez en la historia de España ya que de haberse descasado se hubiera «liberado» de una relación que la explotaba emocional, literaria y económicamente. Ella misma había escrito críticamente acerca de esta relación social en uno de sus

---

[23] María tenía 74 años cuando escribe esta carta.

[24] Carta a María Lacrampe, 22-III-1948. Fundación Ortega y Gasset.

ensayos feministas titulado *Maternidad*, y la había clasificado –siguiendo la pauta de John Stuart Mill– como una institución esclavista. Como respuesta a este interrogante, creo, podríamos especular que al tener 57 años en 1931, escribir como lo hacía con un nombre sonado, y al necesitar la respetabilidad moral y social como mujer para ser efectiva en el escenario público de la política, resulta lógico que se resistiera a este cambio de estatus social que le hubiera arrebatado, seguramente, el respeto de una sociedad profundamente conservadora en el ámbito moral. Se hubiera convertido en una mujer divorciada lo cual equivalía a ser una mujer transgresora y, como tal, peligrosa. De hecho, hasta hace muy poco –hagamos memoria– la mujer divorciada era estigmatizada por la sociedad española.

A su vez me parece útil reflexionar sobre nuestros propios sentimientos y, quizás, admitir que el deseo de interpretar a María como víctima de Gregorio surge de nuestra resistencia a aceptar el que María escogiera escudarse detrás de una figura masculina acomodándose dentro del anonimato con el fin de resguardarse del mundo literario. El que eligiera protegerse no tiene por qué ser un indicio de debilidad, sino más bien puede interpretarse como una estrategia vivencial que le permitió intervenir en el mundo de las letras que, como bien sabemos, era sumamente hostil hacia sus escritoras. Recordemos aquí las palabras de Leopoldo Alas que hacen eco de la que fue la actitud de muchos escritores de la época acerca de sus compañeras de profesión que sin duda conocería María cuando empezó a publicar en los últimos años del siglo diecinueve:

> La mujer –escribe el autor de *La Regenta*– que se hace médica o telegrafista para vivir con independencia y acaso

> para dar su corazón por amor y no por una posición, es la mujer más digna de alabanza, pero la que recurre a las letras de molde para llenar el alma de vana gloria es ni más ni menos (y eso cuando lo es) la *mulier formosa superne* de Horacio; y digo cuando lo es, porque las literatas, salvadas honrosas excepciones ni siquiera superne son hermosas y desde el moño a los talones parecen caballos o peces.[25]

Si leemos el anonimato de María a través de este tipo de funestos pronunciamientos, que fueron mucho más extendidos de lo que nos gustaría admitir, adquiere nuevos significados y nos lleva a hacer análisis en los cuales el contexto cultural es tomado como un elemento que marca y da forma a una expresión individual. Por lo tanto la narrativa acomodaticia de María de ningún modo debería detractar de su lucidez teórica feminista ni de la importante labor que llevó a cabo para educar a las mujeres de España organizando, entre otros, el Lyceum Club, la Asociación Femenina de Educación Cívica o como «propagandista» socialista por los caminos de España. También el matrimonio le proporcionó un espacio social en que pudo escribir con la serenidad que ella requería, que no es del todo diferente de la función que cumplieron los conventos para ilustres como Sor Juana Inés de la Cruz y Teresa de Ávila. Podríamos, entonces, reescenificar su matrimonio y anonimato como un espacio no de opresión y explotación, sino más bien de libertad que le permitió desarrollar la vocación que tanto le apasionaba sin tener que preocuparse del necio qué dirán. Ella misma en *Gregorio y yo* explica la razón por la cual «decidí que los hijos de nuestra unión intelectual no llevarán más

---

25 Yvan Lissorgues, *Clarín político* (Vol. I), Barcelona, Lumen, 1980, p. 232.

que el nombre del padre».[26] Aunque la lectura de un texto autobiográfico debería ser cautelosa y desconfiada, en la explicación a continuación María, una de las teóricas del feminismo español de principios de siglo más lúcidas y prolíficas, escribe que:[27]

> Siendo maestra de escuela, es decir, desempeñando un cargo público, no quería empañar la limpieza de mi nombre con la dudosa fama que en aquella época caía como sambenito casi deshonroso sobre toda mujer «literata».[28]

También, habría que puntualizar que María Martínez Sierra quiere entrar –y de hecho entra– en el terreno literario como dramaturga, ámbito bastante más complicado para la escritora que el de la novela en cuanto que en el territorio de la novela ya existían novelistas que habían encontrado éxito y empezaban a legitimizar la pluma en manos de la mujer. Aún compartiendo un momento histórico y un espacio cultural con la formidable Emilia Pardo Bazán, que tanto hizo para abrir camino a sus contemporáneas y sucesoras, María Martínez Sierra resalta el peso de la tradición que continuaba empeñándose en vedar el espacio artístico a la mujer. El teatro no parece haber sido un género que eligieran las literatas a partir del Romanticismo, época en que hicieron su aparición las muchas novelistas que poblaron el

---

[26] María Martínez Sierra, *Gregorio y yo*, pp. 75-76.

[27] Nuestra autora escribió sobre el feminismo y la cuestión de la mujer que, naturalmente, firmó con el nombre de «Gregorio Martínez Sierra»: *Cartas a las mujeres de España*, Madrid, Clásica Española, 1916; *Feminismo, feminidad, españolismo*, Madrid, Renacimiento, 1917; *La mujer moderna*, Madrid, Estrella, 1920; *Nuevas cartas a las mujeres*, Madrid, Ibero Americana de Publicaciones, 1932.

[28] María Martínez Sierra, *Gregorio y yo*, p. 76.

terreno literario.[29] Desde Gertrudis Gómez de Avellaneda muy pocas autoras habían escrito para el escenario. Podríamos teorizar que el teatro y la novela se diferencian en un aspecto que para la mujer de letras de principios de siglo es clave: su visibilidad simbólica y real. Mientras que la novelista podía optar por mantenerse dentro del espacio privado de su casa que, como bien sabemos, en la ideología de género sexual era el lugar apropiado para su existencia sin tener que salir al mundo de las editoriales o los cafés –por ejemplo– para impulsar sus carreras, la comediógrafa tenía que ocupar un espacio público harto visible en tanto que su presencia era requerida en los ensayos y en los estrenos donde tendría que salir al escenario como autora atrayendo de este modo hacia sí la atención de un público que seguramente la vería como mujer de «dudosa fama». No parece haber estado dispuesta María a tener que soportar la lacra social que indudablemente hubiera «empañado» su reputación bien sea como maestra o como miembro de una familia respetada y respetable. Y si a esta realidad añadimos el dato a menudo reiterado en *Gregorio y yo* de que a ella no le gustaba participar en la farándula, resulta más comprensible y menos neurótico el que haya elegido el anonimato como forma de vida literaria.

A modo de aproximación a la explicación de las complejas interrogantes que surgen de la vida literaria de María,

---

[29] Ver el importante libro de Pilar Nieva de la Paz, *Autoras dramáticas españolas entre 1918 y 1936*, Madrid, CSIC, 1993, y su artículo «Tradición y vanguardia en las autoras teatrales de preguerra: Pilar Millán Astray y Halma Angélico» en Dru Dougherty y María Francisca Vilches de Frutos (coor. y edición), *El teatro en España entre la tradición y la vanguardia: 1918-1939*, Madrid, CSIC, 1992, pp. 429-438.

he intentado interpretar datos biográficos a través de las realidades culturales de la época para así lograr un mayor entendimiento del modo en que la cultura incide en y da forma a la vida. Resta ahora preguntarnos por qué insiste nuestra autora en *Gregorio y yo* y en algunas cartas en elaborar una narrativa de colaboración. Para ello hemos de guiarnos por la selección de piezas dramáticas que presenta María en sus memorias como sus «obras favoritas»: *El reino de Dios, Don Juan de España, Sueño de una noche de agosto* y *Rosina es frágil.* Notamos que todas ellas fueron puestas en escena por Gregorio entre 1916 y 1918 en el teatro Eslava, del que fue empresario como parte de su ambicioso proyecto artístico de renovar la escena española creando lo que llamó «Teatro del Arte». El que sean precisamente esas las obras preferidas de María no solamente se debe a su gran éxito, sino que creo, también, apunta hacia el concepto que ella tenía del teatro en el cual no existe una escisión entre el *texto-teatro* (aquel concebido y escrito para ser representado) y el *texto-espectáculo* (aquel realizado en la representación). Si el teatro es para ella –como parece serlo– una totalidad, es decir, la combinación de la obra escrita y su representación, es innegable que verdaderamente existiera para ella una colaboración con el que algunos críticos de teatro han llamado «el mejor director artístico con que ha contado el teatro español».[30] Esta narrativa que ha dejado María para la posteridad no tiene, entonces, por qué ser la fantasía de una mujer enamorada, sino más bien la expresión de una dramaturga profesional cuyo deseo fue siempre el de ver sus obras llevadas al escenario. Pasados los años se lamentará una descorazo-

---

[30] Valoración que hace Federico Sáinz de Robles del arte escénico de Gregorio. Citado en Carlos Reyero Hermosilla, *Gregorio Martínez Sierra y su teatro del arte,* Madrid, Fundación Juan March, 1980, p. 4.

nada María Martínez Sierra en su exilio bonaerense, en el que le fue imposible reestablecerse como comediógrafa, acerca de la dificultad que encuentra de que se estrenen las obras para teatro que siguió escribiendo. Nunca volvió a encontrar un «colaborador» dispuesto a transformar sus éxitos escritos en magníficas y aclamadas representaciones.

Entre 1949 y 1952 nuestra autora dedicó la mayor parte de su energía creativa a la escritura de sus dos obras de memorias, *Una mujer por caminos de España* y *Gregorio y yo*, que serán publicados con el nombre que utilizará el resto de su vida como escritora: María Martínez Sierra. No nos ha de sorprender que escogiera este género literario ya que como acertadamente ha escrito Francisco Caudet sobre el exilio republicano de 1939, «la literatura, convertida en expresión de la traumática experiencia de haber perdido las raíces, se sirvió, en efecto, profusamente de la memoria, un mecanismo o artificio generador de estructuras discursivas, en cualesquiera de los géneros y modalidades».[31] El que haya escrito dos textos autobiográficos organizados alrededor de dos temáticas muy diferentes –su vida como propagandista socialista y su vida literaria– ha dado pie a una curiosa escisión en las biografías o los apuntes biográficos escritos acerca de ella, ya que sus biógrafos, siguiendo su propia división entre lo político y lo literario, también separan estas dos vertientes de su vida, cuando, de hecho, estuvieron estrechamente entrelazadas, por lo menos, desde la segunda década del siglo. Aunque dejaremos para futuros biógrafos el arduo trabajo de reconstruir una vida en la cual las inquietudes sociales y políticas de María estaban vinculadas y daban forma

---

[31] Francisco Caudet, *Hipótesis sobre el exilio republicano de 1939*, Madrid, Fundación Universitaria Española, 1997, p. 490.

a su producción literaria, cabe resaltar que la misma separación que ella establece, a pesar de haber sido dictada por los editores, muestra su incomodidad con la narrativa autobiográfica tradicional. Ni en *Una mujer por caminos de España* ni en *Gregorio y yo* se acomoda a las leyes internas del género. Si en *Una mujer* rechaza el que su sujeto narrante sea el eje de su narración y que la vida individual de ésta sea su principal temática al proponer que «paso de ser protagonista de mi propio vivir a espectadora del vivir ajeno»,[32] en *Gregorio y yo* utiliza la fragmentación como estrategia narrativa que, como veremos, le impide narrar el desenvolvimiento del yo narrativo, la manera clásica en la cual el yo autobiográfico recuenta su vida. En este texto se intercalan lo que se podría llamar una galería de retratos y, por lo menos, una historia matrimonial. Los relatos de colaboración y la historia de un matrimonio funcionan, aquí, como metanarrativas en tanto que son meditaciones sobre dos temas que, como sabemos, dieron forma a su vida: la colaboración y el matrimonio. Presenta la colaboración como una actividad típica del mundo artístico en el que se movía y recuenta la historia matrimonial de la pareja de Helen y Harley Granville Barker, traductores británicos de su obra al inglés, como ejemplo de las dificultades y vicisitudes de esta relación social. Desplaza, entonces, la problemática privada de su colaboración y matrimonio con Gregorio en un intento de despersonalizarla y enmarcarla dentro de temáticas más amplias y, por lo tanto, menos íntimas.

Es posible argumentar que la estructura fragmentada de *Gregorio y yo* se originara en su malogrado plan de editar las obras completas de «Gregorio Martínez Sierra» en la edito-

---

[32] María Martínez Sierra, *Una mujer por caminos de España, ob. cit.*, pp. 162-163.

rial Aguilar poco después de la muerte de Gregorio. Cuando aún existía en 1947 la posibilidad de hacer esta edición, María esboza el proyecto del siguiente modo:

> He pensado –si las limitaciones actuales de papel lo consienten– que no sólo el primer tomo sino todos los demás y especialmente los de teatro pueden llevar cada uno un *Comentario* especie de historial y autocrítica que bien pudiera ser interesante puesto que esta labor de cuarenta años está naturalmente influida y condicionada por toda la vida literaria, teatral y artística de este medio siglo y puesto que, estando en su mayoría compuesta y escrita durante continuos viajes por tantas y tantas tierras, al poner el «material» en orden, por fuerza han de surgir recuerdos de nuestras emociones que pueden tener interés y dar cierta ilusión al lector siempre remiso a afrontar la tarea de echarse al cuerpo una temerosa edición de *obras completas*.[33]

Sin embargo, también podríamos sugerir que la fragmentación textual expresa una resistencia a crear una narrativa para su vida en la cual se van eslabonando causas y efectos de un vivir, requisitos de la autobiografía tradicional, eludiendo, de este modo, el tener que darles sentido a sus acciones dentro de un relato totalizador de su vida. Si explica las razones por las cuales no escribió con su nombre, la historia de su matrimonio con Gregorio es el gran silencio de esta obra. Y, si añadimos a esta lectura las palabras que el escribe a María Lacrampe en que le confiesa «la rabia contra mí misma por las muchísimas [horas] que he desperdiciado en sufrir por amor», resultan más claras las razones por las cuales escogió esta estrategia narrativa para *Gregorio y yo*. Pero –y siempre parece haber un pero cuando se pien-

---

[33] Carta a Jaime Lejárraga, 27-X-1947. Archivo María Lejárraga.

sa y se escribe sobre María Martínez Sierra– también hemos de tomar en consideración la escasez de narrativas autobiográficas que estaban disponibles para la mujer, y más aún, para la mujer española. Dentro de una cultura literaria en la cual la autobiografía no parece haber sido uno de los géneros más cultivados, probablemente por su percibida falta de pudor, el que una escritora hiciera gala de su producción literaria podría interpretarse como un gesto falto de modestia, siendo ésta uno de los atributos más codiciados de la mujer respetable. Irónicamente y a pesar de que nuestra autora insistiera en la colaboración con su marido, *Gregorio y yo*, como ya hemos visto, fue tachado de ser un texto «desprovisto de buen tono, y aún de buen gusto». Al componer un texto fragmentado en el que, a pesar de existir un sujeto narrante no se hace hincapié sobre el desarrollo de su persona sino que se recuenta la colectividad del mundo artístico del que ella forma parte, María Martínez Sierra posiblemente se imaginó que se resguardaría de las críticas que, sin embargo, cayeron sobre ella. También, registra su disconformidad con un género literario que está predicado sobre la exaltación del ser individual. Vista esta estrategia narrativa desde el punto de vista de la experiencia del exilio que vivió a partir de 1950, podríamos decir, a su vez, que este texto reproduce lo que para Angelina Muñiz-Huberman son las características del exiliado que «se enfrenta a un nuevo aprendizaje y, lo más grave, a una fragmentación de la identidad. Se empeña en afirmar el pasado en la continuidad del momento presente. Convierte el presente en una acumulación rememorativa de hechos y datos ya vividos».[34]

---

[34] Citado en Francisco Caudet, *Hipótesis sobre el exilio republicano de 1939*, *ob. cit.*, p. 504.

En el último episodio de *Gregorio y yo* María vuelve sobre una vieja imagen que le ha acompañado por lo menos desde 1932: la de verse desvinculada de aquello que la rodea y «como espectadora del vivir ajeno». Ahora, sin embargo, el objeto de su mirada se convierte en ella misma.

> Siempre he asistido como espectadora a mis propios conflictos y gracias a un peculiar desdoblamiento todas mis actividades me parecen ejecutadas por otra persona. Por lo cual, como un conflicto ajeno tiene importancia relativa para el que desde fuera le está mirando, nunca he tomado demasiado en serio –aunque de veras me hayan dolido o regocijado– ni mis penas ni mis alegrías; las unas no han logrado jamás hundirme en desesperación, ni las otras embriagarme; soy mi propio espejo y mi propio fantasma; sé, lo he sabido siempre, que todo pasa y que de todo he de salir por misericordiosas puertas de la muerte.[35]

Aceptemos, por el momento, esta descripción que hace de sí misma en tanto que parece darnos la clave del modo en que hemos de leer –o haber leído ya que se encuentra en uno de los últimos capítulos– *Gregorio y yo.* Explicaría el aparente tono de ecuanimidad y serenidad que permea las memorias reconstruidas en el texto no solamente con respecto a su relación con Gregorio sino, también, con aquellos amigos y colaboradores con los cuales hubo una desgarradora ruptura, entre otros, Manuel de Falla. Sin embargo, *Gregorio y yo* es un texto que continuamente se desborda –o está a punto de desbordarse– a sí mismo en su propuesta de narrar las horas serenas ya que en él podemos leer los grandes esfuerzos que hace la narradora para contener la emoción que de vez en cuando irrumpe en el texto, haciendo añicos la quie-

[35] María Martínez Sierra, *Gregorio y yo*, p. 352.

ta superficie de la narrativa. Es significativo que nuestra autora se sintiera atraída por la obra de Antoine de Saint-Exupéry, poeta del viento, la arena y las estrellas, que leyó en sus horas de profunda soledad en una Niza ocupada por los Nazis e incomunicada de sus amigos que habían partido ya al destierro mexicano. En varias cartas a su amiga María Lacrampe, presa en las cárceles franquistas, le recomienda la lectura de este escritor: «A mí me gusta muchísimo, porque escribe exactamente lo mismo que yo con una emoción contenida, como si le diera vergüenza sentirla, pero no lo pudiese remedar».[36] También, le dice que el autor de *Terres des hommes* tiene un «espíritu muy semejante y estilo muy parecido [al mío], sobre todo en el modo de expresar la emoción escondiéndola y frenándola un poquito».[37]

La aparente serenidad de *Gregorio y yo* se logra por medio de tres estrategias narrativas inestables y, finalmente, insostenibles: contener, esconder y frenar. La imposibilidad de reprimir la emoción aparece, por ejemplo, en la narración de su relación con Falla, colaborador de *El amor brujo* y *El sombrero de tres picos* a la vez que confidente de María en las tristes cuestiones del corazón. Para enmarcar su amistad con su querido «don Manué» cuenta al principio de sus memorias que:

> Más de una vez, más de dos y tres veces, se ha repetido para mí una extraña experiencia: un amigo que compartía nuestra vida con asiduidad que casi parecía cariño, de repente, dejaba de llamar a nuestra puerta. Yo, asombrada, rebuscaba el motivo posible en dolido examen de conciencia, y no encontraba dolo de que acusarme.[38]

---

[36] Carta a María Lacrampe, 5-XI-1949. Fundación Ortega y Gasset.
[37] Carta a María Lacrampe, 5-XI-1949. Fundación Ortega y Gasset.
[38] María Martínez Sierra, *Gregorio y yo*, p. 52.

Concluye el fragmento dedicado a la desaparición de ciertos amigos con lo que presenta como su filosofía personal acerca de la amistad y sus vicisitudes:

> Desde entonces, siempre que el fenómeno se ha repetido, no he querido indagar. Y he llegado a creer: «Herimos sin puñal y ofendemos sin conocimiento». Y esta certidumbre me sirve para no enconar las propias heridas. «Acaso –pienso– la puñalada que me duele no la quiso dar quien me la diere. Quizás el cuitado no supo jamás que llevaba en la mano el cuchillo. Tal vez yo misma me precipité contra el acero inocente. Por lo cual es posible que yo sea única responsable de mi propia herida...» Dejar correr la sangre, mirar correr la sangre es buen remedio: divierte e interesa como mirar el agua que surte a borbotones del manantial. El ritmo, el acordado movimiento calman y aquietan [...] la pena se duerme, el escozor se templa [...].[39]

Sin embargo, en el capítulo dedicado a Falla acusamos un cambio de tono harto revelador al describir la figura del músico gaditano:

> ¡Cuántas obsesiones [...] cuántos temores incomprensibles le han atormentado! ¡Cuántas angustias pensando en que pudiera huir la inspiración, en que pudiera perderse la salud! ¡Cuánto escrúpulo de conciencia sin razón ni motivo! ¡Cuántas dolorosas indecisiones hasta en la determinación más baladí de la vida corriente [...] hasta en la hora propicia para tomar un baño o para mudarse de ropa! Todo era para él conflicto y angustia, todo era en él duda dolorosa. De ahí, tal vez, su intransigente voluntad de afirmar y afirmarse, la dureza de su fe, la exigencia celosa de sus afectos, la violencia con que rechazaba toda contradicción, la

---

[39] *Ibid.*, p. 53.

> crudeza inverosímil con que defendía un absurdo si cuadraba con el deseo de su alma. Católico voluntariosamente convencido, su adhesión a los dogmas era violenta como un puñetazo. Antisemita radical, sacábale de quicio la idea de que Cristo pudiera ser judío. [...] Esta morbosa violencia suya se exacerbaba especialmente frente a las mujeres. Y ello contrastaba con la galantería ultrarrefinada que solía emplear en el trato con la «dulce mitad» –según los hombres– del género humano.[40]

Aquí la filósofa contemplativa del «dejar correr» se transforma en una narradora emotiva que a duras penas puede contener sus sentimientos encontrados hacia Falla que, como notamos, van en crescendo durante la descripción de su antiguo colaborador y amigo. Resalta la intransigencia y la violencia de Falla con un lenguaje asimismo vehemente que se desmarca, momentáneamente, del tono sereno que intenta imprimir en el resto de la obra. Pero, al proseguir con el largo recuento de su labor conjunta, parece frenarse y nos narra con ecuanimidad su versión del incidente que originó la desavenencia de los Martínez Sierra con Falla y la consiguiente ruptura de su colaboración. A modo de conclusión, a la vez que menciona que nunca volvió a ver a Falla le lanza un reproche: «él, tan católico, no supo perdonar agravios que nunca existieron sino en su imaginación ni aplacar su cólera sin sentido con el recuerdo de las horas serenas».[41] Este reproche funciona aquí como una severa crítica y también como la articulación de la premisa sobre la cual intentará sustentar estas memorias. Para nuestra autora la rememoración de las buenas horas puede –y más aún debe– ahuyentar los malos momentos. La ambivalencia textual de María con

---

[40] *Ibid.*, p. 191.
[41] *Ibid.*, p. 209.

respecto a Falla, que se registra por medio de los cambios de tono narrativo, sin embargo no será singular en *Gregorio y yo.* Es, más bien, característica de este texto que no solamente es un libro de memorias, sino también una narrativa de duelo en la cual la meditación acerca de la pérdida de amigos queridos ocupa un lugar central. No nos ha de sorprender, por lo tanto, la ambivalencia de María en tanto que según Freud, «la pérdida del objeto erótico constituye una excelente ocasión para hacer surgir la ambivalencia de las relaciones amorosas».[42]

Quisiera proponer aquí que *Gregorio y yo* es el viaje narrativo de María Martínez Sierra a través de la aflicción ocasionada por varias pérdidas entre las cuales tres de ellas marcan este texto profundamente: la pérdida del marido, de la firma «Gregorio Martínez Sierra» y la de su patria. Aunque nos recuerda Freud que el duelo es un estado pasajero, a diferencia de la melancolía, María escribe este libro cuando aún está atravesando la aflicción desencadenada por estas múltiples pérdidas. Si, como veremos, al cerrarse la narración el duelo por Gregorio y por «Gregorio Martínez Sierra» está tocando a su fin, no ocurre lo mismo con la pérdida de su país ya que nuestra autora no se habrá todavía reconciliado con ella. La pérdida de la patria aparecerá por primera vez en el último capítulo y está escrita ya no en clave de duelo, sino en el registro de la melancolía.

---

[42] Sigmund Freud, *El malestar en la cultura,* Madrid, Alianza Editorial, 1970, p. 223. De ningún modo quisiera dar a entender aquí que Falla fue el «objeto erótico» de María. Más bien pienso que el gran cariño que le tuvo María a Falla en cierto momento de su vida los vinculó con una profundidad análoga a la de una «relación amorosa».

En cuanto a la pérdida de Gregorio, la narración sigue la trayectoria característica del duelo; en un primer momento «el mundo aparece desierto y empobrecido ante los ojos del sujeto», según la caracterización de Freud, hasta que, finalmente, la afligida corta su vínculo emocional con el objeto que ha dejado de existir. Y así en el capítulo titulado «Horas serenas» la narradora explica que quiere mantener viva la memoria de Gregorio en tanto que es él el «otro nombre de nuestro "yo"»[43] en lo que notamos es una visión harto simbólica de pareja en la cual parece haber interiorizado al otro hasta tal punto que no es distinguible de su propio «yo». Con la desaparición de Gregorio, entonces, corre ella el mismo riesgo de perderse a sí misma. Sin embargo, notamos que se vislumbra un principio de separación de su objeto amado cuando plantea que «acaso aquella compenetración inefable no fuera tan total como creíamos. Tal vez, hasta cuando se sueña la meta del soñar es diferente. Quizás cuando tú vas soñando pan y leche y miel, el otro va anhelando oro y laureles».[44] Esta reflexión inicial, que revela su gran duda acerca de la posibilidad de que pueda existir realmente una identificación entre dos seres humanos, incluso en el amor, al final del texto se transforma en una evaluación del amor categóricamente negativa cuando a modo axiomático escribe que «la relación de amor es lucha en la cual no cabe compasión para el adversario».[45] El movimiento que encontramos entre su meditación inicial y la tajante formulación con la que cierra este libro registra, en mi opinión, el trabajo psíquico del duelo que ha ido haciendo en el transcurso de su escritura de *Gregorio y yo.* La simbiosis se ha convertido en

[43] María Martínez Sierra, *Gregorio y yo, ob. cit.*, p. 53.

[44] *Ibid.*, p. 54.

[45] *Ibid.*, p. 374.

lucha, y el «otro nombre de nuestro "yo"» ha llegado a ser su adversario. Existe, pues, para la narradora una distancia con el que fuere su marido. La entrevelada ambivalencia que notamos al principio del texto se ha trastocado en lo que fue la realidad de su matrimonio.

La melancolía del exilio irrumpe en el texto, como hemos mencionado ya, en el capítulo final que tiene por título, «En la otra orilla», uno de los *topoi* más repetidos en la literatura del exilio. El que así sea está íntimamente vinculado al proceso de creación de *Gregorio y yo*. Comienza a escribir este libro cuando aún vive en Niza, ciudad que fue su segunda residencia desde los años 20 ya que mantuvo en la Costa Azul diversas casas a las cuales acudía para escribir y, también, para evitar los desapacibles inviernos madrileños que le resultaban insoportables. Durante la guerra María Martínez Sierra vivió fuera de España en tanto que fue representante de la República en Suiza y Bélgica. En 1938, por razones de salud, dejó Bélgica, en la cual había organizado colonias para niños refugiados y se volvió a instalar en Niza hasta que terminara la contienda. A diferencia de sus amigos más cercanos del PSOE, María no se planteó ante la derrota de la República partir hacia México por diversas razones, principalmente personales, entre las cuales el que estaba a cargo de una hermana enferma. Decide emigrar a América en 1950 cuando ve la imposibilidad de mantenerse económicamente en la Francia de posguerra y también, posiblemente, al haberse dado cuenta, como tantos otros refugiados, ante el acercamiento de Estados Unidos al régimen de Franco, que no volverá a España. Al embarcar en el *Saturnia* en Génova rumbo a Nueva York, primera parada de lo que será su largo viaje por tierras americanas que incluirá estancias en Tempe, Arizona, Los Ángeles y México D.F., ya ha empezado a escribir

Gregorio y yo que concluirá varios años más tarde en Buenos Aires. Es importante notar que cuando comienza este libro de memorias aún no ha pensado en la posibilidad de desterrarse y, al haber vivido tantos años de su vida en Niza, es posible que no se sintiera como refugiada en Francia a pesar de encontrarse objetivamente en esa condición. La realidad del exilio sólo se le hará patente al establecerse en la capital argentina. Es por esto que no se acusa en *Gregorio y yo* la melancolía típica de la exiliada hasta el final del libro una vez instalada en Buenos Aires. El viaje psíquico del duelo, entonces, se yuxtapone al viaje real que la lleva hacia el exilio del que no ha de volver. Si puede remontarse a la aflicción de la pérdida de personas queridas, el exilio será la causa del desencadenamiento de la melancolía cuando María, finalmente, acusa la pérdida de su país. A diferencia de otros exiliados que, en palabras de José Pascual Buxó «rememoran las horas de desdicha con el mismo orgullo con que hubieran celebrado una victoria»,[46] María es incapaz de contener y frenar su melancolía y opta por acallar su angustiada narrativa escondiéndose en un abrupto final:

> Me detengo. Este repasar viejas memorias se van transformando de gozo en angustia. A fuerza de evocar sombras –casi todo lo que fue mi vida ha desaparecido– antójaseme que soy una sombra también. No seguiré. No puedo seguir. No quiero seguir. Cierto, la memoria es arca sellada y mágica: una vez entreabierta, deja escapar recuerdos inagotables, pero ¿vale la pena?[47]

---

[46] Citado en Francisco Caudet, *Hipótesis sobre el exilio republicano en 1939*, *ob. cit.*, p. 490.

[47] María Martínez Sierra, *Gregorio y yo*, *ob. cit.*, pp. 392-393.

La infatigable optimista, sin embargo, no puede dejar a sus lectores también sumidos en la melancolía, así es que en las últimas líneas de *Gregorio y yo* se pregunta lo siguiente: «No ando lejos de pensar que la muerte es sólo un descanso temporal de espíritu. Pero ahí está el enigma: ¿Cuánto tiempo necesitará el alma para descansar de una vida?»[48] Pienso que la contestación al enigma se encuentra en la presente re-edición de *Gregorio y yo.* Ya ha descansado su alma lo suficiente; ya es hora de que resucite como lo hará en las páginas que continúan. Por primera vez el público español podrá oír la voz y leer la magnífica prosa memorialista de la que fue, sin lugar a dudas, la dramaturga más destacada de principios de siglo.

ALDA BLANCO
Madison, Wisconsin
Marzo, 1998

---

[48] *Ibid.*, p. 394.

GREGORIO Y YO

A la sombra que acaso habrá venido –como tantas veces cuando tenía cuerpo y ojos con que mirar– a inclinarse sobre mi hombro para leer lo que yo iba escribiendo.

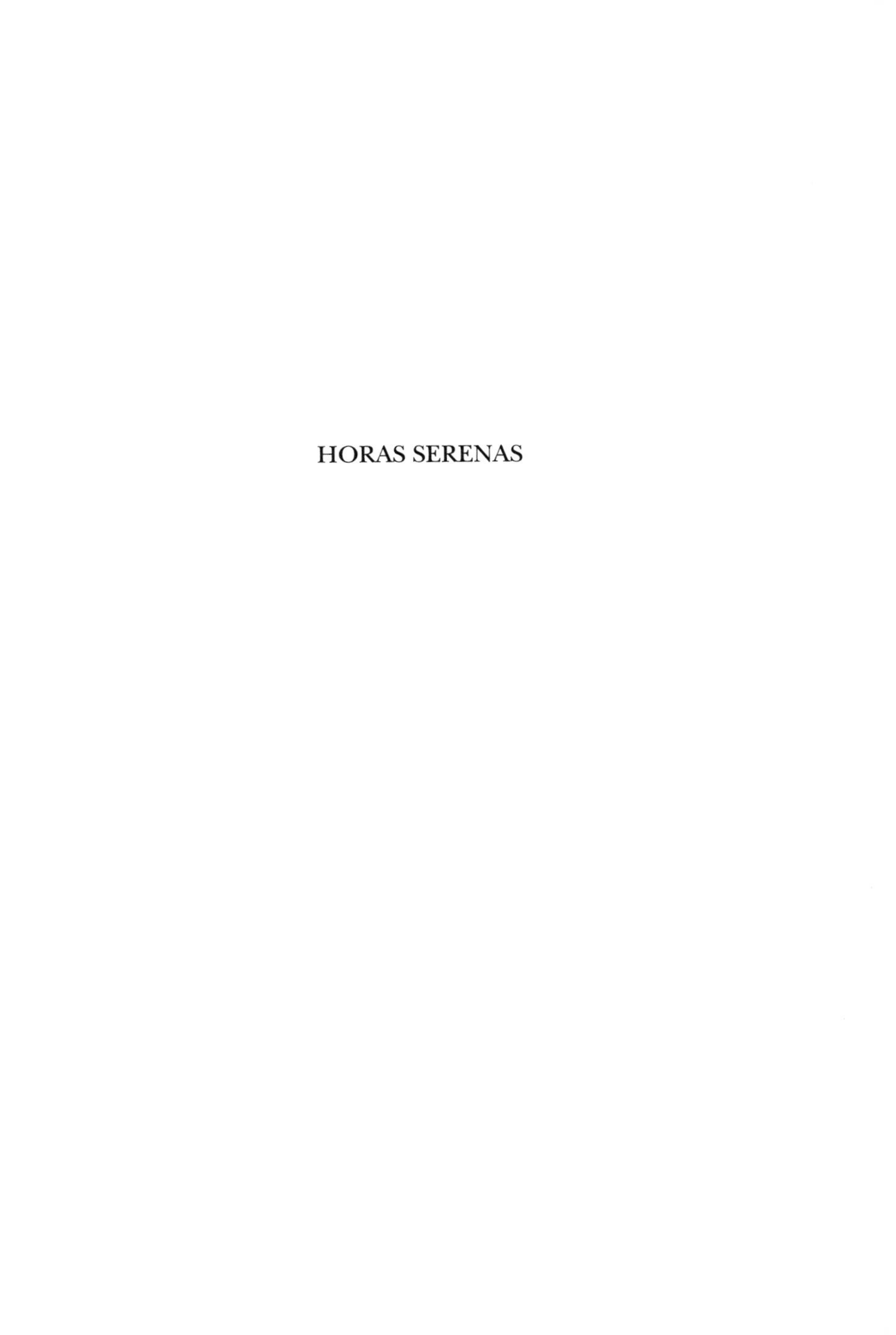

HORAS SERENAS

EN ESTE LIBRO, sin continuidad rigurosa ni pretensión autobiográfica, quiero consignar el recuerdo de unas cuantas horas, que acaso alguien pueda leer con interés, no por ser parte de mi vida –la existencia de un solo individuo que en nada ha sido decisiva para el destino de la Humanidad ¿qué le importa a nadie?–, sino porque esta vida mía anda mezclada con otras de los que han hecho más o menos ruido en el mundo de la literatura, de la música, del arte dramático y, hablando en términos más generales, de la inteligencia española desde 1898 a 1947.

Es el fragmentario relato de la aventura de dos inteligencias gemelas que han ido, a través de las nieblas del ensueño adolescente, de la luz cegadora de los años meridianos, del gris luminosamente plateado del atardecer –primavera, verano y otoño de la vida–, buscando una forma especial, una expresión peculiar de belleza.

GREGORIO MARTÍNEZ SIERRA

Nunca, hasta hoy, me preocupara el recordar. Estábamos viviendo, y el mero vivir se basta a sí mismo. Mas el compañero de camino pasó la puerta inexorable y echó a andar por la senda que no admite retorno, y al mirarle alejarse y al decirle adiós, tumultuosamente se alzan dentro de mí las memorias del ayer en que nunca me detuve a pensar. Para quien hace tan poco desapareció, jamás hubo pasado ni presente: vivió siempre en mañana, en proyecto, en deseo, en ansia de hacer y de lograr lo que aún no habíamos hecho ni logrado.[1] Mi primer lamento, cuando la voz impersonal de la radiodifusión londinense me trajo la noticia de su muerte, no fue por mí, sino por él. Dentro del alma viuda clamó una voz: «¡Infeliz! Ha muerto sin realizar lo que tanto anhelara». Luego pensé: «Aunque hubiera vivido mil años, lo mismo sería». Porque la esencia de su vivir fue el anhelar.

Un amigo que le vio tres días antes de su muerte me escribió: «Estaba en la cama rodeado de bocetos, papeles, proyectos, preparando la próxima campaña teatral».[2] No existió para él campaña interesante sino la futura. ¡Cuántas veces le dije: «Vayamos por la vida lentamente»! Porque yo lo decía con todo el fervor elemental de mi espíritu apegado a la tierra y al instante, él lo puso en verso. Mas nunca le pude retener ni un momento en la dulzura del vivir presente. No pocas veces, con voluntarioso artificio de juglar, logré hacerle reír, a él, melancólico por naturaleza: jamás conseguí que olvidase un segundo la tarea que, a su parecer, nos estaba llamando imperiosamente.

---

[1] Gregorio Martínez Sierra, nacido el 6 de mayo de 1881, en Madrid, muere en esta misma ciudad el 1 de octubre de 1947.

[2] Se puede estar aquí refiriendo a una carta de Luca de Tena, firmada el 30-X-1947, en la cual éste le cuenta a María acerca de la enfermedad de Gregorio y la condición en la cual se encontraba a su vuelta a Madrid poco antes de su muerte. Luca de Tena, también, le describe el entierro que presidió la Sociedad de Autores en pleno. (Archivo María Lejárraga.)

«Sigue tú: yo me siento en el suelo», le decía medio en broma, medio en veras, en momentos de pasajero cansancio... Él seguía. Yo, después de haberle dejado dar unos cuantos pasos, como madre que sonríe a la testarudez del crío, echaba a andar tras él y volvía a ponerme a su lado. Y aún hoy en que ya no me llama su afán a afanarme con él, ha dejado su voluntad tal huella en mi conciencia que, a pesar de saber que él ya logró el descanso, no pocas veces me da remordimiento descansar... «Sigue, sigue, esfuérzate, trabaja. Aún estás tú en el mundo..., aún no hemos terminado.»

¿Por qué serenas?

«Horas serenas» se titula este preámbulo. Porque son las únicas que quiero recordar. Un día, no sé ya en qué jardín del mundo, vi un reloj de sol. Y tenía este lema escrito en latín: «No señalo sino las horas serenas». *Nisi serenas.* Siempre ha sido también el lema de mi vida. No voluntario, no elegido. Instintivo, don de la suerte, gracia de Dios. *Nisi serenas.* Sólo las horas de serenidad he sabido guardar en la memoria. Quien otras rememora y recuenta es un miserable o un desdichado. ¿Qué guardas, criatura, para hacer tu tesoro? El oro puro, el grano limpio. Lo demás, ¡al horno crematorio del olvido! ¿Vas a conservar podredumbres para corromper la existencia? ¿Amarguras rancias para emponzoñar el aire que respiras y que te hace vivir? ¿A quién pretendes hacer chantaje preservando el recuerdo de malas acciones? ¿Rencores? Toxinas en la sangre. ¿Para qué? Es decir, que todo lo perdonas. ¿Perdonar? ¿Con qué derecho? El perdonar supone haber juzgado, y ¿qué arrogancia intolerable es ésa? ¿Tú juez? ¡Ni de ti misma!

Además, todo aquél que, aunque sólo haya sido un instante, se ha detenido junto a nosotros nos ha dado algo bueno... ¿Tal vez mucho malo? ¿Y nosotros a él? ¿Qué sabemos? Hasta cuando intentamos favorecerle, hasta si neciamente nos sacrificamos por él. De vez en cuando hay que pedir perdón al Ordenador de la vida por el mal que hemos hecho pensando hacer bien.

Más de una vez, más de dos y tres veces, se ha repetido para mí una extraña experiencia: un amigo que compartía nuestra vida con asiduidad que casi parecía cariño, de repente, dejaba de llamar a nuestra puerta.[3] Yo, asombrada, rebuscaba el motivo posible en dolido examen de conciencia, y no encontraba dolo de que acusarme. Recuerdo cómo en una de tales ocasiones, tropezando por azar con el prófugo, le afronté e interrogué sinceramente. Y no pude lograr sino esta desconcertante y a todas luces rencorosa respuesta: «No me pregunte usted. ¡Lo sabe usted de sobra!». Juro a Dios que yo nada sabía y que nunca logré adivinarlo.

---

[3] Este parece haber sido el caso de Juan Ramón Jiménez y Manuel de Falla. Una excelente descripción de la amistad con el poeta se encuentra en Ricardo Gullón, *Relaciones amistosas y literarias entre Juan Ramón Jiménez y los Martínez Sierra*, San Juan, Ediciones de la Torre, 1961. Según Gullón es probable que se hayan conocido los Martínez Sierra y Juan Ramón en 1900 llevándoles a entablar una estrecha relación de amistad, cuyo momento de suma intensidad se marca con la publicación de *Teatro de ensueño* (1905). A partir de 1915, Gullón no encuentra rastros de que continuara con la intensidad anterior. Este autor piensa que la separación se debió a una «bifurcación de caminos». Al parecer María nunca le olvida ya que en una carta fechada el 4 de abril de 1957, desde Buenos Aires, le felicita por el Premio Nobel y le da el pésame por la muerte de Zenobia. La desavenencia con Falla es complicada; María se refiere a ella varias veces a lo largo de este texto.

Otro, en ocasión semejante, dióme explicación tan absurda que no fue necesario ser muy lince para tenerla por embustera.

Desde entonces, siempre que el fenómeno se ha repetido, no he querido indagar. Y he llegado a creer: «Herimos sin puñal y ofendemos sin conocimiento». Y esta certidumbre me sirve para no enconar las propias heridas. «Acaso –pienso– la puñalada que me duele no la quiso dar quien me la diera. Quizá el cuitado no supo jamás que llevaba en la mano el cuchillo. Tal vez yo misma me precipité contra el acero inocente. Por lo cual es posible que yo sea única responsable de mi propia herida...». Dejar correr la sangre, mirar correr la sangre es buen remedio: divierte e interesa como mirar el agua que surte a borbotones del manantial. El ritmo, el acordado movimiento calman y aquietan..., la pena se duerme, el escozor se templa... Canción de cuna. El alma siempre es niña.

NO HAY MAYOR DOLOR QUE RECORDAR EL TIEMPO FELIZ EN LA MISERIA

¡Niego! Aunque lo haya dicho Dante, no es verdad. El recuerdo es el sueño retrospectivo. Soñar..., recordar, revivir la pompa y lozanía del existir pasado. Y, sin la inquietud inevitable de «Esto pasará».

Pasó. Pero no ha muerto. Está aquí. La memoria que es el otro nombre de nuestro «yo» lo guarda en arquilla de madera preciosa –¿cedro?, ¿ciprés?–, incorruptible y perfumada. No hay sino abrir y embriagarse con el sutil aroma.

Pasó aquella esperanza indefinida y fuerte que es el tesoro de la juventud, aquel mirar al mundo con ojos casi recién creados, y afirmar: ¡Serás mío! ¡Oh arrogancia emprendedora para la cual no hay tarea imposible ni camino que no se antoje fácil! Y más cuando, por privilegio de la suerte, no se emprende a solas, sino que se echa a andar en compañía que se cree eterna, cuando otra mano va presa en nuestra mano, cuando al mirar al cielo para ponerle por testigo de nuestro anhelo que es nuestro propósito, se detienen un instante los ojos en otros ojos a los cuales sonreímos y que, en respuesta, nos sonríen, cuando se corrige la soberbia del «¡Haré!» con el humilde orgullo del «¡Haremos!», cuando se aplaca y funde la propia voluntad en el halago de otra voluntad cómplice con la cual compartimos gozosamente la soberanía.

Pasó. Y acaso aquella compenetración inefable no fuera tan total como creíamos. Tal vez, hasta cuando se sueña el mismo sueño, la meta del soñar es diferente. Quizá, cuando tú vas soñando pan y leche y miel, el otro va anhelando oro y laureles. ¿Quién sabe si hasta cuando vamos caminando tan juntos, con paso acordado e isócrono latir de corazones, no vamos simplemente por sendas paralelas que no pueden juntarse? ¿Quién podrá afirmar que el alma humana no está siempre sola inexorablemente?

¿Sueño la compañía? ¡Qué importa! Cuando han pasado, un hecho y un sueño dejan en el espíritu idéntica huella: un recuerdo. Recordando, volvamos a vivir las horas dichosas.

La felicidad, ¿existe?

La felicidad no es una continuidad, ni siquiera breve. Es una sarta de piedras preciosas separadas por intervalos de dolor o de indiferencia, digamos más bien de insensibilidad. Es una sucesión de instantes, mejor aún, de estados de ánimo. En realidad, está formada con anticipaciones –esperanzas, deseos– y con recuerdos. Los hechos en sí influyen poco en ella. El presente apenas existe. La extrema emoción suprime casi en absoluto la conciencia y, por lo tanto, la idea misma de la existencia de la felicidad, puesto que produce la ausencia –¿anestesia?– del protagonista que debiera saborearla. Por lo cual la felicidad es simplemente el goce, en recuerdo, del instante fugaz que ya pasó. La felicidad es una creación voluntariosa de nuestro espíritu, una prolongación de nuestro anhelo saltando sobre la tumultuosa fracción de segundo en la cual el deseo se hizo realidad.

Después de estas breves consideraciones, y apoyados en ellas como peregrino en su bordón, recordemos.

M. M. S.

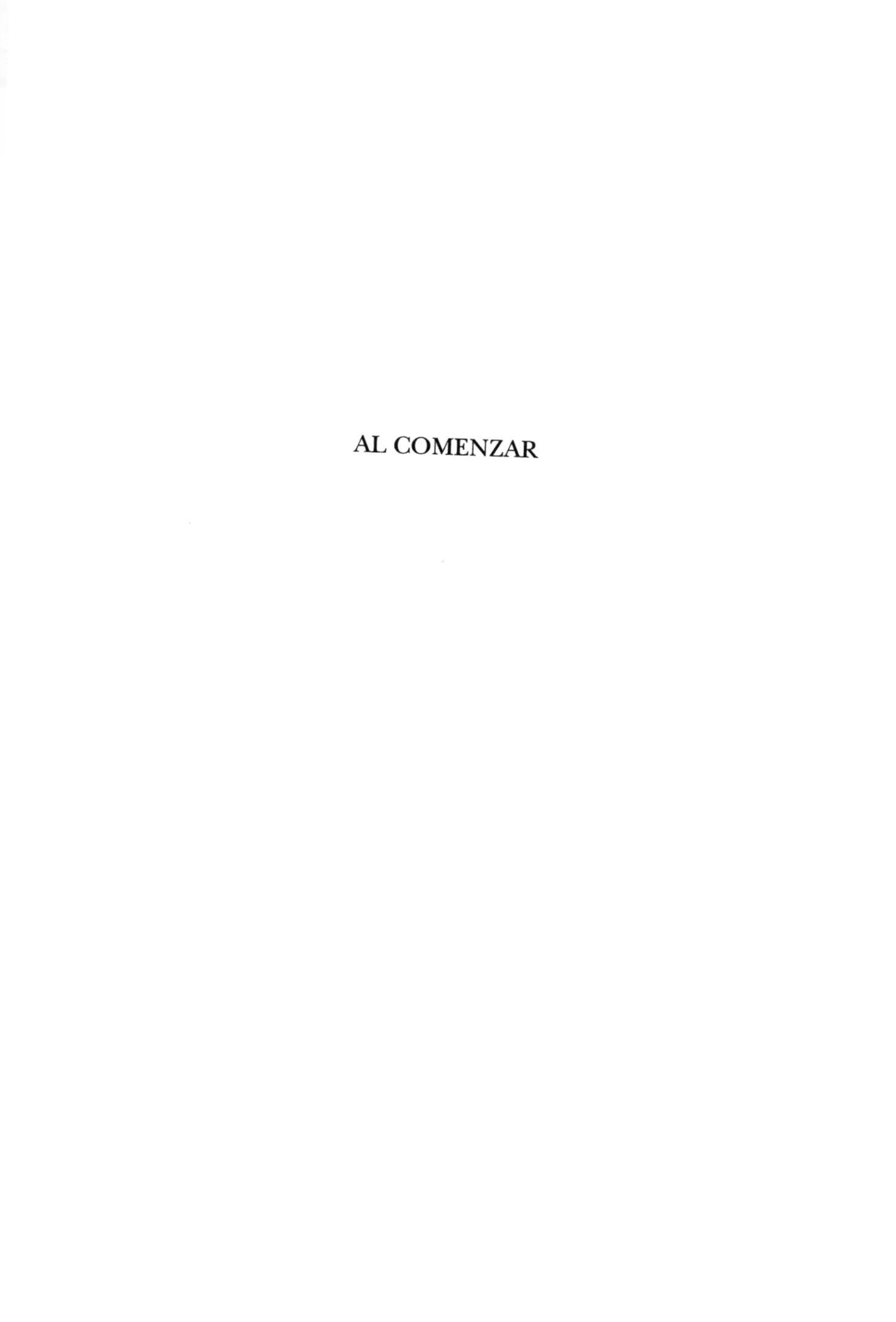

AL COMENZAR

SE HA DADO EN LLAMAR «generación del 98» al grupo de escritores que empezamos a emborronar papel en los últimos años del siglo XIX. Todos andábamos soñando la vida entre los dieciocho y los veinticinco. El porvenir no parecía ni fácil ni claro. España era una monarquía decadente con rey niño y regente hembra. Dos partidos –liberal y conservador– turnaban pacífica e ineficazmente en el poder procurando no tanto hacer patria e incorporarla al movimiento de material progreso que en el resto de Europa ya se hacía sentir vivamente como frenar el «carro del Estado» para que no volcase y arrastrase en el vuelco a la dinastía reinante. El destino del pueblo importaba bien poco a los que gobernaban. Pienso que desde el siglo XVI, desde que Isabel de Castilla y Fernando de Aragón, los llamados Reyes Católicos, últimos monarcas españoles de sangre y nacimiento, dieron, al morir, paso a las dinastías extranjeras –Austrias y Borbones– que desde entonces han ocupado el trono español casi exclusivamente, no ha existido en el mundo pueblo que ignorase a su Gobierno ni Gobierno que olvidase a su pueblo como los de España. Convivían en pacífica pero absoluta indiferencia. Eran dos ríos que de montes opuestos bajan al mismo valle y por él corren a perderse en el mar sin lograr ni siquiera procurar que sus aguas se junten.

La vida era, como siempre y doquier, buena para los ricos, sordamente angustiada e insegura para la clase media, miserable para la clase trabajadora. Los jornaleros –aún no habían aprendido a llamarse obreros– de industrias y oficios trabajaban doce horas diarias; los del campo, de sol a sol. El jornal era insuficiente, y la pobreza, sórdida. Lo cual parecía una ley natural. Ni los de arriba ni los de abajo imaginaban que pudiera torcerse. «Socialismo» era una extraña palabra que no se sabe cómo había conseguido pasar los Pirineos y que habían aprendido a pronunciar unos pocos iluminados precursores –¡saludemos la gloriosa memoria de nuestro Pablo Iglesias!–, pero que aún no inquietaba gran cosa a los ahítos ni esperanzaba demasiado a los hambrientos.

Los problemas sociales no formaban parte de la vida política española. ¿Qué tenía que ver una cosa con otra? Las sacudidas de la vida pública venían exclusivamente de los militares que, unas veces a lo liberal y otras a lo reaccionario, promovían uno de sus famosos «pronunciamientos». Vagamente recordaba el pueblo español que en uno de ellos rodó la Corona, quedó el Trono vacío, ejerció autoridad durante poco más de dos años un Gobierno Provisional, vino luego a ocupar el solio un rey extranjero también, que la aristocracia creyó sentirse españolizante olvidando o ignorando que tan «de extranjis» como un Saboya era un Borbón, y obligó al rey que acertó a ser de lo mejorcito en su clase a mandar a paseo la realeza y volverse a su Italia, que se proclamó por voto casi unánime de las Cortes una República tan ineficaz como la monarquía y que, al cabo de menos de un año, los militares acabaron con ella y trajeron de Austria, donde se había refugiado, al Borbón heredero. Trajo éste, para remedio de males españoles, la panacea del «servicio militar obligatorio». Poco después, y como contrapeso al juego militar, apareció el «sufragio universal, fuente de todo derecho».

El «carro del Estado», por lo visto, no pudo con la sobrecarga de tan aplastantes mejoras, y continuó rodando hacia el abismo.

Para salvar a una nación que corre a su pérdida no valen grandezas pasadas. Al contrario, diríase que pesan demasiado y precipitan la inevitable ruina.

> España está loca porque ha sido grande,
> y ahora, de abatida,
> no se aviene a guardar la medida,

gritaban o lloraban nuestros primeros versos. Le había quedado de sus pasadas glorias una fe irracional en el indudable valor temerario de sus soldados, y no quería –¡no sabía!– tener en cuenta la eficacia de las armas modernas. Y en la guerra insensata contra los Estados Unidos de América perdió lo muy poco que de su Imperio le quedara: Filipinas, Marianas, Cuba, Puerto Rico.

No puede olvidárseme el día del desastre. Por la mañana, no sé con qué fin, se había hecho correr semioficialmente el rumor de una inverosímil victoria de la escuadra española salida de Cuba contra la americana. A mediodía llegó la noticia de la derrota. Era domingo. Era el mes de mayo. Brillaba deslumbrante el sol en el alegre cielo madrileño. En mi casa, unas viejecillas patrioteras lloraban a lágrima viva la humillación de España. La plaza de toros se llenó hasta los topes en la corrida de la tarde. Mucho y amargamente se comentó la «falta de pulso» del pueblo madrileño. Madrid –¡la capital de España!– corriendo a la fiesta nacional sin dársele un ardite de que la patria hubiera sido humillada y vencida, de que se hubiese perdido en un instante su gloriosa y anticuada escuadra... No era «falta de pulso»; era la indiferencia de siempre. ¿Qué interés podía tener para el pueblo español aquella guerra provocada y querida por el Trono en uno de esos espejismos o espasmos que las monarquías padecen cuando, en tren de hundirse, sueñan que una serie de triunfos militares podrá devolverles el prestigio perdido?[4]

La monarquía española no se hundió, sin embargo, aquel funesto día. Siguió, barco desmantelado, flotando sin rumbo y sin porqué. Treinta y tres años tardó el mar en tragárselo definitivamente.

¿Cuál fue la reacción ante el desastre de los que entonces empezábamos a pensar y a escribir? Extraña. De la humillación presente surgió una especie de rencor al pasado. Todas aquellas glorias cuyos nombres nos habían enseñado en la escuela se nos antojaron, no ya leyenda, sino mentira. La Historia nos había engañado. ¿Era posible que pudiera caer tan bajo una nación si, en otros tiempos, hubiera sido verdaderamente gloriosa y grande? ¿Cómo creer en virtudes pretéritas, caídos como nos figurábamos estar en el fondo mismo de la abyección? Uno de los pensadores españoles –Joaquín Costa– a quien considerábamos como maestro pudo decir: «Hay que cerrar con siete llaves el sepulcro del Cid». Es decir: Es preciso renunciar al pasado. Nosotros, exasperando el sentimiento con el fuego de nuestra juventud, dijimos: *renegar del pasado.* Lo cual equivalía a quedarnos sin patria.

> Tus hijos contra ti se levantaron
> y hasta el nombre de madre te negaron

---

[4] Es algo borrosa su recolección de este día ya que parece confundir la fecha de la batalla naval de Cavite (Filipinas), 1 de mayo de 1898, con la del hundimiento de la escuadra española en Santiago de Cuba, 3 de julio, de ese mismo año. En lo que no se equivoca es en el hecho que en esas dos fechas se celebraron corridas de toros en Madrid.

había cantado medio siglo antes uno de nuestros más sinceros poetas románticos, Espronceda.[5] Cierto que él no se refería a España, sino a una mujer por la cual se creía traicionado. Pero es curiosa esta característica del espíritu español, que, para consolarse de sus decepciones, quiere suprimir, tajar y arrancar de raíz lo que no puede cortarse, suprimirse ni arrancarse, lo que fue, lo que para bien o para mal nos dio la vida.

Sin patria... Algunos no volvieron a encontrarla. Otros, en días aún más dolorosos, después de la guerra española (1936-1939), al mirar destruído por la espantable inhumanidad de la mayoría de los españoles cuanto pudiera quedarles de fe en sus esencias de hidalguía y nobleza, trocando la desesperación en amor, se lanzaron hidalgamente a romper lanzas en honor de la España de otrora, a volver por el pasado grande, a refutar las calumnias que ignorancia y envidia acumularon durante tanto tiempo sobre el nombre de España.[6]

Estas alternativas de rencor y fervor son reacciones esencialmente masculinas. Hace mucho tiempo he pensado y he dicho: «La patria, que para los hombres es madre, para las mujeres es hijo». Y el varón, a la hora de la madurez, siempre vuelve al amor de la madre por muchas palizas que ella le haya dado en la infancia, sobre todo si la ve anciana, enferma y a punto de morir.

Mi propio sentimiento patriótico es distinto: como todos los de mi generación, en los años que siguieron al 1898, sentí

---

[5] Estos versos provienen del *Canto a Teresa* de Espronceda, pero se equivoca nuestra autora en la cita. Los versos del poema dicen: «tus hijos, ¡ay!, de ti se avergonzaran / y hasta el nombre de madre te negaran».

[6] Véanse los libros de Pedro González Blanco *Vindicación y honra de España* y *Conquista y colonización de América por la calumniada España*, publicados en México en 1944 y 1945. (Nota de la autora.)

casi vergüenza de ser española. Después, la vida larga y el continuo viajar hicieron cristalizar en mí, hace ya mucho tiempo, un estado de conciencia que ni siquiera los inevitables horrores de una guerra ni los personalísimos quebrantos y decepciones que de ella han derivado para mí y los míos, han logrado alterar. No quiero a España por patria exclusiva, mas no la reniego: es sólo un pedacito de mi patria. Otro gran pedazo –¿quién sabrá por qué, puesto que yo lo ignoro?– lo tengo en Inglaterra: Fragmentillos hallé en otros rincones del mundo. En parte ninguna de las que he visitado me sentí extranjera. En muchos lugares he deseado plantar mi tienda y, como los discípulos en el monte de la Transfiguración, he dicho algunas veces: «Bien estamos aquí». De hecho, si la casi seguridad que ahora tengo de no volver a España me aflige tanto, la idea de volver a vivir en España con la certidumbre de no salir nunca de ella me sería intolerable. Necesito y necesitaré siempre la puerta abierta y el camino libre más allá del portón. No es esto alarde necio de internacionalismo –ya no creo en ninguna «internacional»–, pero me da náuseas todo nacionalismo, y hace lustros y lustros que no comprendo bandera ninguna sino como elemento decorativo. Esta es la verdad, mejor dicho, ésta es la partecilla de verdad que, humildemente, puedo llamar mía. No la confieso como pecado, sino como evidencia. Es así. Tal vez he salido ganando con tener de este modo la patria dispersa: mientras esté en la tierra no puedo sentirme desterrada.

Recuerdo un artículo de *Clarín* –en verdad uno de los más claros y emocionados pensadores de España–, publicado hacia 1890. Dolíase en él de la xenofobia que por entonces padecía España. Es esto del desprecio por todo lo extranjero fenómeno que suele darse en los pueblos que pasan por una fase de ruina y decadencia. Tal vez el que tiene conciencia de mal vivir se consuela instintivamente pensando que los de fuera viven peor que él. Si *Clarín*, que murió en 1901, para duelo de las letras españolas,[7] en plena lozanía intelectual, hubiera vivido pocos años más, habría tenido que lamentarse de lo contrario: xenofilia excesiva. Para los españoles de los primeros años del siglo XX todo lo de fuera parecía bueno por contraste con el atraso de dentro de casa. Púsose de moda lo de «el progreso, ley de la Historia», y, en realidad, la infeliz patria nuestra iba arrastrándose por la carretera del progresar materialmente con más de un siglo de retraso. Todavía no la habían considerado mercado aprovechable los fabricantes de «comodidades».

Han hecho falta dos guerras mundiales y sus revelaciones espeluznantes para poner las cosas en su punto. Hoy, afrontándonos con el mundo entero, podemos afirmar bien convencidos: «Todos somos unos». Y todos –la Humanidad entera– valemos bien poco.

Desligados, a nuestro parecer, de toda atadura espiritual con el desdichado pedazo de tierra en que nos había tocado nacer, nos lanzamos a vivir «por cuenta propia». Los que, al salir de la Universidades en las que, por entonces, se enseñaba poco y mal, pudieron disponer de los medios necesarios para ir a completar estudios al extranjero, se precipitaron a Francia y Alemania. Algunos emigraron a América.

---

[7] No ha de doler la muerte de Clarín (Leopoldo Alas) sólo porque con ella desapareció antes de tiempo un gran pensador, un buen novelista, un prosista exquisito, maestro en la que pudiéramos llamar emoción intelectual, sino porque dejó vacante, dentro de la literatura española, el empleo de «crítico». No ha habido desde entonces quien le sustituyera, por lo cual los escritores de nuestra generación no hemos tenido nunca quien nos diga una clara verdad acerca de nuestras obras. Los amigos las han ensalzado desmedidamente, y los rivales las han rebajado con envidia e insidia. Nadie ha vuelto a decirnos a veces apasionada, pero siempre sinceramente: «Vas por buen camino» o «Erraste la verdad». (Nota de la autora.)

Los más pobres o menos animosos quedamos en España, soñando con poder salir de ella lo antes posible. La tarea fue dura: ganarse nombre y vida en un país que, al parecer, estaba agonizando.

* * *

Y aquí comienzan las horas serenas.

Hay un párrafo o versículo en la Biblia que dice: «En el devorador hallé la comida, y en el fuerte la dulzura». Es el caso –si mal no recuerdo– que Sansón, hambriento, encontró en las fauces de un león un panal de miel con el cual pudo remediar su necesidad. En el trabajo incesante y testarudo encontramos la serenidad. Gregorio Martínez Sierra y yo éramos en el año del desastre un par de chiquillos ilusionados. Hacía casi tres años que yo había cumplido los veinte; a él le faltaban casi dos para cumplirlos, pero en chiquillería, allá nos andábamos. Saliendo de la Escuela Normal, acababa yo de ganar por oposición un puesto de maestra en las escuelas municipales de Madrid:[8] él comenzaba en la Universidad madrileña sus estudios de Filosofía y Letras. Eran nuestras familias amigas, y puede decirse que nos conocíamos desde siempre; mas pocas veces habíamos tenido ocasión de hablarnos; cuatro o cinco años de diferencia son, en la adolescencia, barrera casi infranqueable entre una mujercita y un muchacho. A los dieciséis ya empieza una chiquilla a preguntarse: ¿Dónde estará ahora el hombre que ha de ser mi marido?, pero no se le ocurre que el candidato pueda

[8] María de la O Lejárraga nace el 28 de diciembre de 1874, en San Millán de la Cogolla. Fue aprobada como Maestra de Primera Enseñanza Normal el 28 de junio de 1895, siéndole expedido el título el 22 de agosto de ese mismo año.

encontrarse en el grupo de amigos de sus hermanos pequeños. Yo, a decir verdad, cuando soñaba mi porvenir me veía feliz esposa de un sabio catedrático al cual ayudaría fervorosamente en sus investigaciones científicas. Nunca, sin embargo, había materializado mi sueño en figura varonil definida; todos los profesores a cuyas enseñanzas debí el alto honor de llegar a ser maestra de escuela estaban casados o eran eclesiásticos, y las niñas formales y bien educadas, aunque otra cosa piensen novelistas varones, no acostumbraban a soñar imposibles.

Nuestras familias pertenecían ambas a la clase media, mas eran bien distintas, y únicamente se asemejaban en la abundancia de prole. Ocho hermanos menores tenía él; era yo la mayor de ocho hermanos. Por lo demás, oposición absoluta. Era mi padre médico y tan sabio como el que yo, a ratos perdidos, soñaba para compañero de mi vida; mi madre había recibido educación refinadísima, desusada en sus tiempos de niña. No había ido a la escuela –¡horror a mediados del siglo XIX!–, pero había tenido en casa profesoras francesas; en francés había aprendido Historia, Mitología, literatura; en francés pudo enseñarme a mí, que si a los tres años, gracias a su entusiasmo pedagógico, supe leer, hasta los trece que no tuve otra maestra que ella. Nuestra casa estaba llena de libros –ciencia y literatura–. Padre y madre leían ávidamente en las pocas horas que les dejaban libres a él la obligación de ganar el sustento para tantos hijos, a ella el cuidado de alimentarlos, vestirlos y adoctrinarlos, que a todos nos crió a sus pechos y a todos nos enseñó por lo menos a escribir y a leer en francés y en castellano. De los nueve a los trece escribí a diario «composiciones», como dicen en Francia, sobre todos los temas imaginables. A veces, mi maestra me mandaba describir la feria de Sevilla o el carnaval de Venecia, y si yo, realista de nacimiento, objetaba: «¿Cómo voy a contarlo si no lo he visto?», ella, con inefable candor romántico, me respondía: «Si lo hubieras visto, ¿qué gracia tendría contarlo? ¡El caso es figurárselo!». Y ¿qué remedio? Yo me lo figuraba y lo escribía.[9]

La familia de Gregorio Martínez Sierra pertenecía al grupo comerciante-industrial. Su abuelo materno, hijo del pueblo, vivo de inteligencia y emprendedor, fue uno de los primeros españoles que comprendieron la importancia práctica de la recién nacida electricidad e introdujo en España el uso de no pocas novedades, arriesgando su vida al instalar con medios improvisados, en la celebración de un fausto acontecimiento palatino, un arco de triunfo iluminado eléctricamente. Fue también inventor de un telégrafo de campaña que el Ejército español empleó durante muchos años. Iba y venía a Francia con frecuencia para enterarse de los últimos adelantos y, aplicándolos, hizo regular fortuna. Herencia suya debió ser el infatigable espíritu de empresa, la curiosidad por toda cosa nueva, el desenfrenado amor al trabajo del que durante medio siglo fue mi compañero.[10] Ni el padre ni la

---

[9] En *Una mujer por caminos de España*, nuestra autora es bastante más efusiva en la descripción de sus padres, Leandro Lejárraga y Natividad García. Escribe: «Y aquí, humanamente, quiero hacer un alto en el cuento para agradecer al Destino el haberme hecho nacer del amor de una mujer y un hombre de tan noble espíritu, de tan refinada cultura, tan enamorados de la tierra y tan sencillamente capaces de andar "por las nubes", por todas las nubes que nacen en las cumbres y de ellas se desprenden desgarrándose desordenada y armoniosamente». Castalia, Madrid, 1989, p. 261.

[10] No cabe duda que Gregorio Martínez Sierra fue un enérgico empresario cultural desde que funda su primera revista, *Vida moderna*, en 1901 hasta su muerte. Cabe destacar aquí la dirección de las más importantes revistas modernistas, *Helios* y *Renacimiento*, su dirección de la Biblioteca Renacimiento, la fundación de sus varias compañías teatrales y la dirección escénica y empresarial del teatro Eslava (1916-1926). Habría que añadir, sin embargo, que María Martínez Sierra colaboró estrechamente con los pro-

madre tuvieron jamás curiosidad científica ni literaria... En casa de mis suegros no entró más muestra de literatura que un periódico ultraconservador ni otro libro que los de texto que exigieron los estudios del primogénito, el cual salió avispado y buen estudiante.

Era mi suegra católica que hubiera merecido ser calvinista, enemiga de toda blandura para sí y para el prójimo, atisbando el pecado hasta en un suspiro, trabajadora encarnizada, exigiendo de todos los suyos intransigente adhesión al dogma católico tal como ella, educada por monjas, lo entendiera, y no les consentía momento de ociosidad material que pudiera dar lugar a un ensueño pecaminoso o siquiera frívolo. Dos portillos abrió, sin embargo, al educar al hijo primogénito por los cuales entró la semilla, según ella, maldita. La Casa Sierra había hecho la instalación eléctrica en uno de los principales teatros madrileños, y para cuidar de ella y prevenir posibles accidentes, un obrero especializado de la casa asistía a todas las representaciones. Los domingos por la tarde, el tal obrero llevaba consigo al teatro al nietecillo del patrón, al cual instalaba en la concha del apuntador, y así Gregorio Martínez Sierra, durante innumerables tardes de infancia, en los momentos en que se está formando la inteligencia, no sólo vio y oyó representar comedias y dramas, sino que aprendió con todo detalle el artificio de la puesta en escena, que había de ser la apasionadamente preferida de sus múltiples actividades...

Fue el otro portillo desmoralizante el haber confiado su instrucción durante varios años al Liceo Francés. Así, lo mismo que yo, se instruyó a la francesa, así aprendió a escribir antes de haber aprendido a pensar, y, cuando llegó a los quince

---

yectos de las revistas y participó en la editorial para la cual llevaba, entre otras cosas, la contabilidad.

años, lo mismo que yo, sabía quién fue Carlomagno, ignorando quién fue Carlos V, y, recitando de memoria versos de Racine y de Corneille, apenas había oído pronunciar el nombre de Lope de Vega.

Las sales de razón y de razonamiento que sazonan la enseñanza francesa, la inevitable duda que se desprende hasta de las profesiones de fe de los pensadores del otro lado de los Pirineos no podían menos de hacer mella en una inteligencia viva y amiga de la verdad. Esto, unido al temor sin amor ni poesía que la intolerancia ignorante de la madre ponía en el concepto de religión, dio por resultado que, aún no salido de la infancia, Gregorio Martínez Sierra hubiera desertado en absoluto de las regiones de lo sobrenatural. Jamás he tropezado con inteligencia más decididamente positivista. De la fe ciega y áspera a que la madre hubiera deseado sujetar todas sus potencias y sentidos no le quedó otra huella que un terror fisiológico que, durante muchos años, le atormentó en sueños. ¡Cuántas y cuántas veces, ya casados, tuve que despertarle y volverle a la razón porque, en angustiosa pesadilla, imaginaba hundirse en el infierno! Precisamente esta «impiedad» suya fue el casi único motivo de discusión entre nosotros, apenas empezamos a hablarnos. Porque yo, hija de padre racionalista y de madre cuya religión –fuera de las torturas metafísicas que, a mi parecer, no caben en alma femenina– se parecía harto a la de Pascal, es decir, que pensaba: «Si lo que la Iglesia propone es verdad, creyendo, lo ganamos todo, y si no es, por creerlo no vamos perdiendo nada», por lo cual pensó cumplir todos sus deberes de madre cristiana con enseñarnos el Catecismo tan a fondo como la cartilla, llevarnos con ella a misa los domingos y enseñarnos a hacer el examen de conciencia; hija –digo– de padres que me dejaron en plena libertad de decisión en materia de creencias, rendida a la poesía del portal de Belén, a la belleza trágica de la pasión y muerte de Cristo, a la insinuante suavidad de las parábolas, a la teatralidad suntuosa de la liturgia católica, fui, a pesar de no pocas precoces dudas, voluntariosamente «beatita» y practicante estricta de los doce a los veinte, y no me decidí a abandonar el redil espiritual en que se había cobijado mi adolescencia hasta bien cumplidos los veintisiete, cuando los últimos vestigios de la fe se fueron desprendiendo de mi espíritu como granos de trigo que, en espiga olvidada por los segadores, van cayendo a tierra uno por uno, silenciosamente. Un 17 de enero, día en que la Iglesia celebra la fiesta de San Antonio Abad, arrodillada al pie del altar, examinando escrupulosamente mi conciencia, comprendí que seguir practicando los ritos de una fe que había desaparecido sería por mi parte comedia hipócrita, y salí del templo, como había salido de la infancia, sin dolor ni angustia. Mas cuando se juntaron nuestros caminos yo era todavía sinceramente fiel y él infiel, y a días, nuestra separación irreductible en ese aspecto del pensar y el sentir me hacía llorar.

Al fin, tal vez a favor de una fiesta de fuegos artificiales en la plaza del pueblo en que ambos pasábamos los veranos, tal vez en algún baile «de sociedad» en que él, juzgándose demasiado joven y sintiéndose demasiado hombre, no se atreviera a sacar a bailar a las «señoritas» y no se resignaba a danzar con las niñas, se acercó para no aburrirse demasiado a charlar conmigo que, bailando muy mal, no era muy popular entre los bailadores y pasaba la mayor parte del tiempo sentada junto a las señoras mayores; así, tuvimos ocasión de hablar e inmediatamente nos entendimos. ¿Cuál fue el chispazo que tan rápidamente nos puso de acuerdo, suministrándonos ese motivo perdurable de conversación que Nietzsche juzga indispensable para la convivencia grata dentro del matrimonio? El amor común al arte dramático. Gregorio Martínez Sierra se había envenenado, como he dicho, en la concha del apuntador: yo bebí el filtro cuando, aún no cumplidos los seis años, asistí en el Teatro Español de Madrid a la representación de una «comedia de magia».[11] Desde entonces, mi juguete favorito fue uno de esos teatrillos de cartón con telones de fondo, bambalinas y bastidores de pintado papel y actores «empalados» en un alambre, tan parecidos a las figuras de los naipes. Siempre engendró en mi espíritu tedio insufrible jugar a las muñecas. Por lo visto, faltábame el instinto maternal. Jamás, jamás, ni aun en el más sincero de mis «trances» de amor, he soñado con tener en los brazos a un hijo de mi carne y de mi sangre. Jugar con mi teatro de cartón era mi gran deleite. Y todo cuanto había leído, el *Quijote*, la Historia Sagrada, los cuentos de Andersen, la historia de Francia, los libros de aventuras de Mayne Red,[12] *Fabiola*,[13] *Los mártires*,[14] me suministraba maravillosos argumentos. A un tiempo autora, directora de escena, puesto que movía

---

[11] Se refiere aquí a *Todo vence el amor o la pata de cabra* arreglada por Juan Grimaldi basada en *Pied de mouton* de Martinville. También recuerda la importancia de esta obra en su formación como dramaturga en *Una mujer por caminos de España* y la sitúa como «[u]na reminiscencia de importancia terminante. La Propagandista –el nombre que se da a sí misma en este texto– entra por vez primera a un teatro». Madrid, Castalia, 1989, p. 276.

[12] Thomas Mayne-Reid (1818-1883), novelista inglés mejor conocido con el nombre de Mayne Reid. Escribió novelas de aventuras, principalmente leídas por chicos, entre las cuales destacan: *Los cazadores de cabelleras* (1872), *El guante blanco* (1873), *El cimarrón* (1874). Se tradujo mucha de su obra al castellano.

[13] El título completo de la obra del Cardenal Nicholas Patrick Stephen Wiseman (1802-1865) es *Fabiola o la Iglesia de las catacumbas*. La traducción al castellano es de Ángel Calderón de la Barca. Madrid, Librería de S. Sánchez Rubio, 1856.

[14] Se refiere aquí a *Los mártires o el triunfo de la religión cristiana* del Vizconde Augusto François Renée Chateaubriand (1768-1848). La traducción al español es de D.L.G.P. y se publicó en España en 1816.

a mi placer los empalados personajes y los hacía hablar, y única espectadora, era feliz horas enteras imaginando dramáticamente. Ahora mismo, hace pocos meses, en el escaparate de una tienda de juguetes en Nueva York, vi un teatrillo, mucho más perfeccionado desde luego que aquellos de mi infancia, con decoraciones de bien pintado lienzo, personajes de bulto –figuras shakespirianas–, telón de terciopelo... Largo rato estuve contemplándole con emoción y me costó trabajo no entrar a comprarlo.

Hablamos, pues, de nuestra común afición, no sólo aquella noche, sino muchos días. Escribir un drama, ¡qué envidiable destino, qué exaltante y gozoso privilegio! Los hijos del espíritu pedían con urgencia nacer y vivir. ¡Escribir un drama! Cuando aún no se ha vivido, cuando apenas se sabe lo que es vivir, el drama atrae, la tragedia fascina, la plácida comedia parece argumento digno para una acción escénica. La inexperiencia emocional pide sangre y llanto. ¿Quizá por eso el pueblo, siempre niño, es tan cruel? ¡Hasta qué punto han hechizado nuestra adolescencia los dramas truculentos de Echegaray y Guimerá, las tragedias históricas de Zorrilla!

No hemos colaborado, es decir, trabajado en nuestra obra común, sin interrupción por haber sido marido y mujer: hemos llegado al santo estado de matrimonio a fuerza de colaborar. Antes de ser siquiera lo que se llama «novios» habíamos escrito y publicado cuatro libros: *El poema del trabajo,*[15] *Cuentos breves,*[16] *Flores de escarcha,*[17] *Diálogos fantásticos.*[18] Antes

---

[15] Gregorio Martínez Sierra, *El poema del trabajo,* Madrid, Eusebio Sánchez, 1898.

[16] María de la O Lejárraga, *Cuentos breves,* Madrid, Imprenta de Enrique Rojas, 1899. Este será el único texto que firmará con este nombre.

[17] Gregorio Martínez Sierra, *Flores de escarcha,* Madrid, G. Sastre, 1900.

[18] Gregorio Martínez Sierra, *Diálogos fantásticos,* Madrid, A. Pérez y P. García, 1899.

de casarnos, la primera novela corta: *Almas ausentes*, alcanzando el primer premio en un concurso literario –¡mil pesetas de entonces!– sirvió para añadir unas cuantas gratas superfluidades a nuestra modesta instalación conyugal.[19] La primera de todas, una estufa de las que entonces se llamaban «chuberski». Nuestras dos madres tenían odio a la calefacción artificial. En las dos casas, apenas se encendía un menguado brasero de herraj –hueso de aceituna carbonizado y pulverizado–. ¡Habíamos pasado tanto frío y padecido tantos sabañones en los crudos inviernos madrileños! Ambos soñábamos apasionadamente con la casa caliente, porque ¿cómo se puede llamar hogar al refugio familiar en el cual se vive tiritando seis meses del año? La estufilla se compró en el Rastro, y su dulce calor fue uno de los más intensamente saboreados de nuestra madrileña luna de miel: porque nos casamos el 30 de noviembre de 1900, y hacía tanto frío aquella mañana que, para no helarme bajo la seda brochada de mi traje de novia, tuve que ponerme dos camisetas y un chaleco de punto, amén de dos voluminosas enaguas y un refajo de lana. Suerte que, en aquel principio de siglo, era yo tan idealmente delgada como una actriz de cine en 1950, y como por entonces era moda ser abundante en carnes (a eso se llamaba tener «figura escultural») más bien favorecía que afeaba un poco de relleno.

Por su parte, el novio, a quien su familia bien acomodada había hecho vestir imponente levita, prenda indispensable en toda ocasión de ceremonia, estaba tan helado en la iglesia que no se decidió a quitarse el gabán, y así, la bien cortada prenda quedó sin lucimiento. Y como tanto él como yo

---

[19] Gregorio y María se casan el 30 de noviembre de 1900. La novela a la que se refiere es premiada por la Biblioteca Mignon por la cual reciben 1.000 pesetas. *Almas ausentes*, Madrid, Biblioteca Mignon, 1900.

sentíamos horror ante la idea de fotografiarnos, no hubo fuerza de persuasión familiar que lograra obligarnos a posar para el tradicional retrato de boda. Y, por lo tanto, no puedo darme el gusto de ilustrar estas páginas con la interesante imagen de un par de novios flacos y ateridos.

(Pienso en el delicioso daguerrotipo que George Moore puso en la anteportada de sus *Memorias de mi vida muerta* y que los editores de la versión castellana han suprimido no sé por qué, a pesar de mis vehementes protestas.)[20]

El poema del trabajo y *Cuentos breves* logramos editarlos en secreto juntando nuestros escasos ahorros. Firmamos yo, por ser maestra de escuela, los *Cuentos*, destinados a los niños; él, por ser reconocidamente poeta, el poema. Llevámolos el mismo día a nuestras respectivas casas. En la de mi colaborador, ¡un libro! era casi un milagro, y el del primogénito fue recibido con todos los honores: sorpresa, regocijo, orgullo familiar. Creo que hasta champaña se descorchó en la celebración. En la mía, donde había tantos, dos libros más, aunque uno lo firmase la primogénita y el otro el «amiguito» que mis padres y hermanos antes que yo sospechaban que había de convertirse en novio, no significaban gran cosa. El acontecimiento no despertó entusiasmo ni ocasionó celebración alguna. Yo, en mi orgullo de autora novel, había descontado mejor acogida. Tomé –interiormente, como es mi costumbre– formidable rabieta, y juré por todos mis dioses mayores y menores: «¡No volveréis jamás a ver mi nombre impreso en la portada de un libro!»

Esta es una de las «poderosas» razones por las cuales decidí que los hijos de nuestra unión intelectual no llevaran más

---

[20] María Martínez Sierra traduce *Memories of My Dead Life* del novelista y literato inglés George Augustus Moore (1852-1933). *Memorias de mi vida muerta*, Buenos Aires, Emece, Compañía Imp. Argentina, 1949.

que el nombre del padre.[21] Otra, que, siendo maestra de escuela, es decir, desempeñando un cargo público, no quería empañar la limpieza de mi nombre con la dudosa fama que en aquella época caía como sambenito casi deshonroso sobre toda mujer «literata»... Sobre todo literata incipiente.[22] ¡Si se hubiera podido ser célebre desde el primer libro! La fama todo lo justifica. La razón tercera, tal vez la más fuerte, fue romanticismo de enamorada... Casada, joven y feliz, acometióme ese orgullo de humildad que domina a toda mujer cuando quiere de veras a un hombre. «Puesto que nuestras obras son hijas de legítimo matrimonio, con el nombre de padre tienen honra bastante.» Ahora, anciana y viuda, véome obligada a proclamar mi maternidad para poder cobrar mis derechos de autora. La vejez, por mucho fuego interior que conserve, está obligada a renunciar a sus romanticismos si ha de seguir viviendo..., aunque ya sea por poco tiempo.

Nuestra primera obra, después de casados, fue un poema ¡en verso! No cantaba, por cierto, nuestro amor ni la dicha de la lograda libertad que era tan grata de saborear después de la antipática esclavitud de dos años de noviazgo vigilado como hace medio siglo se estilaba en España, no ensalzaba el mar ni el cielo sembrado de luceros y estrellas ni los prados recamados de flores ni las fuentes que surten ni el granizo que rebota sonante en las hojas de la higuera y de la parra. Todo eso estaba ya exaltado con prosa más o menos lírica en

---

[21] En la dedicatoria de *Cuentos breves* (1899) a sus padres, se refiere a este libro como su primer «hijo», lo cual sugiere que desde el principio de su vida como escritora establece esta metáfora maternal al hablar de sus obras.

[22] Ver mi introducción a *Una mujer por caminos de España*, en la cual discuto las prohibiciones sociales y literarias que rodeaban a la escritora de la época. *Ob. cit.*, pp. 7-40.

nuestros cinco primeros libros. Nuestra rima glorificaba los méritos de las ollas, cazos, hervidores, sartenes, cafeteras, coladores y chocolateras que ponía a la venta un gran almacén madrileño. Y todas las estrofas terminaban con este sublime octosílabo: «Marín, Herradores, 12»; el nombre del comerciante y las señas de su establecimiento. Preciso era vivir; y si mi sueldo de maestra bastaba a cubrir frugalmente nuestras necesidades materiales, todo el alimento espiritual –libros, teatro, música–, todos los caprichos –una linda corbata para él, un par de guantes para mí, un frasco de perfume de Pascuas a Ramos– había de proporcionárnoslo la literatura... Por eso hubo que rimar líricas aleluyas para las cafeteras de Marín.

Los libros se vendían lentamente; mas los libreros madrileños de entonces no acostumbraban liquidar sus derechos a un autor novel hasta que el cuitado, a fuerza de comprarle libros ajenos, había rebasado en su deuda el importe de los propios vendidos.

* * *

Por la misma época escribí yo un libro «de encargo». El propietario de una revista medio comercial, medio literaria, había hecho un viaje a través de una de las más agrestes y poéticas regiones de España. Había tomado centenares de notas y un regular paquete de fotografías; mas, aunque deseaba vivamente darles forma de libro, no tenía tiempo ni tal vez voluntad de perderle en el empeño. Yo, recordando mis «composiciones» de infancia, me lancé a la tarea de figurarme lo que no había visto y ponerlo en palabras. Y salió a luz un libro primorosamente editado y encuadernado a todo lujo en que mi prosa lírica exaltaba la belleza de imponentes montañas y placenteros valles y el romanticismo de viejas iglesias y vetustos claustros.[23]

¡Cuán grande es el poder de la ilusión! De aquel viaje, que bien pudiera, como el famoso de Javier de Maistre, titularse *Viaje alrededor de mi cuarto,* quedóme recuerdo tan vivo y placentero que aún hoy me suenan a cosa romántica los nombres de aquellos picos y aquellos villorrios y aquellos santuarios que nunca vi.[24] ¿Por qué no, después de todo? Tampoco he visto Jerusalén ni Troya ni los jardines en terraza que hizo plantar la reina Semíramis en su Babilonia, y, sin embargo, como sus figuradas imágenes hechizaron mi infancia, los guardo en la memoria y saboreo a días con deleite como recuerdos reales y efectivos. Además..., J. M. Barrie, en uno de sus libros autobiográficos, celebra la poesía del primer dinero que se gana escribiendo.[25] No fue el pago de aquel trabajo anónimo –ahora lo comprendo– demasiado espléndido; pero era un montoncillo de billetes de Banco que jamás, hasta entonces, había visto juntos, y también los recuerdo con cariño.

Mi marido, mientras yo emborronaba cuartillas con lirismos vendidos, se ocupaba en fundar y organizar la primera

---

[23] Hasta la fecha ha sido imposible encontrar el original de este manuscrito entre los papeles de nuestra autora.

[24] El Conde Xavier de Maistre (1763-1852), escritor en lengua francesa, publicó su famoso libro *Voyage autour de ma chambre* en 1795.

[25] J. M. Barrie (1860-1937), novelista y comediógrafo inglés, es recordado por la creación de su famoso personaje, Peter Pan, el niño que se negó a crecer. Se estrenaron dos de sus obras *El admirable Crichton* (*The Admirable Crichton,* 1902) y *Mari Luz* (*Mary Rose,* 1920) en el teatro Eslava el 14-III-1922 y el 18-I-1924 respectivamente. Cabe suponer que María tradujo estas dos obras ya que Gregorio no sabía inglés. Se refiere, aquí, nuestra autora a su novela *Margaret Ogilvy* publicada en 1896.

de sus empresas editoriales.[26] Fue ésta la publicación de unos libritos, pequeños de tamaño, pero primorosos de forma y selectos de contenido, que pudieran comprarse como una caja de bombones o un ramo de flores para ofrecerlos como obsequio a la novia o a la madre. Contribuimos a la colección con la segunda de nuestras novelas cortas: *Horas de sol*, y generosamente nos consintieron incluir en ella obras suyas los dioses de la literatura española del momento: Galdós, *Clarín*, don Juan Valera.[27] Los escritores españoles suelen ser no ya generosos, sino pródigos con su trabajo. Autorizósenos como regalo espléndido por sus ilustres autores la publicación de *La novela en el tranvía, Las dos cajas, Asclepigenia.* Y los beneficios de la publicación, módicos ciertamente, equilibraban nuestro presupuesto. Muchos años después hemos procurado pagar la deuda autorizando también gratuitamente la publicación de varias de nuestras comedias para servir de libros de texto en Universidades y Colegios de Norteamérica. Y nos ha sido grato pensar que el presupuesto de los profesores que las anotaban, editaban y vendían pudiera equilibrarse a su vez con palabras que habíamos escrito.

* * *

Y el arte dramático, ¿qué hacía en todo esto? El escribir dramas y comedias seguía siendo nuestra meta esencial, pero de poco sirve componer obras para el teatro si no hay teatro que las represente. Y hace medio siglo no existía en España

---

[26] La primera empresa editorial de la cual se encarga Gregorio es La Biblioteca Nacional y Extranjera, fundada por el literato inglés, Leonardo Williams.

[27] Gregorio Martínez Sierra, *Horas de sol*, Madrid, Ambrosio Pérez y Cía, 1901.

empresario que quisiera arriesgar su dinero para ofrecer al público los engendros de un autor joven, desconocido y «modernista». Esto de modernista significaba entonces escritor desaforadamente lírico, desconocedor y desdeñador del realismo escénico y de sus indispensables artificios y tretas, habitante en regiones del arte no se sabía si tropicales o hiperbóreas, pero cuya atmósfera seguramente había de resultar irrespirable para el público en general. Jacinto Benavente, que por aquellos días comenzaba a imponerse como autor dramático, había dicho con arrogancia: «No quiero hacer comedias para el público, sino público para mis comedias». Y empezaba a lograrlo brillantemente. Bien hubiéramos querido nosotros afirmar otro tanto, pero aún estaba muy lejano el día en que se levantase un telón para que apareciesen en el tablado escénico nuestras criaturas.

Entre tanto escribíamos ingenuos esbozos que a nosotros se nos antojaban representables. Aún no hace mucho, en una de las quemas de papeles que hicieran necesarias las desdichas políticas y los obligados cambios de residencia, he destruído no pocas amarillentas cuartillas escritas con lápiz, en las cuales decían sutilezas, bisnietas legítimas ya que no bien logradas de Shakespeare –¡salve, maestro!–, unas cuantas docenas de inverosímiles personajes.

Adiestramiento inconsciente en el mecanismo dramático fueron también nuestros *Diálogos fantásticos*. En ellos, sin darnos cuenta de la «influencia», imitábamos a nuestro inmortal Pedro Calderón de la Barca, que hace tres siglos, en sus autos sacramentales, animara con sentimientos y pasiones humanos figuras abstractas y meros conceptos filosóficos o teológicos. Sus personajes suelen ser Justicia, Fortaleza, Templanza, Fe, Caridad, las virtudes, y también los vicios, Lujuria, Envidia, Soberbia, que luchan entre sí por poseer las almas de los seres humanos o que ensalzan la gloria del Criador y los misterios de la religión católica. Los personajes nuestros fueron las hadas y las ninfas, los deseos y las esperanzas, los vientos que aúllan, las fuentes que cantan, los personajes de leyenda, Fausto, don Juan. Y también –en los primeros balbuceos de un autor está en germen y anuncio toda su obra futura– el intento de mezclar nuestra letra con ajenas músicas. En estos diálogos, el titulado «Rapsodia» está compuesto intentando seguir paso a paso los ritmos de la segunda *Rapsodia en do* de Listz.

* * *

También escribimos un drama humano y contemporáneo, el drama de los titiriteros miserables que van de pueblo en pueblo y de aldea en villorrio dando saltos mortales y representando improvisadas farsas. El tal se titula *Saltimbanquis* y estuvo a punto de ser estrenado en el teatro de la Comedia, en Madrid. Era primer actor Emilio Thuillier, comediante de gran prestigio, y pensó que bien pudiera haber ocasión de lucimiento personal interpretando el papel de Puck, protagonista de la obra. Mas el empresario fue irreductible: el drama le pareció demasiado moderno, demasiado fuera de las normas corrientes... Y es el caso que el tal, si de algo peca, es de estar concebido y compuesto dentro de los moldes del drama corriente y moliente de la época en que se escribió. Bien hubiera podido ser su autor –por lo que a forma se refiere– Echegaray, o Guimerá, o Rusiñol, o Leopoldo Cano: el conflicto era meramente pasional, los sentimientos primarios, los resortes –violencia y sentimentalismo– elementales, la acción clara y directa, el final trágico y sin posible remedio humano; en resumen, todo lo que a diario se representaba en los escenarios españoles, el drama que no podía menos de engendrarse en la fantasía de dos chiquillos que aún no sabían de la vida –fuera de unas cuantas impresiones de infancia entre las cuales se contaba el hechizo de los titiriteros ambulantes– sino lo que habían leído en libros, lo que en teatros habían visto representar.

No se estrenó y, considerándole nosotros también irrepresentable, le incluímos, como cadáver de un ser querido que se entierra entre flores, en nuestro primer libro de tamaño normal, *Teatro de ensueño.*[28] El sepulcro era, en verdad, suntuoso. Llevaba a guisa de portada uno de los maravillosos jardines –el del Pirata en la Isla de Mallorca– pintados por Santiago Rusiñol; autorizábale un funambulesco prólogo del inmenso poeta Rubén Darío, aromábanle en auras de pura poesía ilustraciones líricas, versos fragantes y dolientes de Juan Ramón Jiménez, quien por entonces tenía la dulcísima costumbre de enamorarse de todas nuestras «heroínas». Allí durmió el malogrado drama entre bellas quimeras muchos años. Despertóle a vida gozosa y triunfal, como a la Bella Durmiente del Bosque, el beso del príncipe encantador, o como a la valquiria Brunilda el de Sigfrido, el Genio de la Música, encarnado en José María Usandizaga.[29] Pero de tal resurrección y transfiguración hay que hablar en capítulo aparte. Éste ya ha sido demasiado largo.

---

[28] Gregorio Martínez Sierra, *Teatro de ensueño*, Madrid, Imprenta de Samarán y Cía, 1905.

[29] El argumento de *Saltimbanquis* sirvió para reelaborar la ópera *Las golondrinas*, de José María Usandizaga, estrenada el 5-II-1914 en el Circo de Price.

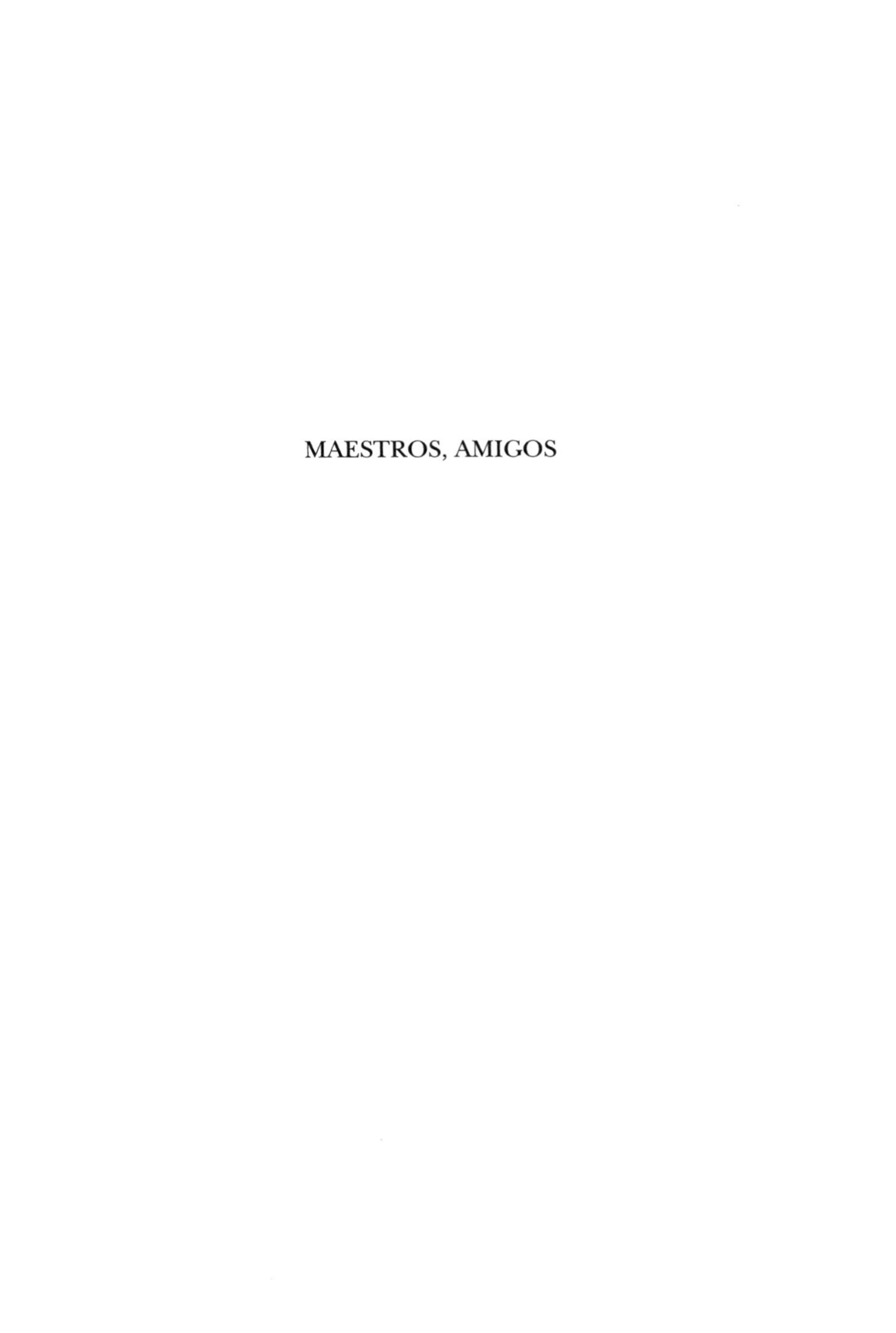

MAESTROS, AMIGOS

NADIE NACE ENSEÑADO. La vocación –digamos más modestamente la afición– es eso, un llamamiento. A la urgencia de la voz interior que dice: ¡Anda!, se acompaña la visión de la meta. Hay que llegar «allí». ¿Quién enseña el camino?

El maestro no se elige. Se impone. Diríase que, en lugar de buscarle nosotros, anduviera él buscándonos, infatigable, haciéndonos señales con la antorcha encendida de su obra, gritándonos: «¡Por aquí! ¡Por aquí!» En el noble oficio de la dramaturgia, dos maestros proclamo, reconozco y acato en mi nombre y en el del compañero que trabajó conmigo. Cuando quisimos emprender la ruta, el uno había muerto hacía poco menos de tres siglos; vivía el otro, incontestable emperador de la novela española, y ganaba sus difíciles y discutidos triunfos en el teatro luchando a brazo partido contra el gusto, la moda, la costumbre y los prejuicios que dominaban por entonces al público.

GALDÓS

Shakespeare y Galdós. El inmortal Guillermo, el insigne –aún no había entrado en la inmortalidad por las puertas de bronce de la muerte–, el inmenso don Benito.

Dos maestros: Guillermo Shakespeare, Benito Pérez Galdós. Mirándolo bien, tal vez son uno solo, porque estoy segura de que al autor de *El abuelo* habíanle dicho «¡Tú serás rey!» las brujas de Macbeth.

No negaba él la filiación. Con devoción orgullosa la proclamaba. Cuando, pocos años antes de su muerte, logramos el privilegio de visitarle como amigos y de entrar en el santuario dentro del cual, casi ciegos sus ojos, aún brillaba encendida como nunca la lumbre de su genio creador, pudimos ver cómo adornaban las paredes de su «laboratorio» tiras de pergamino en las cuales estaban primorosamente reproducidos en caracteres ingleses del siglo XVII conceptos pensados y escritos por el autor de *Hamlet.* ¡Al buen pagador no le duelen prendas! Pudo él pagar su deuda con ofrenda –oro, incienso y mirra– digna de los Magos de Oriente. Yo, con modestia no menos devota que su arrogancia, digo hoy al inclinarme ante las dos aras: «¡Aquí está nuestra jarra de leche, nuestra espiga de trigo, nuestro panal de miel!»

Mirada a través de su obra gigantesca, parece y sobre todo debe parecer su figura a quienes no alcanzaron a conocerle vivo encina robusta que se yergue con excepcional majestad sobre la llanura, peña que, desprendiéndose de la masa inerte del acantilado, se adelanta a afrontar, desafiándole, el furor del mar. (Alguna así he contemplado a orillas del Cantábrico desgajada de la mole inmensa de los Picos de Europa.) Los que logramos el privilegio de verle y tratarle en carne mortal hemos formado de él –y la guardamos en la memoria con reverencia y cariño– imagen más humana y más conmovedora. Su esencia era la sencillez; su característica suprema, la gracia.

Aclaremos conceptos. Al decir sencillez no queremos decir humildad ni modestia, que en él hubieran sido hipocresía. Conocía Galdós –¿y cómo no, habiendo respirado tantos años el incienso asfixiante de la lisonja y los no menos asfixiantes gases de la envidia?– y estimaba su propio valer, pero estoy segura de que se le antojaba la cosa más natural del mundo y no se le ocurría fundar vanidad en el diamante que la Providencia pusiera en su cerebro al plasmarle en el seno de su madre. Justipreciaba, sí, el merecimiento de su esfuerzo, el tesón con el que había, en obras cuyo número él mismo ignoraba, utilizado, tallado y pulido la piedra *gratis data*. Inevitablemente, al pensar en Galdós se piensa en Miguel Ángel Buonarroti.

Al decir «gracia», hablando del autor de *Misericordia*, hay que entender la palabra en el sentido peculiarísimo que él le dio, modificando harto, como acostumbra hacerlo todo escritor genial, el significado corriente, hasta que él la empleara, de la palabra. «Gracia» en Galdós no significa chiste, ni juego de ingenio, ni mucho menos sal oportuna y rápida en la ocurrencia y en la réplica. «Gracia» en Galdós es mezcla inefable de clarividencia y compasión, de escepticismo y piedad, don de entendimiento que, claramente, ve la imperfección humana, y don de lágrimas que intentando brotar se evaporan al fuego del corazón y empañan suavemente la visión suavizándola y humanizándola. Galdós ve netamente la miseria del barro humano, mas no se indigna, pues harto sabe que, inevitablemente, está moldeado él también en la arcilla común. Y así, no abomina, sino compadece... graciosamente, como él hubiera dicho.

Galdós –y me es grato anotarlo, puesto que soy mujer– es el primer escritor español que ha tenido piedad de las mujeres. El primero, tal vez, en comprender que una mujer no es mero motivo emocional o sensual para los sentimientos y los deseos de un hombre, sino que siente y sufre y goza y desea en sí misma y por sí misma; en resumen, que vive como él. En esta esfera, ha superado a Shakespeare, su maestro en arte dramático, y a Cervantes, su insigne predecesor en la novela. Y porque ha visto que, viviendo con tanta personalidad e intensidad como el varón, naturaleza y costumbre forjan para la hembra destino inferior y humillado, a cuantas sacó a luz las ha compadecido igualmente; no sólo a Fortunata y a Jacinta, rivales compañeras en desdicha, sino hasta a aquellas a quienes quiso hacer funestas y torturadoras del hombre. ¿Quién no se dolerá con él de los tormentos de la atormentadora María Egipcíaca?

También aparece, por primera vez en la literatura española, en la obra de Galdós el amor a los niños. Y éste es uno de los rasgos más nítidos y emocionantes de su «gracia».

La representación de *El abuelo,* el estrenado en la temporada teatral 1900-1901, una de las impresiones más fuertes en mi experiencia de espectadora, es la lección más eficaz que he recibido para mi trabajo de tejedora de acciones dramáticas desde el punto de vista psicológico.[30] Aprendí en ella cómo la emoción intelectual puede transmitirse al auditorio tan efectivamente como la que acostumbramos llamar pasional, y cómo es posible suscitar el sagrado temblor en el público a quien consideramos niño y sin conciencia, con un puro concepto. Claro está que para que ello sea posible es indispensable que el autor haya «sentido» el tal concepto apasionadamente. ¡Qué arrogancia la de Galdós al encarnar la quintaesencia de su desapasionada pasión intelectual en el más humilde, en el más lamentable de los personajes del drama, en el desdichadísimo, ingenuo, simplicísimo don Pío Coronado! ¡Y qué dominio de la técnica escénica es indispensable para atreverse a suspender la acción exterior en el momento más fiero del conflicto sentimental para dejar que

---

[30] En realidad, *El abuelo* se estrenó en el teatro Español el 14-II-1904.

hable la insobornable Sabiduría por la voz del pobre maestro de escuela!

Ya lo he dicho en otras ocasiones, pero no me duele repetirlo. Después de haber presenciado la representación de *El abuelo*, estuve más de una semana sin poder pensar en otra cosa, ausente de mi propia vida.

Estrenóse la obra por la compañía María Guerrero y Fernando Díaz de Mendoza. Dadas la importancia del éxito y la categoría del autor, exigía la etiqueta teatral que con ella se hubiese inaugurado la temporada siguiente. Mas los empresarios que se juzgan infalibles en la sagrada defensa de sus intereses cometen a veces errores lamentables. Parecióle a Fernando Díaz de Mendoza que le convenía más, comercialmente, comenzar con una obra nueva, no recuerdo cuál.[31] Don Benito no pareció darse por sentido, mas, callando, supo devolver golpe por golpe y, faltando también a la etiqueta tradicional entre autores y empresarios, entregó *El abuelo* a Enrique Borrás, quien inmediatamente puso la obra en escena, e interpretando el personaje del señor de Albrit logró uno de sus más resonantes y merecidos triunfos personales.[32] La consternación de los ilustres empresarios fue inenarrable. Cónstame que María Guerrero, aunque no tenía en la obra papel importante, lloró de rabia. Galdós, socarrón como buen canario, completó su venganza con su bien conocido comentario: «Borrás –dijo sonriendo– es el León de Albrit; Fernando Mendoza es el Gato de Albrit». Fernando Mendoza, ni que decir tiene, no perdonó jamás la puñalada.

---

[31] Fernando Díaz de Mendoza, empresario, actor y marido de la actriz María Guerrero.

[32] La obra pasó a formar parte del repertorio del actor y empresario catalán Enrique Borrás, hasta por lo menos la temporada de 1925. El personaje principal de la obra se llama, en realidad, el Conde de Albit.

Los recuerdos personales que tengo de nuestro trato con Galdós son pocos, pero gratos. Yo, que le admiraba desde niña por haber en mi infancia leído la primera parte de sus *Episodios nacionales*, que él publicaba en el periódico de labores femeninas *La Guirnalda*, nunca le había visto, a no ser desde el público cuando, después de la representación de alguna de sus obras, salía a escena a recibir el aplauso. Y no esperaba hablar jamás con él. No he sido nunca noctámbula, y de día tenía harto quehacer; así es que nunca he frecuentado cenáculos literarios, fuera de los años 1911 y 1912, en que, con motivo de los estrenos por la compañía Guerrero-Mendoza de *Primavera en otoño*[33] y de *Mamá*[34] acudí algunas noches al saloncillo del teatro de la Princesa.[35] Pero en 1904 –si no recuerdo mal la fecha– hubo un concurso literario para premiar una obra dramática, y en el Jurado calificador figuraba don Benito Pérez Galdós. La obra premiada habría de representarse en el teatro Español, de Madrid. Nosotros, que aún no habíamos logrado hacernos escuchar por ningún empresario, acudimos ilusionadísimos al concurso con nuestra comedia en tres actos *Mamá*. El nombre de los autores que acuden a estos torneos es, teóricamente, secreto hasta para el mismo Jurado en tanto que los jueces no han decidido; los autores no firman con su nombre, sino

[33] *Primavera en otoño* se estrena el 3-V-1911 en el teatro Lara.

[34] El estreno de *Mamá* es en el Teatro de la Princesa el 3-III-1913. No será ésta la única vez que se equivoque nuestra autora con respecto a fechas. Cabe especular, por lo tanto, que escribió *Gregorio y yo* sin apuntes y sin tener acceso a sus libros. Por lo tanto si ha de usarse este libro como fuente histórica, es importante tener presente este hecho.

[35] Según Augusto Martínez Olmedilla, «En la época de María Guerrero, el saloncillo de la Princesa era el lugar de cita para la flor y nata de los comediógrafos». *Arriba el telón*, Madrid, Aguilar, 1961, p. 199.

con un lema; mas, quién sabe por qué misteriosos caminos, siempre el secreto se desvela un tanto. Es el caso que un día recibimos un llamamiento de don Benito Pérez Galdós. Nos dijo que había leído *Mamá* y que, en su opinión, merecía el premio, pero nos aconsejaba que, para no ir demasiado francamente contra el gusto de varios de sus compañeros de tribunal, modificásemos algunas de las «situaciones» de la comedia, dándonos, para llevar a cabo el trabajo, veinticuatro horas de plazo. Añadió que, en su opinión, habían concurrido otras dos obras que le parecían muy bien, pero que él se inclinaba a favor de la nuestra, por parecerle el personaje de la protagonista el carácter de mujer «más realmente mujer» que existía en el teatro español contemporáneo. Era invierno. Helaba. Cargamos nuestra estufa hasta ponerla al rojo blanco y pasamos la noche trabajando. Declaróse nuestro ilustre protector satisfecho... Pero la comedia no obtuvo el premio. Ni tampoco ninguna de las otras dos que le habían parecido dignas de ser representadas. El jurado declaró por mayoría que no le era posible otorgar el galardón porque no había, a su parecer, entre las obras presentadas al concurso, ninguna que reuniese méritos suficientes. Dio la casualidad de que las tres que don Benito juzgara dignas de llevarse la palma, la nuestra, una de Eduardo Marquina y otra de Linares Rivas, se representaron años después con gran éxito. Y las tres por la compañía Guerrero-Mendoza, en el teatro de la Princesa.

Este fue nuestro primer contacto personal con el autor de tantas obras maestras. Después le visitamos varias veces, no en su casa de Madrid, sino en la que se había hecho construir, a la orilla del mar, en Santander. Decíase que había elegido tal emplazamiento para estar cerca de su gran amigo don José María de Pereda, autor de esa joya de la literatura española, *Sotileza*, y de tantas otras novelas admirables, pero no creo que tal fuera la razón verdadera. Es curioso que él, nacido en una de las semitropicales islas Canarias, fuese a plantar su tienda en el extremo Norte de España, a orillas del malhumorado Cantábrico. ¿Por qué su claro espíritu prefirió a las mentiras del sol meridional las ilusiones de la bruma norteña?

Salió de su isla a los veinte años. Dicen que, al subir al barco, sacudió sus zapatos para no llevarse en ellos ni una mota de la tierra natal. De hecho, no volvió nunca al lugar donde naciera, ni hay en toda su obra una sola página que a él haga referencia. De esto deduzco –aunque no lo sé– que no fue su infancia feliz. Tal vez haya que buscar por ahí la raíz de su amor a los niños.

De una de sus visitas a su casa de Santander guardo un suave recuerdo. Ya estaba casi ciego, pero quiso, con graciosa cortesía, salir a despedirnos, y, en el jardín, buscando a tientas una mata de hierbaluisa, cortó para mí un inmenso ramo de fragantes hojas. Largos años las he conservado hasta que se convirtieron en polvo.

Gustaba Galdós, en su ancianidad, rodearse de jóvenes. Tratábanos con afabilidad y agrado que no eran ni familiaridad ni condescendencia. Nunca se las dio de maestro ni pareció considerarnos como discípulos. Imagino que nos miraba como plantas nacidas en su huerto y que se complacía en ir viendo crecer. Era en su conversación socarrón, gracioso, profundo cuando la ocasión se ofrecía, sin afectación de ninguna clase. Amaba al pueblo sin demagogia alguna, sobre todo en sus mujeres. Sabido es que, aunque no se casó, tuvo numerosos amores exclusivamente con hembras de la clase popular. Y les pagó su deuda creando el inmortal personaje de *Fortunata*, compendio de cuanto en todas ellas amara.

Fue, una corta temporada, director del teatro Español, de Madrid. Teníamos escrita una comedia en un acto, *El ideal*, que no había querido aceptar ningún empresario.[36] Galdós, que había oído hablar de ella y conocía su argumento, nos dio una prueba más de amistad pidiéndonosla, decidido a estrenarla. Mas, cuando la hubo leído, no se arriesgó a ponerla en ensayo. No es que el tema de la obra, bien sencillo y hasta inofensivo, le asustase. Es que, al parecer, el protagonista pretendiente a un trono imaginario hablaba exactamente como el entonces rey de España, Alfonso XIII. Nosotros, simples burgueses, jamás habíamos oído hablar al rey, y el ser humano que nos sirviera de modelo era un señorito madrileño, harto desaprensivo indudablemente, pero sin la menor pretensión a coronas ni a cetros.

El ideal, enterrado en un libro, no se ha representado nunca, porque cuando Gregorio Martínez Sierra fue, a su vez, empresario y director de escena, tampoco se atrevió a ofrecérsele al público. Hay obras dramáticas que nacen condenadas a silencio perpetuo.

JACINTO BENAVENTE

Jacinto Benavente es, entre nuestros amigos literarios, el primero en orden cronológico, y tenemos con él deuda especialísima de agradecimiento. No tuve ocasión de recibirle en mi casa y hablar con él hasta 1911, después del estreno de nuestra *Canción de cuna*,[37] pero desde 1898 no ha habido día

---

[36] En 1912 Galdós acepta ser el asesor artístico del Español, puesto que pierde al año siguiente. Carmen Menéndez Onrubia comenta que «[no] se sabe aún cómo pudo Galdós aceptar este puesto que ya desde el principio le rebaja en sus méritos», ya que no fue nombrado director artístico de este teatro. *El dramaturgo y los actores. Epistolario de Benito Pérez Galdós, María Guerrero y Fernando Díaz de Mendoza*, Madrid, CSIC, 1984, pp. 216-17.

[37] *Canción de cuna* se estrena en el Teatro Lara el 21-II-1911.

en que su nombre no haya sonado en nuestras conversaciones, en que su sombra amiga haya dejado de cernerse sobre mis sueños de porvenir. Gregorio Martínez Sierra le había conocido en su tertulia de café. Sin duda, a quien ya entonces, después del estreno de *Gente conocida*, sentaba plaza de joven maestro, le fue simpática la arrogancia pueril de aquel mozalbete que estaba decidido a cortar laureles a puñados en el huerto de la literatura.[38] Y desde el primer momento le prestó –nos prestó, porque él estuvo siempre al tanto de nuestra colaboración y supongo que, a veces, se burlaba de ella donosamente (ya he dicho que a fines del siglo XIX y principios del XX era un poco ridículo ser pretendiente a literata)– un auxilio digamos inmaterial, que fue, sin embargo, tal vez más eficaz que ningún otro para sostenernos en los largos años de lucha oscura y sorda. Este auxilio precioso fue la misericordiosa ficción de hacernos creer que él creía en nosotros y tenía el convencimiento de que nuestro esfuerzo valía la pena y estaba destinado a triunfar pronto y en toda la línea. Él leyó con paciencia y atención todos nuestros ensayos, no pocas veces informes e incomprensibles, y nunca tuvo para ellos el menor comentario que pudiera desalentarnos. He hablado de amarillentas cuartillas destruidas por mí recientemente: al releerlas, antes de entregarlas a la llama purificadora, yo misma apenas podía comprender lo que habíamos intentado decir en ellas. Jacinto Benavente las leyó cuando se escribieron, y sin prometer nada –nunca prometió nada– infundió en nosotros la radiante esperanza de que bien pudieran representarse pronto. ¡Bendita ilusión que así nos ayudó a andar el camino! Para *El poema del trabajo*, nuestro primer libro, tuvo la gentileza de escribir un prólogo; «Atrio de un templo antiguo como la Humanidad» le tituló, y ¿quién podrá

---

[38] *Gente conocida*, de Jacinto Benavente, se estrena el 21-X-1896.

apreciar el aliento que nos infundió su simpática presentación? «Dejad que su aspiración sea mayor que sus fuerzas» es una de las últimas frases del «Atrio». Lo cual, en castellano corriente, significa: «Este primer libro no vale gran cosa». En realidad, todo el prólogo o introducción a *El poema del trabajo* no es sino sutil tejido –tal la telaraña recamada en diamantes de rocío de la Reina Mab– de bellas palabras, viento perfumado que, al pasar sobre el huerto, acaricia con la misma generosa indiferencia las flores de salvia y los inútiles penachos de la avena loca. Para nosotros fue la gloria prometida, la evidencia de que nuestro trabajo contaba como bueno. Yo, a fuerza de leerle, llegué a saberlo de memoria... ¿Con qué se paga eso? ¿Cuándo podrá dejar de agradecerse tal merced? Y así un día tras otro, tantos y tantos. Jamás una palabra de elogio definido ni de promesa cierta; siempre la acogida que, con perfecta naturalidad, parecía otorgarnos lugar indiscutible en el interior del templo.

Recuerdo otra menuda muestra de consideración que se nos antojó espaldarazo definitivo. Publicábase entonces un diminuto y bien presentado semanario, *Instantáneas*, que su editor, D. Manuel Salvi, procuraba llenar a poco coste con trabajos de escritores acreditados. Había imaginado, para lograrlo, un artificio: hacía primorosas fotografías e íbalas repartiendo entre los «ilustres» cuya colaboración deseaba obtener gratuitamente, para que les sirviesen de inspiración y tema. Tocóle en suerte o en desdicha a Jacinto Benavente la fotografía de un tren. Después de contemplarla con la desgana que es de suponer, se la pasó a Gregorio, diciéndole: «¿Quiere usted escribirlo por mí?» Volvió aquella noche a casa mi marido radiante de júbilo, que yo compartí con no menos gozosa exaltación. ¡Es decir, que el «maestro» nos estimaba literariamente hasta el punto de no tener inconveniente en firmar como propia una página engendrada en nuestro magín y escrita por nuestro lápiz! Con temerosa aplicación la escribimos, y él la firmó, y D. Manuel Salvi se enorgulleció al publicarla en su revista-miniatura... ¡Qué aprisa me latía el corazón aquella mañana de domingo en que compré *Instantáneas* en un puesto de periódicos de la calle de Alcalá y vi, bajo la fotografía de un tren, nuestra cuidadosamente elaborada prosa autorizada por la ilustre firma! Gozos de juventud que nunca se olvidan. Cuando, ya en la vejez, los recontamos, nos damos cuenta de que fueron vilanos que el menor viento dispersa, pero ¡cómo brillaban sus frágiles pompones, dorados por el sol de la esperanza! Porque eso, la esperanza indefinida y formidable, es el maná de los amaneceres de la vida, y no tienen sabor que pueda compararse con «aquél» ninguna de las realizaciones de la edad madura, por halagadoras y sólidas que lleguen a ser.

Quiero clavar en esta página otro vilano frágil y dorado también. Uno de los periódicos diarios más leídos entonces en España, *El Imparcial*, publicaba semanalmente una sección exclusivamente literaria, dirigida por D. José Ortega Munilla. Colaboraban en ella todos los más ilustres prosistas y poetas del momento, y era sueño de todos los principiantes lograr un rinconcillo en las columnas de la hoja periodística, muy leída y altamente estimada por el público. Llegó para nosotros, después de ansiosa y a nuestro parecer interminable espera, el momento. Publicóse en *Los Lunes de El Imparcial* nuestro primer cuento. Largo tiempo he recordado el título, pero recientemente lo he olvidado. Recuerdo el asunto. Era «realista» como toda nuestra producción literaria, ya que, a pesar del sambenito de modernistas, soñadores y amerengados que ha echado sobre nuestros hombros la crítica, a veces malévola, hasta nuestras más etéreas fantasías tienen su esqueleto en la pura y, en no pocas ocasiones, descarnada realidad. Tratábase de dos «ejércitos» de rapaces, hijos de dos pueblecillos colindantes, que en un prado, especie de *no man's land* entre sus respectivas patrias chicas, desahogaban los fuegos de su innato nacionalismo a pedrada limpia. En lo más duro de la «pedrea» estaban; hondas y tiradores lanzaban al aire y a la cabeza de los contrarios los pétreos proyectiles con entusiasmo y ferocidad humanos, demasiado humanos. (¡Cuándo llegará día en que un inhumano y egoísta sentido común convenza a los hombres de que es insensato y contraproducente romperse la crisma para resolver conflictos!) Iba la pedrea por su más apasionado momento. Pero acertó a pasar un panadero conduciendo un asno que llevaba en dos serones carga de pan y bollos recién salidos del horno. Y los dos bandos, engolosinados por la perspectiva de abundante y sabrosa merienda, olvidando rencores nacionalistas, se unían para apedrear al panadero y a su asno. El panadero huía ante la nube de piedras... y los dos bandos, saqueando al asno, se repartían el botín común, y comían el pan y los bollos, sentados, en paz y en gracia de Dios, sobre la verde alfombra del prado.

Este era el asunto del cuento. Cuento y asunto son poca cosa; lo que para mí vale la pena de recordar es la alegría que nos causara ver por primera vez nuestro nombre, «Gregorio Martínez Sierra», adoptado voluntariamente como cifra de nuestra común ilusión juvenil, en aquella página, en aquellas columnas... Parecíanos que desde aquel lunes memorable ya le conocía España entera, ya habíamos entrado a formar parte de la legión sagrada. Aún no sabíamos cómo la firma de un desconocido espanta a los lectores y cómo lo más probable habría sido que los mismos ilustres compañeros de un día en las columnas del periódico no se hubieran dignado leer nuestra prosa. Pensando en aquel vilano de esperanza, hace ya mucho tiempo, siempre que en un diario, semanario o revista tropiezo con una firma desconocida, venzo la tentación de pasar por alto que también me ciega, y leo atentamente, como es mi obligación.

Volviendo a D. Jacinto Benavente, pienso que el amor al teatro y la común admiración por Shakespeare pudo ser el fundamento de nuestra relación amistosa. A Benavente, lo mismo que a Gregorio Martínez Sierra, atraíale fuertemente la afición a representar, a poner en escena; estoy segura de que ambos hubieran sido completamente felices corriendo mundo en la carreta de la farándula, representando farsas propias y ajenas. Benavente así lo ha hecho en ocasiones; mi marido ha sido durante largos años, como es bien sabido, director de escena. En una de sus horas caprichosas, don Jacinto organizó una representación de aficionados en un teatrillo de verano en Carabanchel, pueblo cercano a Madrid donde vivía mi familia. Pusiéronse en escena dos obras: *La fierecilla domada*, de Shakespeare,[39] de la cual existía una mediana traducción española, y un sombrío drama, *Cenizas*, escrito por D. Ramón del Valle-Inclán.[40] En la primera, Benavente interpretó el papel de Petruchio, el domador de la tarasca; Martínez Sierra fue Grumio, el escudero fiel; Pedro González Blanco, Gremio, uno de los pretendientes de Blanca, la dulce hermana de la fiera Catalina. En el drama, Benavente era el desdichado amante, y mi marido –entonces aún mi novio– el implacable jesuíta que ayudaba a bien morir a la infeliz enamorada. Recuerdo que, cada vez que aparecía

---

[39] Gregorio fue miembro del grupo de aficionados y profesionales llamado «Teatro Artístico» y participó en la representación de esta obra en el teatro de las Delicias de Carabanchel Alto. Sus compañeros de reparto eran Jacinto Benavente y Concha Catalá. La dirección escénica corrió a cargo de Valle Inclán.

[40] La representación de *Cenizas* fue en el teatro Lara de Madrid el 7-XII-1899.

en escena, el público protestaba ruidosamente. Protagonista, lo mismo en la farsa shakespiriana que en el drama valleinclanesco, era la bellísima actriz Concha Catalá. En mi casa se prepararon la mayor parte de los extravagantes lazos y escarapelas con que se engalanaron los actores.

Otro intento «escénico» de Benavente fue un teatro para los niños, al cual contribuyó con su linda y poética comedia *El príncipe que todo lo aprendió en los libros.*[41] Eduardo Marquina escribió *La muñeca irrompible.*[42] Yo hice una traducción reducida –no puedo llamarla adaptación porque no puse en ella ni una sola palabra de mi cosecha y me limité a traducir fielmente y a ordenar las escenas, suprimiendo las que me parecieron difíciles de comprender para los niños– de *The taming of the Shrew,* con el título en español *Domando la tarasca.* No llegó a representarse porque el teatro para los niños dejó de existir antes de que le hubiese llegado el turno, ignoro si por fracaso económico de la empresa o por cansancio del fundador. *Domando la tarasca* se representó con buen éxito y magnífica puesta en escena cuando Gregorio Martínez Sierra fue empresario y director del teatro Eslava en Madrid.[43]

La primera visita de Jacinto Benavente a nuestra casa tiene también carácter farandulero. En 1911 estrenóse en el teatro Lara, de Madrid, *Canción de cuna.* Para celebrar el buen

---

[41] El título correcto de esta obra estrenada el 20-XII-1909 es: *El príncipe que todo lo aprendió de los libros.* Sin embargo, en el catálogo de la Biblioteca Renacimiento, dirigida por Gregorio Martínez Sierra, en su Biblioteca Ilustrada Para Niños el título es idéntico al que recuerda María.

[42] No existe una fecha exacta para el estreno de *La muñeca irrompible.* Según el hijo de Marquina, esta obra se representó por primera vez entre 1911-1914. Ver Manuel de la Nuez, *Eduardo Marquina,* Nueva York, Twayne Publishers, 1976, p. 147.

[43] *Domando la tarasca* se estrenó en el teatro Eslava en abril de 1917, siendo el gran éxito de la temporada.

éxito invitamos una tarde a merendar a todas las actrices que habían interpretado la obra. Merendando estábamos cuando la criada anunció: «Un fraile desea ver a las señoras». Sorpresa intrigada. ¿A qué monje podría haber interesado conocer a las actrices que a diario interpretaban el papel de religiosas dominicas? «Que pase», dije un tanto perpleja, y entró solemnemente repartiendo bendiciones el inesperado visitante. Era Jacinto Benavente, quien, para darnos la amistosa broma y asistir «en carácter» a nuestra reunión, no había tenido inconveniente en recorrer medio Madrid vestido con los blancos y negros hábitos de fraile dominico.

Después, muchas veces, he disfrutado el placer de tenerle sentado a nuestra mesa. Era, y supongo seguirá siéndolo, golosísimo, y siempre traía algún dulce selecto. Y aún inventaba combinaciones de hiperdulzura, por ejemplo, la crema de *marrons glacés* envuelta en blancas nubes de crema Chantilly. Era curiosa y sabrosa paradoja escuchar, mientras saboreábamos la golosina, los comentarios a la vida tan ingeniosamente agudos y punzadores del autor de *Los malhechores del bien.*

La crueldad de los últimos tiempos ha separado tal vez irremisiblemente nuestros caminos. Él está en España; yo, en América. De veras me duele, ahora que soy vieja, no poderle decir: «¡Gracias por habernos ayudado a esperar en la vida cuando aún no sabíamos lo que es vivir!».

SANTIAGO RUSIÑOL

Cuando evoco la arrogante figura de Santiago Rusiñol paréceme su persona la encarnación más perfecta, casi el símbolo de la felicidad. ¡Cómo amaba la vida y hasta qué punto poseyó la indomable voluntad de sacar de ella y de saborear en ella la mayor suma de placer normal y razonable! Hedonista absoluto, maestro en el vagar y en el divagar, supo medir el paso y moderar su anhelo sin restarle belleza, pero sin permitirle traspasar el límite que separa el ensueño del desvarío. El mero hecho de vivir fue para él manantial de inagotable gozo. El momento presente era su reino, y poseía el arte de adornarle con todos los oropeles de la fantasía, todas las sales de la ironía, todas las mieles de la benevolencia. Su entendimiento era exquisita combinación y bien trabada mezcla de la irresponsabilidad mediterránea y la razón francesa. No era gran lector, aunque sí minucioso catador y crítico agudo de cuanto leía. Y había aprendido de memoria –a fuerza de vivir intensamente– el libro de la vida. Su cultura era más francesa que española, achaque frecuente entre intelectuales nacidos en Cataluña, a quienes es más fácil pasar los Pirineos que atravesar los Montes Ibéricos. Nunca intentó escribir en castellano, ni siquiera una carta, y es, como escritor, de los que más contribuyeron al modernísimo desarrollo de la lengua catalana, que manejó con elegancia, ligereza y soltura hasta entonces logradas por muy pocos. (Entre estos pocos pongo muy alto al gran poeta Juan Maragall, quien, por otra parte y a pesar de su catalanismo, escribió tan exquisitas páginas en lengua castellana.)

Fue Rusiñol pintor distinguidísimo y original, dramaturgo que alcanzó en no pocas ocasiones las más altas cumbres del éxito y la popularidad, poeta en prosa y en color. No hay nada más semejante a la suave melancolía de su cuadro dramático *El patio azul* que la añorante poesía de algunos de sus lienzos. Pintando ha cuajado el vago ensueño que fue perfume de su juventud; pintando fue joven hasta la última pincelada. Yo le he visto pintar muy poco antes de su muerte, cuando reuma y gota habían retorcido sus dedos terriblemente, y en cuanto aquella mano deformada sujetaba con firmeza el pincel, se transformaba la expresión de su rostro, brillábanle los ojos de alegría que no hubiera podido ser más fresca y total a los veinte años. Salía de sí mismo. Vivía su quimera.

Escribiendo cristalizó su ironía comprensiva, nunca envenenada, pero clarividente y sin contemplaciones. Pintar fue la aventura de su sentimiento; escribir, la de su inteligencia. Pintar y escribir después de haber visto claramente. En sus cuadros –paisajista insigne– no hay figuras. En sus comedias, en sus novelas, en sus ensayos no hay más que hombres... y algún suave y desvanecido fantasma de mujer. Porque a las mujeres nunca nos entendió. Nos tenía por seres irresponsables, sin otra virtud que la instintiva de la abnegación maternal, lindos pájaros que cruzan la vida del hombre cantando, para adormecerle, canciones sin sentido, llorando cuando quieren lograr un capricho, gatas que saben ronronear imitando el arrullo de la paloma, y que, a mitad de arrullo, dan un arañazo... por el gusto de afilarse las uñas; flores en el jardín del hombre, pero flores cuyo perfume hay que respirar sin demasiada insistencia porque suelen dar jaquecas molestas... Un día le oí decir, ¡y con qué convencimiento!: «La mujer no ha nacido para ser la perdición del hombre; la mujer no ha nacido para hacer la felicidad del hombre; la mujer ha nacido para molestar al hombre». Sentía hacia las hembras pánico mortal, no por fatales, sino por insoportables. Y en toda su obra se nota este desdén tan profundo y sincero que llega en ocasiones a ser compasivo. A veces –pocas–, al estudiar un tipo de mujer del pueblo, su claridad de visión le hace casi topar con la fuente escondida, pero aun entonces no comprende del todo lo que va diciendo el agua que corre. Siempre le hemos leído las comedias que estábamos escribiendo y le hemos pedido su opinión y consejo porque era maestro en técnica dramática y consejero y crítico leal. Y recuerdo que al escuchar el tercer acto de nuestro *Amanecer* exclamó indignadísimo: «¡Ese final es inverosímil![44] ¡No hay mujer capaz de alegrarse de que su marido se quede sin dinero!» No podía creer en el desinterés de mujer ninguna. Su antifeminismo era el de la vieja copla andaluza:

> De la costilla del hombre
> hizo Dios a la mujer
> para darnos a los hombres
> ese hueso que roer.

Casóse muy joven y, según afirmaba, enamoradísimo. «Es que a los veinte años –solía explicar– le entra al varón una enfermedad extraña. Ve pasar a "una", y sin considerar que en el mundo hay infinitas como ella, se obstina en un absurdo: ¡Ha de ser *ésa, ésa*, nada más que *ésa*! ¡Y ésa es la catástrofe!». De hecho, apenas llevaba dos años de casado, y a pesar de ser padre de una hija a la que tuvo siempre cariño apasionado, sin dar explicaciones ni llevarse de casa ni un pañuelo, se marchó a París y tardó dieciséis años en volver. Y aún no puede afirmarse que volvió, sino que le trajeron. Convaleciente de una grave operación quirúrgica, su mujer, que, sin duda, seguía padeciendo la juvenil enfermedad, obstinada en el «¡Ha de ser *ése*, nada más que *ése*!», fue a buscarle al sanatorio y le reintegró al domicilio conyugal. Desde entonces y hasta su muerte vivieron, al parecer, en perfecta armonía. Cuando su hija se casó, decía: «Compadezco a este pobre yerno mío, que además de mujer, tiene dos suegras». (Aún vivía la madre de su esposa.)

---

[44] *Amanecer* se estrena el 7-IV-1915 en el teatro Lara. Falla escribió la música incidental para esta obra.

Su tragicómico terror al trato femenino fue causa de que pasaran años enteros sin vernos ni hablarnos, a pesar de haber tenido él para mi marido afecto casi paternal, a pesar de haber yo traducido su comedia *Buena gente*, estrenada en Madrid con excelente éxito por Enrique Borrás y Rosario Pino, que la interpretaron magistralmente.[45] A todas las invitaciones que Gregorio le hacía de venir a casa, respondía invariablemente: «Prefiero no». Fue preciso pasar una frontera para que pudiera vencerse el prejuicio. En uno de nuestros viajes a París le encontramos. Él, enamoradísimo de la ciudad que entonces era aún para los artistas «el corazón del mundo», seguía pasando en ella frecuentes temporadas. Allí no había «hogar» ni para él ni para nosotros; allí no era yo una formidable «señora de su casa» a quien era preciso hacer molestos cumplidos, sino una viajera como él. Vivíamos en hoteles distintos, mucho más confortable el nuestro que el suyo, aunque él era rico y nosotros pobres, porque jamás he conocido hombre que menos comodidades materiales necesitase para ser feliz: su interior bienestar le bastaba y le hacía vencer hasta el tormento del dolor físico, hasta las insoportables torturas de la gota que poco a poco fue paralizándole. Como en Francia no se comprende que un hombre deje a su mujer sola para ir a comer con un amigo, nos encontrábamos casi a diario en el restaurante, y, por lo visto, no le molesté tanto como él temía. Yo estaba por entonces tan satis-

---

[45] Los Martínez Sierra conocen a Rusiñol en París en 1905. María traduce esta obra durante su estancia en Bélgica a finales de 1905 y principios de 1906. *Buena gente* se estrena en Madrid, en el teatro de la Comedia, probablemente en 1906. Según Martínez Olmedilla el emparejamiento de Enrique Borrás y Rosario Pino en el teatro de la Comedia fue tan poco afortunado, que solamente pudieron trabajar juntos en tres obras, ninguna de las cuales fue *Buena gente*. La actriz Jurado de la Parra representó el papel principal de esta obra de Rusiñol. Martínez Olmedilla, *ob. cit.*, pp. 231-32.

fecha de mi propia vida que no sentía el menor deseo de molestar a nadie. Un día, mi marido tuvo que salir de París con no sé qué motivo, y Rusiñol quedó voluntariamente encargado de mi custodia. Dejéme custodiar y proteger con la más sincera naturalidad. Almorzamos. Después, para divertirme, llevóme a visitar el Museo de Cluny. Por el camino, según su costumbre, nos detuvimos en las terrazas de varios cafés donde él, sediento insaciable, bebía alcoholes diversos. Por acompañarle, bebía yo agua de Perrier, lo cual provocaba su indignación. Hablábamos..., es decir, hablaba él para mi deleite, porque era donosísimo conversador. La tarde pasó rápida sin asomo de molestia ni para él ni para mí. Y cuando mi marido volvió a la hora de cenar y preguntó con cierta aprensión: «¿Qué tal se ha pasado el tiempo?», Rusiñol respondió cordial y alegremente, como si hubiese hecho un descubrimiento prodigioso: «María no es una mujer: es un amigo». Y así empezó la amistad leal, que no falló nunca. Mas, para otorgármela, tuvo que suprimir y olvidar, de una vez para siempre, mi condición de mujer. Desde entonces, mi casa fue para él como suya y nunca aguardó invitación para venir a ella. Era, si bebedor *heroico*, puesto que sabía que el beber le acortaba la vida que tanto amara, comedor refinado. Siempre traía algo exquisito para mi mesa: ya un faisán que le habían regalado los guardas de los jardines de Aranjuez, donde pasaba pintando semanas enteras, ya un tarro de *rovellons*, las sabrosísimas setas catalanas, que de su tierra le enviaban conservadas en aceite; ya legítimos embutidos mallorquines, ya alguna especialísima golosina, tortas o dulces que sólo él sabía dónde encontrar. Al principio, yo, sabiendo que el alcohol era su mortal enemigo, servía vino y licores con cuentagotas, porque me daba remordimiento contribuir a la ruina de tan noble y arrogante ejemplar de la especie humana. Pero un día me dijo: «¿Qué saca usted de que yo esté triste o inquieto o abatido mientras estoy aquí, si sabe usted de sobra que, en cuanto me vaya, lo primero que haré será beber en otra parte?» Comprendí que tenía razón y renuncié a mis necias precauciones. Por otra parte, nunca le vi embriagado, ni siquiera ligeramente «intoxicado». El alcohol, por mucho que abusase de él, le producía simplemente alegría, aguzaba su ingenio, sutilizaba su invencible optimismo. Creo que hasta le inspiraba para trabajar. En esto del trabajo era infatigable. Si el pintar le hacía feliz, el escribir le divertía infinitamente. Muchas veces, mientras estaba escribiendo, interrumpía su trabajo para decir: «Si al público le divirtiese esta comedia la mitad que a mí!...» Siempre pensó en el público y casi siempre acertó a complacerle. Poseía el secreto del «efecto dramático». Los quintaesenciados, los que escriben para escritores y pintan para pintores, le han acusado a veces de «hacer concesiones» para lograr el éxito. No es verdad. Amaba el éxito, pero no lo buscaba con artificios. Procuraba ante todo complacerse a sí mismo. No se encarnizaba sobre su obra por lograr perfecciones imposibles. No sentía este escrúpulo, este anhelo de superación, esta exigente autocrítica que es para otros sabroso tormento, miel y hiel del trabajo. Producía con naturalidad, como un árbol. En aquella rama hay un fruto perfecto; en aquella otra, otro un tanto mordido por la escarcha, mas jugoso y sabroso de pulpa; aquél que está en lo alto de la copa, cara al cielo, pintado por el sol, delicia y tentación de quien le está mirando, acaso está levemente dañado por dentro, ya que la madre mariposa inyectó, cuando el fruto estaba verde, la simiente del gusanillo que ha devorado parte de la miel. En todos hay la savia generosa, en todos triunfa la buena casta.

Como siempre trabajó con gozo, jamás sintió la mordedura de la envidia. Sabía reconocer y admirar el mérito ajeno. En esto era bien poco español.

Cierto, por encima de toda su obra está él. Para quienes logramos el privilegio de verle vivir de cerca, Santiago Rusiñol no es el autor de *El místico*, el pintor de los luminosos *Jardines de España*; no es siquiera el amigo, y eso que tuvo como pocos el sentido admirable de la amistad, sin alardes, leal y eficaz: es Santiago Rusiñol, el hombre. Y con eso queda dicho todo. No perteneció a ningún partido ni a ninguna escuela. Tuvo un solo aborrecimiento: la farsa. Y la combatió, burlándose de ella, en todas sus obras: La farsa del heroísmo militar, en *El héroe*; la farsa de la caridad, en *Libertad*; la farsa de la poesía, en *Los juegos florales de Camprosa*; la farsa de todos los mezquinos sentimentalismos, pretensiones, vanidades, politiquerías: no da voces, no clama, no anatematiza; se ríe, y basta.

Le gustaba, como a Benavente, el teatro en sí mismo, la escena; muchas veces ha actuado como «figurante» formando parte de multitudes vociferantes o de coros de ópera y zarzuela, por el placer de estar representando. También era aficionado a la broma en acción; en compañía de su gran amigo el famoso pintor Ramón Casas, ha perpetrado algunas que, en su tiempo, se hicieron famosas. Por ejemplo: En Motnserrat, la montaña sagrada que guarda la leyenda del Santo Grial, y en cuya cima hay un santuario de la «Virgen morena» –«La Moreneta», dicen los catalanes–, servido por monjes, estaba celebrándose un Congreso Eucarístico. Habían acudido, amén de numerosos peregrinos, devotos y curiosos, gran número de arzobispos y obispos tanto españoles como extranjeros. Entre los puestos de mercancía religiosa acostumbrados en tales romerías, Santiago Rusiñol y Ramón Casas plantaron un cinematógrafo ambulante. Aún era la cinematografía novedad un tanto milagrosa, por no decir endemoniada. Y a la puerta colgaron un cartel que rezaba: «Entrada, 50 céntimos. Niños y obispos, 25».

Otras veces, en las fiestas y ferias populares, instalaba un tenderete en el cual pretendía vender ollas, pucheros y cazuelas de barro, platos y fuentes y jarros de tosca loza, y se divertía discutiendo el precio de la cacharrería con las eventuales sencillas compradoras. Si la mujeruca regateaba y pedía rebaja, fingía indignarse, y arrojando la mercancía al suelo, gritaba: ¡Prefiero romperla!... a menos que, «pensándolo mejor», decidiese darla de balde.

Famosa entre sus bromas en acción fue el estreno de su comedia *El triunfo de la carne*. Barcelona, gran puerto comercial, tiene entre otros lugares de diversión para los marineros que a él llegan y en él estacionan unos cuantos teatruchos en los cuales se ofrecen al «respetable público» espectáculos subidos de color. En uno de ellos se anunció el estreno de *El triunfo de la carne*, obra que se había ensayado en gran secreto.[46] El título era prometedor y atrajo concurrencia extraordinaria. ¡El triunfo de la carne! El asunto era, sencillamente, la desventurada aventura de un grupo de vegetarianos que iban fracasando y desvaneciéndose por falta de nutrición. De entre ellos, sólo se salvaba uno que a tiempo decidiera volver al nutritivo régimen normal de *beefsteaks* y chuletas. El público, defraudado en sus escabrosas esperanzas, tuvo que rendirse a la gracia de la caricatura, y aunque a los comienzos quiso protestar, acabó aplaudiendo de buena gana. Rusiñol realizó el milagro de obligarles a reír limpiamente donde habían esperado rugir lúbricamente.

Estrenó en el teatro Novedades su comedia *El malalt crònic* (El enfermo crónico), inspirada en la farsa de Molière *Le malade imaginaire*.[47] La comedia gustó, pero algunos críticos

---

[46] *El triunfo de la carne* se estrena en Barcelona en 1912.

[47] *El malalt crònic* se estrena, efectivamente, en este teatro barcelonés en 1901.

le echaron en cara la «concesión al público» que, según ellos, representaba el hecho de que el *enfermo* se curase al final de la obra. Los quintaesenciados y cultipensantes siguieron la opinión de la crítica: El público sencillo daba la razón al autor: en Barcelona, las discusiones literarias y sobre todo teatrales apasionan más que en Madrid. Rusiñol decidió poner a todo el mundo de acuerdo. Escribió otro final para la comedia: el enfermo crónico no se curaba. Y en los carteles anunciadores apareció esta conciliadora advertencia: «Martes, jueves, sábados y domingos, el enfermo se cura; lunes, miércoles y viernes, no se cura». Con esto, unos y otros quedaron complacidos. Y él, como siempre, divertido.

Era aficionado al circo, a los saltimbanquis, a los payasos, a los cómicos, siempre que no fuera preciso tomarlos demasiado en serio. Con él fuimos por vez primera a la feria de Neuilly en París, y por eso el libro que sobre ella escribimos le está dedicado. Él pagó la fineza traduciéndolo y publicándolo en lengua catalana.[48] Y como nosotros, aunque sinceramente halagados y agradecidos, protestáramos contra el trabajo inútil, puesto que no hay catalán en España de los que sienten deseos de leer que no entienda la lengua castellana, por muy separatista que sea, él respondió con su guasona seriedad: «Quiero que *La feria de Neuilly* comparta con el *Quijote* el honor de estar traducida al catalán».

A su amistad debemos el primer paso decisivo en nuestro camino de autores dramáticos. Nuestro «modernismo» seguía cerrándonos las puertas de todos los teatros. Ni siquiera el empresario del teatro de la Comedia, donde se habían estrenado con éxito nuestras traducciones de *Buena gente*, de Rusiñol; de *Triplepatte*, de Tristán Bernard, y de *Los abejorros*, de

---

[48] *La fira de Neuilly*, Barcelona: Antonio Pérez, 1907.

Brieux, por lo cual habíamos llegado a ser amigos suyos, se atrevía a arriesgar su dinero montando una obra original nuestra.[49] Casi habíamos, con harta tristeza, renunciado a nuestro ideal, y en los largos años de espera escribimos para consolarnos e ir ganando la vida la mayor parte de nuestras novelas cortas que, después de publicadas en varias revistas, reunimos en un tomo que llevó por título *Sol de la tarde*, por llamarse así un cuadro del pintor Emilio Sala que servía de ilustración en la anteportada, y una página lírica de Rusiñol que pusimos como introducción al libro.[50] Publicamos también dos novelas de tamaño corriente, *Tú eres la paz*, escrita por encargo de un editor catalán, y *La humilde verdad*, para concurrir a un concurso literario en el cual obtuvo nuestra novela el tercer premio.[51] Por cierto que este tercer premio me costó hartas angustias. Yo, pensando que habían de pagárnoslo inmediatamente, gasté por anticipado su importe en unos cuantos muebles bonitos que mandé hacer de encargo; pero, ¡ay de mí!, la casa editora que había organizado el concurso, aunque editó el libro rápidamente, tardó un año entero en pagar el premio, y yo, que he sido siempre amiga de pagar al contado, no podía sentarme con tranquilidad en

---

[49] El empresario del teatro de la Comedia en esa época era Tirso Escudero.

[50] *Sol de la tarde*, Madrid, Edit. Tipográfica de la Revista de Archivos, 1904. El pintor Emilio Sala, muy amigo de los Martínez Sierra, hizo un retrato de María. María le menciona este cuadro a Juan Ramón en una carta desde Bruselas, fechada el 17 de noviembre de 1905: «Me ha entrado una impaciencia horrible de que se publique el libro [*Olvidanzas*], para ser *inmortal*. Siquiera por eso, no se puede V. morir este año. Con este libro para mí y el retrato de Sala ¿qué van a figurarse de *mi persona* los siglos venideros». Ricardo Gullón, *ob. cit.*, p. 80.

[51] *Tú eres la paz*, Madrid, Montaner y Simón, 1906; *La humilde verdad*, Madrid, Henrich y Cía, 1905.

aquellas sillas ni mirar las lindas patas de aquella mesita pensando en que la factura estaba sin saldar. ¡Cómo nubla los gozos de la juventud la falta de dinero!

La casa editorial Garnier, de París, que entonces tenía sección española, nos publicó tres libros: *Granada (Guía emocional), La feria de Neuilly*, con ilustraciones del notabilísimo pintor catalán Gosé, que entonces aún luchaba con el hambre en París –hambre que acabó por engendrar la tuberculosis que le llevó al sepulcro en el momento mismo en que empezó a reconocerse su mérito y a pagarse decorosamente su trabajo–, y *Motivos*, colección de artículos y ensayos escritos durante nuestro primer viaje al extranjero, para periódicos españoles, que los pagaban medianamente.[52]

Rusiñol se dolió de nuestra melancólica resignación, que él, más «farandulero» que nadie, comprendía también mejor que nadie, y un día nos dijo: «Este año estrenan ustedes». «¿Cómo?», preguntamos, asombrados de la seguridad con que lo afirmaba. «Estrenan ustedes porque ahora mismo vamos a escribir una obra en colaboración, y se estrenará esta temporada en el teatro de la Comedia, si es que el empresario pretende que figure mi nombre en su cartel.» Hay que darse cuenta de lo que representaba el ofrecimiento de Santiago Rusiñol. Estaba entonces en lo más alto de su fama como autor dramático, y nosotros, en esa rama de la literatura, no éramos nadie. Se necesita toda la despreocupada gene-

---

[52] Esta casa editorial, de hecho, publica cuatro de sus libros: *La feria de Neuilly*, París, Garnier, 1906; *Motivos*, París, Garnier, 1905; *La aldea ilusoria*, París, Garnier, 1907; *Granada, guía emocional*, París, Garnier, sin fecha. Este último libro fue publicado probablemente en 1905, época en que trabajó para esta editorial. Se reeditó esta guía en 1920 por la editorial Estrella. En 1992 ha vuelto a reeditarse en Granada por la editorial Impredisur D.L. en su colección «Memoria del Sur».

rosidad del autor de *El místico* para afirmar así su fe en nosotros e imponer su voluntad positiva frente a la negativa de un empresario. En efecto, escribimos la obra en colaboración. No recuerdo –hace ya tantos años– cuál de los tres colaboradores encontró el asunto, pero aún tengo presentes las horas gratísimas del trabajo en común. Instalámonos en nuestra casa, en tres habitaciones contiguas, después de habernos repartido la tarea, planeado la comedia y decidido el orden de las escenas. Rusiñol escribía en catalán; nosotros, en castellano. Comunicábamos el respectivo «fruto», discutíamos, aprobábamos, desaprobábamos, cortábamos, suprimíamos, añadíamos con absoluta imparcialidad, con buen humor, con rapidez, en perfecta armonía. Terminada la bilingüe comedia, Rusiñol puso en catalán nuestro castellano, yo puse en castellano su catalán, y así aquella hija feliz de tres ingenios se lanzó al mundo hablando en dos lenguas y tuvo, en cada una, nombre distinto: Llamóse en castellano *Vida y dulzura*, y en catalán, *Els savis de Vilatrista* (Los sabios de Villatriste).[53] Rusiñol dibujó con fino trazo caricaturesco las figuras de los sabios. El primer acto es casi exclusivamente suyo. Estrenóse la comedia al mismo tiempo en Madrid y en Barcelona, y en ambas ciudades logró excelente fortuna. La incomparable actriz Rosario Pino, tal vez la mejor actriz española del siglo XX, alcanzó en el papel de Julia uno de los triunfos supremos de su arte seductor y de su fascinadora personalidad trastornando cabezas y humanizando corazones de aquél solemne grupo de inocentes discípulos de Minerva... Y así, llevados de la mano por nuestro incomparable amigo, conseguimos por primera vez hacernos oír en un escenario.

---

[53] *Els savis de Vilatrista* se estrenó en Barcelona en el Teatre Català (Romea) en 1907, y Madrid vio el estreno de *Vida y dulzura* en el Teatro de la Comedia el 15-I-1907.

Es curioso. Y ello hace pensar –dando razón a viejas filosofías– que acaso las ideas existen por sí mismas y no son creación de la inteligencia que las alumbra, sino mariposas que han venido, no se sabe de dónde, a posarse en ella. Mientras nosotros tres escribíamos *Vida y dulzura*, otros tres ingenios españoles, Jacinto Benavente y Serafín y Joaquín Álvarez Quintero, estaban escribiendo, unos *El genio alegre*, el otro *Los búhos*, comedias que tienen no el mismo argumento, pero sí la misma idea esencial que la nuestra: la alegría de vivir triunfando de la melancolía del pensar. *El genio alegre* se estrenó con grandisimo éxito en el teatro de la Princesa; *Los búhos*, con éxito notable en el teatro Lara.[54] No hace falta decir que no hubo entre los seis autores comunicación ninguna. De haberse estrenado las obras en temporadas distintas, a unos o a otros se nos hubiese acusado de plagio. ¿De dónde vinieron a caer sobre Madrid los granitos de la misma simiente que germinaron a la misma hora en seis mentes distintas?

La amistad con Santiago Rusiñol ha durado sin conflicto ni falla tanto como su vida; he traducido muchas de sus obras dramáticas: *Buena gente, La madre, La fea, El buen policía, La virgen del mar, El enfermo crónico* y alguna más que ahora no recuerdo, y varios de sus libros: *Aleluyas del señor Esteban* (L'Auca del senyor Esteve), novela, en mi opinión, su obra maestra; *La isla de la calma* (impresiones de Mallorca), *Un viaje al Plata* (del Born al Plata), impresiones de un viaje a la Argentina, libro que él hubiera querido titular *Del loro al fonógrafo.* Su editor catalán se opuso, pero él conservó el título en uno de los capítulos.

---

[54] Los Álvarez Quintero estrenaron *El genio alegre* en el teatro Odeón de Buenos Aires el IX-1906, y Benavente estrena *Los búhos* en el teatro Lara el 8-II-1907.

Melancólico es el recuerdo de mi última entrevista con el gran amigo. Fue, poco antes de su muerte, en Barcelona, en la librería de Antonio López, situada en la Rambla del Centro, uno de los «hogares» del ilustre escritor.[55] La gota le había paralizado casi por completo; la morfina, de la cual usaba con exceso para calmar los insufribles dolores, había vencido su optimismo y apagado la clara luz de su mirar. Apoyándose en dos muletas, se alzó, para acogerme, del sillón en que estaba hundido. Hablamos poco. Estaba triste. A mí érame casi insoportable el espectáculo de aquella arrogancia desmoronada, de aquella alegría perdida. Estaba allí, aguardando la muerte... y lo sabía; pero la aguardaba no como otro cualquiera lo hubiera hecho, recluído, amparado en las comodidades del hogar, en los cuidados de los que le amaban, tendido en su lecho, sino sentado a la puerta misma de la tiendecilla, viendo pasar la vida bulliciosa de la ciudad, que tanto amara siempre.

Serafín y Joaquín Álvarez Quintero

A los hermanos Álvarez Quintero debemos nuestros estrenos en el teatro Lara, de Madrid. Habían ellos comenzado su carrera de autores dramáticos en los últimos años del siglo XIX, y conquistaron rapidísimamente el favor del público. Sevillanos eran, y Sevilla entró con ellos en Madrid y se adueñó de la fantasía de los madrileños, y de Madrid corrió como reguero de pólvora a hacer las delicias de toda España merced a la gracia chispeante, salada y superficialmente sentimental que es característica de toda su obra. El arte dramático español tiene con ellos deuda perdurable. Nota espe-

---

[55] Rusiñol muere el 13 de julio de 1931.

cialísima del teatro en Madrid era entonces lo que se llama «género chico», es decir, el espectáculo por secciones en cada una de las cuales se representaba una obra en un acto. Varios teatros lo cultivaban. Cuando los hermanos Quintero vinieron a Madrid, el tal «género chico» se encontraba entonces en estado de lamentable decadencia, más valdría decir de corrupción. La mayor parte de las obras en un acto que se representaban, con gran regocijo del público que, por regla general, toma lo que le ofrecen y se deleita con ajos si no le dan naranjas, era un amasijo de chistes sucios, situaciones necias y desconcertadas contorsiones de los actores; todo ello redimido, cuando las obras tenían música, por la inspiración fresca de unos cuantos compositores: Chueca, Valverde, Jerónimo Jiménez, entre otros que hacía perdonar y hasta olvidar la inepcia de la letra.

Los hermanos Álvarez Quintero barrieron todo esto y sanearon la escena española. Trajeron de su huerto andaluz no sólo naranjas y flores de azahar, sino claveles a brazadas, agua limpia a torrentes, palabrería bien sazonada, picardía ingenua, amor inocente, sonrisas y salud. Es cosa de milagro, si bien se mira, lo rápida y definitivamente que la salacidad y la necedad desaparecieron del «género chico» y huyeron a refugiarse en antros más o menos especiales, dando origen a lo que los mismos Quintero bautizaron y satirizaron con el nombre de «género ínfimo».

No estoy haciendo la historia del teatro español, pero no podía en justicia hablar de Serafín y Joaquín Álvarez Quintero sin dejar siquiera leve constancia de lo que a ellos les debe.

Ello es que en 1908 habían alcanzado fama indiscutida y se contaban entre el grupo de autores de primera línea. ¿Qué no sería capaz de hacer un empresario por complacerles? Esta autoridad suya la emplearon a favor nuestro obligando a los empresarios del teatro Lara, que eran de los que daban su espectáculo por secciones, a estrenar nuestra comedia en dos actos *La sombra del padre.*[56] Obtuvo la obra lo que en Francia se llama un *succès d'estime*, es decir, éxito decoroso, pero no brillante: a nosotros nos resolvió el problema económico de la vida durante un año, porque agradó en provincias mucho más que en Madrid, y la representaron en *tournée* varias compañías; a los empresarios no les pareció el negocio lo bastante lucrativo para decidirles a pedirnos obra en la temporada siguiente. Habíamos escrito *El ama de la casa,* en dos actos también. Los hermanos Quintero la conocían, y, a su parecer, el realismo envuelto en leve caricatura –así decían ellos– de aquel apunte de la vida corriente no podía menos de agradar al público. No era ésa la opinión del empresario. ¿Cómo era posible que el público, acostumbrado a la brillante gracia de los Quintero, a la no menos brillante ironía de Benavente –que eran los triunfadores del momento–, pudiera interesarse por dos actos en los cuales no pasaba absolutamente nada que no pudiese acaecer en cualquier casa madrileña de la clase media, dos actos sin un solo chiste, sin pirotecnia de frases de ingenio, en que los personajes, copia casi exacta de gente que encuentra uno todos los días, sin grandes pasiones, sin virtudes heroicas, sin vicios espectaculares, van viviendo la vida hora tras hora y resolviendo sus menudos problemas cotidianos como Dios les da a entender?

Los espectadores, casi seguramente, se quedarían dormidos en las butacas, a menos que el exceso de aburrimiento les incitase a protestar violentamente.

Los hermanos Quintero, que estaban bien seguros de lo contrario –¡Dios se lo pague!–, repitieron en forma distinta el gesto amistoso y generoso de Rusiñol. La obra que todos

---

[56] *La sombra del padre* se estrena el 17-III-1909 en el teatro Lara.

los años estrenaban en el teatro Lara venía siendo uno de los mayores éxitos de cada temporada y proporcionaba a la empresa pingües ganancias. El empresario la esperaba impaciente. Y ellos dijeron: «Si quiere usted que este año le demos nuestra comedia, que ya está escrita, tiene usted que estrenar antes la de Martínez Sierra». Y el empresario no tuvo más remedio que aceptar el trato. Estrenóse *El ama de la casa*, y obtuvo éxito rotundo.[57] Cosa extraña y que el empresario no acertaba a entender: ante aquel sereno cuadro de vida cotidiana representado sin desplantes ni contorsiones, el público reía a más y mejor. Por lo visto, los autores poseían un don secreto que a él no se le alcanzaba.

Yo, contagiada de los temores de la empresa, no había querido asistir al estreno. Después del primer acto, Serafín Quintero vino a darme noticia del buen resultado. Estaba tan contento como si la obra hubiera sido suya. Inconfundible prueba de leal amistad, porque si hay muchos compañeros de oficio que nos aman en las horas tristes, son pocos los que saben seguir amándonos cuando la inconstante Fortuna se detiene un segundo a nuestra puerta.

—Pero ¿es posible? –preguntaba yo, que, optimista tenaz en la esperanza, nunca puedo creer en el bien que me llega–. ¿Usted cree que gustará el acto segundo?

—Esté usted tranquila. Éxito de primera clase.

Y a la mañana siguiente me decía:

—Figúrese si habrá gustado la obra, que X..., al marcharse, dejó la bufanda olvidada en la butaca. Salía el hombre del teatro como si le hubiesen puesto un par de banderillas.

(X... era uno de los críticos teatrales más leídos en aquel tiempo y gozaba bien ganada fama de no poder sufrir éxito ajeno.)

---

[57] El estreno de *El ama de la casa* es el 1-IV-1910.

—Veremos –dijo Joaquín Quintero– por dónde sale.

En efecto, el crítico «salió» diciendo que el éxito había sido indiscutible, pero que el autor era *demasiado habilidoso.* Extraño reproche tratándose de autores jóvenes e inexpertos. Mas reproche que se ha repetido muchísimas veces. «Habilidoso»... Yo bien sé que en nuestra obra no ha habido nunca «habilidad» ninguna, si habilidad quiere decir malas artes para lograr el éxito. Fundada siempre en la más absoluta realidad, no existe en toda ella otro estímulo que el natural deseo de componerla y escribirla lo mejor posible. Si esto es motivo impuro, ¡venga Dios y lo vea! Toda obra de arte, hasta las de los genios que a los simples mortales se nos antojan sobrehumanos, va dirigida al público, desde el Moisés de Miguel Angel hasta la *Comedia,* llamada –y no por él– *divina,* de Dante Alighieri. Es más, yo creo que no hay obra genial, en literatura, que el público, aun el contemporáneo del autor, no sea capaz de admirar y aun, hasta cierto punto, de comprender. Conste que al decir esto estoy pensando en el amarguísimo destino de uno de los más grandes, Federico Nietzsche. No creo que el genio pase desdeñado por sus contemporáneos: pasa inadvertido. No faltó, por ejemplo, al insigne autor de *Así habló Zaratustra* la admiración de quienes le leyeron, sino la oportunidad de ser leído, lo que en lenguaje de hoy llamaríamos la «propaganda» que sus editores no supieron hacer. (La propaganda es artificio peculiar del siglo XX, y Nietzsche murió en 1900.) No éramos cerebros excepcionales los millares de estudiantes en toda Europa que, al enterarnos de su obra, aun antes de su muerte, le admiramos con frenesí. Acaso no ha existido glorificación más rápida que la del inmenso, extraño poeta, despiadado filósofo, aunque él vivió, trabajó sin descanso y murió creyendo que nadie le escuchaba. Esperando que un día... enloqueció tal vez de soledad.

Esa es la ventaja que llevan a todos los demás escritores los autores dramáticos. No hay mejor propaganda que la representación; cara a cara el autor y el público, bien pronto se entienden por muy nuevo que parezca el mensaje: pasa rápidamente el desconcierto de la sorpresa. Hay que repetir nombres: en nuestra tierra y en nuestro tiempo, Galdós, Benavente, los hermanos Álvarez Quintero han dicho cosas que el público no estaba acostumbrado a oír, han compuesto sus dramas y comedias en forma hasta entonces inusitada, y han triunfado total y hasta ruidosamente. Su fama llegó en muy poco tiempo a ser lugar común. Y si retrocedemos unos cuantos siglos, ¿no fue Lope de Vega gloriosamente popular en vida? No ya porque fuera indiscutiblemente gran poeta y prodigioso versificador, sino porque pudo lanzar la maravilla de su lirismo a conquistar la fantasía de sus contemporáneos desde el tablado del teatro. Y el Uno, el Único, el Inconmensurable, Guillermo Shakespeare, ¿no tenía a sus espectadores rendidos a discreción aun antes de que sus tragedias, comedias y farsas anduvieran impresas, mucho antes de que críticos tan agudos y ciegos como Voltaire y Tolstoy las declararan *incomprensibles*?

Después del estreno afortunado de *El ama de la casa*, convencida de que éramos tan autores dramáticos como otro cualquiera y de que aunque tal vez no alcanzáramos nunca las cumbres de la inmortalidad, podíamos ganarnos la vida honradamente escribiendo comedias, renuncié a mi puesto de maestra de escuela, y me dediqué exclusivamente a la literatura.[58] Cambié de oficio, en realidad, no tanto como pare-

---

[58] En 1908 solicita la excedencia de su cargo de maestra que le es denegado el 4 de abril de 1908. Es posible que continuara ejerciendo la docencia hasta 1910, fecha del estreno de *El ama de la casa*, o que renunciara a su cargo al ser denegada su petición.

ce. Son muy afines el don de seducir –magnetismo o brujería– que hace falta para dominar a medio centenar de chiquillos en una clase y el que logra sujetar a medio millar de espectadores en un teatro. Y, muchas veces, el maestro consigue sus mayores éxitos pedagógicos merced a lo que pudiéramos llamar recursos teatrales o efectos dramáticos que emplea, como el dramaturgo que lo es de nacimiento, instintivamente.

En la temporada siguiente –1910-1911–, considerados ya como «autores de la casa», la empresa nos pidió espontáneamente una comedia para su lista de estrenos. Habíamos escrito –¡ay de nosotros!– *Canción de cuna.* El empresario, cuando se la leímos, se quedó aterrado. ¿Cómo estrenar aquellos dos actos de tan extravagante asunto y de tan desusada factura? ¡Un convento de monjas, y no visto a lo romántico, como es costumbre en toda literatura que se respeta! ¡Un convento de monjas sin claustros góticos, sin claros de luna, sin imposibles, sacrílegos amores, sin intervenciones sobrenaturales! ¡Un convento de monjas del siglo XX, en el cual eran las religiosas sencillas mujeres, bien avenidas con su destino, fieles a su vocación, atentas a cumplir al pie de la letra la regla que las guía con inmutable balanceo de péndola, de la celda al coro, que les obliga con la misma escrupulosa minucia a cuidar las verduras en el huerto y a entonar los exaltados y para la mayoría de ellas incomprensibles salmos del santo y pecador rey David! ¡Monjitas sacudidas levemente –recóndita ensenada rizada apenas por ecos de lejanos vendavales– por las pasioncillas menudas que en el claustro lo mismo que en el siglo agitan la vida cotidiana de la mayor parte de las mujeres, guardando bajo la estameña del hábito, con toda naturalidad y absoluta inocencia, como único rescoldo del fuego sensual, la sed inextinguible de abnegación maternal que es la esencia del alma femenina! ¡Imposible! Él había esperado otro cuadro de la vida burguesa, la segunda edición de *El ama de la casa,* pero ¡aquello! ¡Un convento, un convento detrás de cuyas rejas no pasa nada! Esto sí que era modernismo del más desaforado. «Si los autores quisieran tomarse el trabajo de escribir otra obrita, sencilla, natural..., desde luego... con muchísimo gusto la estrenaría.» Por desdicha, los autores no tenían ninguna intención de escribir otra obrita, por el momento. Estaban escribiendo otra obra en tres actos para el teatro de la Princesa. O se estrenaba *Canción de cuna,* o nada. El empresario cedió. No es posible que un teatro cierre sus puertas a autores que en la temporada anterior «han dado dinero». Pero iba retrasando el estreno. Ya había transcurrido más de la mitad de la temporada. Los Quintero, amigos infatigables, le repetían que debía estrenarla, pero él sin duda atribuía sus afirmaciones a la gran amistad que nos unía. Sospecho –estoy casi segura de ello y alguien me lo dijo– que el estreno se debió a una insinuación de Benavente, quien siempre poco amigo de intervenir por modo directo y siempre con pudor para los favores que hace, dijo un día como al descuido: «Esa comedia quisiera haberla escrito yo».

Estrenóse en marzo de 1911. Ha sido el mayor éxito de nuestra carrera teatral. Por eso y por otras razones, dejo el hablar de ella para otro capítulo.[59]

---

[59] Curiosamente, nuestra autora se equivoca en la fecha del estreno de *Canción de cuna,* ya que se escenifica por primera vez el 21-II-1911 en el teatro Lara.

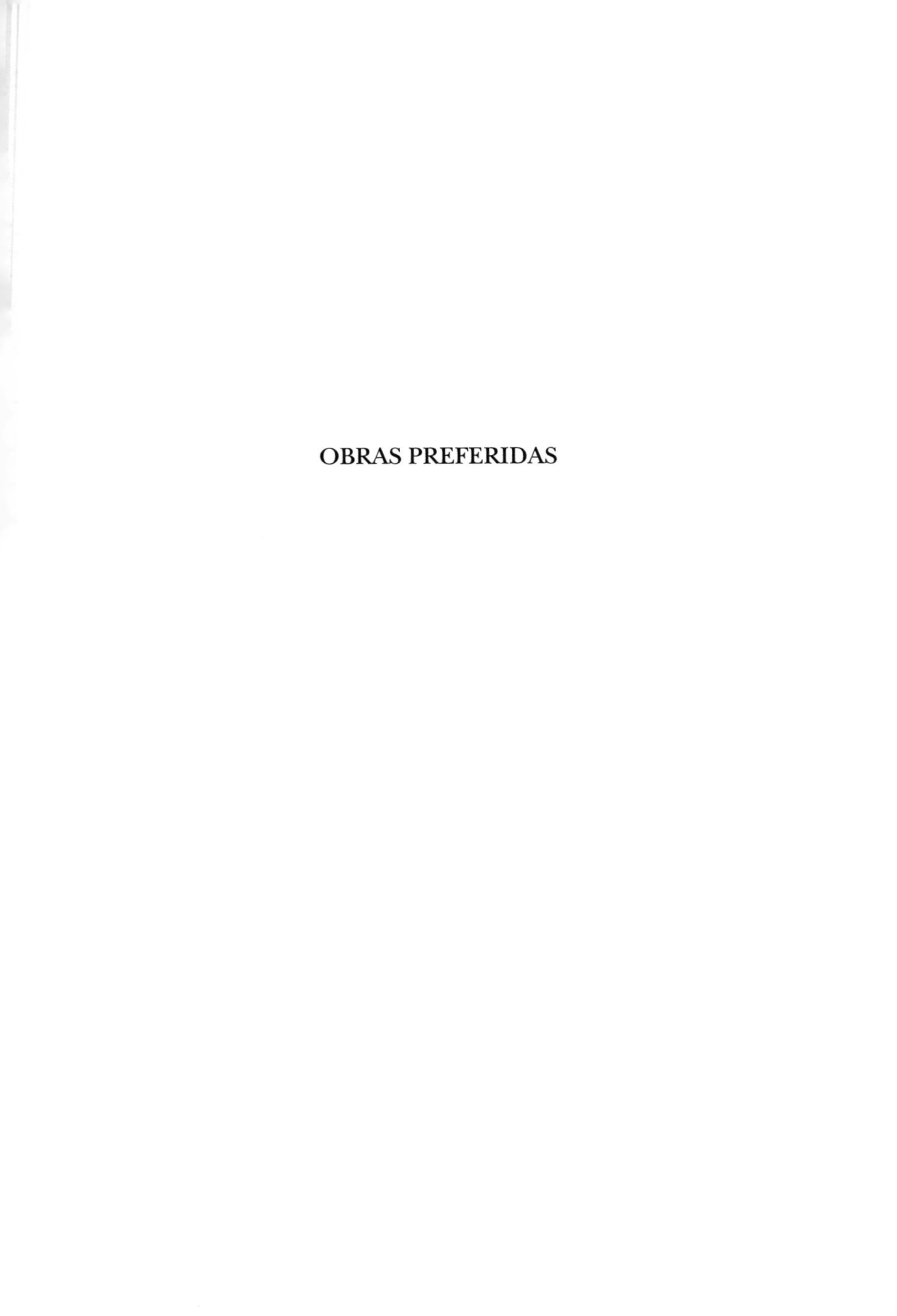

OBRAS PREFERIDAS

NO POCAS VECES, periodistas y simples curiosos me preguntan: «¿Cuántas comedias, cuántas novelas, cuántos libros han escrito ustedes?». Y no puedo responderles con exactitud. Al hacer la cuenta de los hijos, siempre olvido alguno. Pienso en esas pobres campesinas andaluzas a quienes he encontrado por docenas en mis caminatas propagandísticas a las cuales yo también he preguntado: «¿Cuántos hijos ha echado usted al mundo?». También ellas vacilaban antes de contestar estoicamente: «Veinte he tenido».

En gran apuro las hubiese puesto si hubiese exigido que detallasen nombres y fechas. Parieron una vez conscientemente, y siguieron concibiendo y pariendo sin contar el dolor ni la angustia mientras tuvieron dentro del cuerpo sangre de mujer. Imagino que al intentar, por una vez, hacer el inventario de la prole, ven un confuso enjambre de greñudas cabecitas que no hubo nunca tiempo ni ganas de peinar, de angelicales caras sucias en las cuales se abrían otras tantas bocas pidiendo siempre el pan que no llegaba. ¿Cómo recordarlos a todos? Algunos hubo que, sin saber por qué, les robaron el corazón... A ésos no los olvidan, aunque tal vez se fueron, «angelitos al cielo», huyendo del hambre...

Toda mujer pobre concibe y pare muchos más hijos de los que debiera. Todo escritor que hace del escribir oficio compone más obras de las que hubiera debido, ya que ellas, en vez de pedir pan, lo ganan para él. Quiero hacer aquí una confesión. Si en vez de ser mitad de ese águila bicéfala que, según Quevedo, simboliza el matrimonio, hubiera trabajado sola y bajo mi única responsabilidad –soy perezosa– no hubiese escrito ni la cuarta parte de la prosa más o menos poética que ha lanzado mi máquina Yost. A una mujer, si el Cielo le ha dotado al nacer con la divertidísima facultad de pensar, le hace falta muy poco para vivir, ya que no necesita galas, joyas ni juegos de azar para pasar el tiempo distraída y olvidarse de que está viviendo. Mas unióme la fortuna a marido ambicioso y emprendedor que además dio en la flor de hacerse empresario de teatros, y un teatro es hidra, no de siete, sino de mil bocas que hay que estar cebando intensamente con tuétano y médula de los propios huesos... En vista de lo cual, ¡a parir se ha dicho, sin tregua ni reposo!

Naturalmente, no todos los engendros tuvieron la suficiente madurez. He procurado, sí, presentarlos al mundo con la cara bien lavada, la pelambrera en orden y el vestido limpio, planchado y adornado con bordados y encajes cuando fue menester; de ninguno me avergüenzo, ya que nunca les he consentido mentir ni embaucar; de muchos, como he dicho, se me olvida hasta el nombre. (¿No dicen que Wagner olvidó haber compuesto *Lohengrin*, y tuvo la mayor sorpresa de su vida hallando, en el fondo de un arca, la partitura?) A unos cuantos les tengo especial amor, y no porque hayan sido los más afortunados, sino por haberme brotado más de adentro, por llevar la huella de un gozo o de un dolor trascendentales, de una hora o un segundo inolvidables.

De estos preferidos quiero hablar un poco. Al cabo son jalones en el camino de mi vida.

El número uno es *El reino de Dios.* Es una elegía, y esa palabra va como subtítulo: *El reino de Dios, elegía en tres actos.* Pero en su origen no lo era. Llamóse en un principio *La ilusión*; porque, al pensar y combinar el argumento, mi colaborador y yo creímos de buena fe que la protagonista de la comedia era la chiquilla que impulsada por iluminaciones medio místicas, medio sociales –su padre era un político elocuente, lo que se acostumbra llamar un *tribuno*–, abandona las blanduras de la casa paterna y se entierra en vida, en la horrenda vida de los asilos, de las maternidades, de las casas de misericordia donde la caridad recoge lo que el mundo rechaza por demasiado abyecto, y allí vive feliz con su ilusión: dar alegría al triste. Una especie de *Celia en los infiernos.*[60]

Mas sucedió que, bien imaginado, trabado, planeado y detallado el asunto, y puesta yo a escribir la comedia, fue esfumándose la figura de la que creíamos su protagonista y fueron tomando, como por arte mágico, cuerpo y alma una serie de personajes en los cuales habíamos pensado como episódicos y que se obstinaron, tercos, en ser figuras principales.[61] El fondo del tapiz se puso en primer término; la figura central fue palideciendo –como la de la Primavera, al pasar de los siglos, en el cuadro inmortal de Botticelli–; su dulce voz tan bien educada se ahogó en el alarido de otras cien que, con malos modos y bárbara sintaxis, lamentaban intolerables

---

60 «Novela de Benito Pérez Galdós». Nota de María Martínez Sierra. Se equivoca aquí nuestra autora ya que *Celia en los infiernos* es una obra de teatro que el escritor canario estrenó en el teatro Español el 9-XII-1913.

61 La colaboración entre María y Gregorio nos parece queda clara en una carta que le escribe Gregorio a María sobre *La ilusión*: «Estoy obsesionado pensando en *La ilusión*: date mucha prisa porque va a ser algo grande [...] Creo que nunca hemos hecho nada tan completo [...] Además creo que te será fácil [...] Escribe todo cuanto se te ocurra que todo será interesante». Carta número 39, sin fecha. (Archivo María Lejárraga.)

cuitas: viejos desamparados, hijos sin padres y sin honra, mujeres perdidas. ¿De dónde surgió la horda pavorosa? ¡Quién lo diría! Era ni más ni menos el fondo en que, con la mayor naturalidad, había ido creciendo y formándose una criatura inverosímilmente feliz. Para decir toda la verdad, una humilde servidora de ustedes.

Mi padre, médico excelente, jamás quiso ejercer en las grandes ciudades. En su primera juventud había sufrido una hemoptisis y tenía miedo a las innumerables escaleras –entonces aún no había ascensores– que le hubiera sido preciso subir para hacer la visita ciudadana. Desde el riojano valle natal fue acercándose a Madrid –era mi madre madrileña y amaba a su familia entrañablemente– y vino a parar en los aledaños de la Villa y Corte; allí era médico titular de las carreteras de Madrid, Toledo y Extremadura, pobladas por míseros aduares, traperías, tabernuchos, fábricas de mendigos... No hay que extrañar la palabra «fábrica»; en no pocos de aquellos habitáculos edificados, si así vale decirlo, con latas vacías, vigas carcomidas y esteras viejas, se fabricaban las mentidas llagas en las piernas, las cegueras artificiales, las pústulas fingidas, las contrahechas mutilaciones que, ostentadas en las calles y plazas de la capital de España, habían de ablandar el corazón de los cortesanos y entreabrir sus bolsillos. Allí se alquilaban niños escuálidos y se les adiestraba en el arte de mendigar. «Este niño –dice un personaje de Arniches, copia exacta de la realidad– vale más que pesa; él solito me gana siete pesetas diarias.»

Mi padre era figura popular y persona grata en aquellos infiernos; su caballejo se detenía espontáneamente a la puerta del ventorro que recibía los avisos de enfermos; a veces, si halagado por el vientecillo de la llanura castellana que huele a pan, el jinete se había adormilado, relinchaba el rocín para despertarle, diciendo en su caballuno lenguaje: «Hemos llegado, señor doctor». Alguna mujeruca obsequiaba a veces al noble bruto con un terrón de azúcar hallado al revolver basuras...

En el pueblo mismo daba mi padre su asistencia en buen número de asilos: Asilo de niñas huérfanas de la parroquia de Santa Cruz, Asilo de Ciegos, Asilo de Inválidos del Trabajo, Casa para niñas convalecientes, sucursal de la Inclusa de Madrid, y otros varios. Algunos de ellos estaban instalados en la magnífica posesión de recreo que perteneciera no mucho tiempo antes al opulentísimo banquero español, émulo del Haussmann francés, D. José Salamanca.

Toda aquella miseria, toda aquella escoria, estaba atendida por las Hijas de la Caridad. Las nítidas coquetas y voladoras *cornetas* de las damas francesas a quienes agrupara el fundador, Vicente de Paúl, traducidas a la austera forma de tocas de dueñas en la rama española de la orden, han aleteado como palomas familiares en torno a las hijas de aquel médico; las puertas de todos los asilos estaban de par en par abiertas para las niñas del señor doctor: clases, refectorios, cocinas, dormitorios, enfermerías, no tenían secretos para nosotras. En la infancia, todo parece natural; los más negros dolores de la tierra nos lo parecían, como, a decir verdad, parecíanselo también a quienes los estaban sufriendo. Aún no había llegado la hora de la protesta airada. Orfandad, miseria, desamparo, deshonra, invalidez, eran para nosotras no accidentes, sino esencia misma de la vida. Existían no porque debieran existir o porque no pudieran menos de existir –no alcanzaba a tanto nuestra pueril filosofía–, sino, sencillamente, porque existían. Si llegaba la hora de merendar estando nosotras en alguno de los asilos, compartimos y saboreamos con las asiladas el pedazo de pan seco que se les daba de limosna; nos sabía riquísimo, bien lo recuerdo. Jugábamos con ellas al escondite entre los cenadores y glorietas de recortado ciprés, en otro tiempo escondrijo para citas galantes y elegantes; oíamos entre las alamedas desmochadas el discorde sonar de los pianos casi inservibles en que los niños ciegos estudiaban música; veíamos pasar por las calles del pueblo las filas de niñas incluseras tocadas con las mantillas de lienzo blanco que pregonaban su deshonra; nada de ello nos conmovía ni engendraba en nosotras tristeza alguna. ¡Era!

Las hermanas maestras, cuidadoras y enfermeras del triste rebaño, contaban con sencillez y sin asombro historias horrendas... Las imposibles madres de aquellas hijas; el padre, si existía, borracho perdido o inválido, sin trabajo, sin alma... Lo que hasta nosotras llegaba de tales relatos no alteraba en lo más mínimo nuestra inocencia: verdad es que las «hermanas» reían muchas veces al hablar de aquello.

Llegadas a la adolescencia, las dos niñas mayores sentimos veleidad de ser «hermanas». ¿Qué chiquilla española no ha tenido un instante el deseo de ser monja? A mí me le quitó mi confesor, quien mejor que yo mismo me conocía. Mi hermana fue constante en su propósito, y en cuanto llegó a la mayor edad, se fue al Noviciado, establecido en la madrileñísima calle de Jesús, a «hacer la prueba». Lleva ya casi medio siglo fiel a su vocación, y hace ya varios lustros es felicísima superiora en un asilo de ancianos.

Cuando, en compañía de nuestra sor Gracia, presunta protagonista de *La ilusión*, nos decidimos a entrar en el Asilo de Inválidos del Trabajo, donde había de desarrollarse el primer acto de la comedia, la turbamulta malaventurada que me rodeara en la infancia se arremolinó en torno mío gritando: «¡Somos nosotros, nosotros, y aquí no hay más tragicomedia que la nuestra!».

Discutido el caso con seriedad, el colaborador y yo convinimos en que los fantasmas tenían razón: Había que consentirles paso libre y dejarles dictar. Llegados a este punto, surgió un escrúpulo: en todo recuerdo de infancia hay una especie de fantasmagoría que de los cardos no deja ver sino la flor pomposa y del fango la pura agua de lluvia con que se emulsionó la inmundicia. La obra dramática proyectada, si se basaba únicamente en impresiones infantiles, corría el riesgo de resultar demasiado poética. Cierto que ya habíamos logrado la madurez necesaria para darnos cuenta del dolor ajeno; pero ¿y la forma, la sacrosanta forma, ropaje del arte, expresión y vehículo de la realidad? Era preciso mostrar los infiernos sin melodrama, declaración ni pedantería, dejando a los condenados de la tierra que hablasen por sí mismos sin mezcla de comentario personal por parte de los autores. ¿Rencor, resignación, ironía, esperanza, protesta, desesperación, grito o risa? ¡Allá ellos! A nosotros tocaba únicamente armarles el tablado, oír y callar.

Decidimos, pues, que yo fuese a León para visitar la casa de Misericordia donde mi hermana oficiaba de monja maestra para la sección de externas pobres, y procurase, como en otros tiempos, adentrarme en las cavernas de la caridad. No era para nosotros nuevo el procedimiento. Antes de escribir nuestra primera novela corta, *Almas ausentes*, Gregorio Martínez Sierra, que aún no era mi marido, pasó quince días interno voluntario en el manicomio del renombradísimo doctor Esquerdo, colega y amigo de mi padre. Tomé, pues, el tren para León.

Ahora está muy de moda escribir la biografía del «personaje inolvidable». Sor Antonia Osés, superiora de las hijas de la Caridad en la Casa de Misericordia o de Beneficiencia leonesa, es uno de los más *inolvidables personajes* con quienes he tropezado en mi vida. La pluma de Galdós sería menester para dibujar tan portentosa figura; yo sólo sé decir que era la caridad hecha humanidad. Amor de Dios tan alto, sublimado y esencial que nunca aparecía, indiscreto, en palabra ni en gesto ni en afectación; guardábale celosa, al cabo, secreto de amor entre ella y el Amado. El mundo no ha podido sospechar nunca aquella hoguera sino por el calor de las cotidianas realizaciones. ¡Qué interminable y terca lucha la suya contra la pobreza, contra la ignorancia, contra la estupidez, contra el despojo, contra la injusticia, contra la ineficiencia burocrática, contra la hipócrita gazmoñería! ¡Qué agudeza para penetrar ajenos pensamientos e intenciones, qué áspera y astringente compasión hacia su desdichado rebaño! ¡Qué autoridad inflexible y sin alardes! ¡Qué santo horror a la palabrería! Al más gárrulo dejábale mudo con sólo mirarle; las palabras inútiles, por muy habilidosas que quisieran ser, caían a sus pies muertas antes de haber acabado de nacer. Ella decía pocas, pero eficaces, y en las más duras, ponía una gota de miel la sonrisa que el interno fuego de amor encendía en sus ojos.

La Casa que regía era un mundo: Inclusa, talleres, Maternidad, escuelas para los incluseros y para niñas externas. Instalada en un caserón antiguo e inmenso, con cinco patios grandes como plazas, lleno de escaleras y recovecos, era un matadero de hermanas; las guardias nocturnas en el hielo de los inviernos leoneses han segado en flor la vida de no pocas novicias. Eso no cuenta, y nadie lo sabe; cuando a una se la lleva la tuberculosis, ocupa otra su puesto y no hay más que hablar. Estaba la Casa sostenida por la Diputación Provincial, armatoste premioso y herrumbroso: el escaso dinero consignado en los presupuestos nunca llegaba a tiempo; los proveedores mal pagados negábanse a suministrar los alimentos o los enviaban de infecta calidad, rancios, agusanados; los asilados perecían de hambre... y, a pesar de ello, hacían frecuentes huelgas en el comedor cuando faltaba el vinagre en la ensalada o el pimentón que al menos coloreaba el caldo deslavazado de las eternas sopas; no pocas chiquillas, al llegar la pubertad, sufrían tremendos desarreglos nerviosos, semilocuras, alucinaciones...

Sor Antonia Osés luchaba a brazo partido contra la ineficiencia de la Administración, contra la mala fe de los negociantes, y salía personalmente a buscar en la caridad particular el suplemento indispensable. No descansaba nunca. Tenía un edecán shakespiriano: *La Tonta*, chiquilla imbécil que, por no poder lograr colocación ninguna que le ganase el pan, había envejecido dentro del Asilo; no daba más signo de humanidad que la perruna devoción que le inspiraba sor Antonia. No se me olvida el tono con que la superiora decía: «¡*Tonta*, el manto!», cuando una necesidad urgente la empujaba a la calle. *La Tonta* trepaba casi a gatas la escalera para buscar en la «habitación de hermanas» la requerida prenda y volvía trayéndola con tanta reverencia como si sostuviese la Custodia. Echábase la monja el negro manto sobre la blanca toca y trotaba, seguida por su escudera, de la Diputación al almacén de comestibles a decir verdades y discutir cifras, a casa de los ricos para pedir limosna. Unos cincuenta años tendría cuando yo la conocí; en el ejercicio de su misión, había corrido medio mundo: casi toda España, Cuba, Filipinas; estaba familiarizada con el dolor de todos colores. En la libertad de la vida tropical, que influye inevitablemente hasta en los institutos religiosos, había podido darse cuenta más cabal que la mayoría de sus hermanas de los impulsos fundamentales y elementales del humano sentir. Nada la sorprendía ni escandalizaba. En la Diputación la temían porque decía siempre la verdad, pero la respetaban porque hacía el bien con clarividencia.

Permitióme, no sólo visitar la casa, sino residir en ella durante una semana; ocupé las habitaciones que se destinaban a los superiores de la Orden cuando venían en visita de inspección o a los prelados en recorrido pastoral: Una sala encalada junto a cuyas paredes se alineaban seis sillas y un sillón con asientos de paja, una cómoda, una mesa con recado de escribir; una alcoba con pobre y limpia cama y un aguamanil. Servíame allí la comida de las hermanas, muchas veces guisada por la mía carnal. No oculté a la señora superiora el propósito que allá me guiara, y a ella no le pasó por las mientes escandalizarse porque yo intentara, de tantas desdichas, hacer una comedia.

—Entre usted donde quiera –me dijo– y hable con quien mejor le parezca. Nadie la acompañará a usted; estamos todas muy ocupadas; así podrá usted preguntar libremente.

Todas las puertas se abrieron ante mí, hasta las herméticamente cerradas de la Maternidad. Sentada en el gran patio que servía de salón a tantas infelices, que en su mayoría, a decir verdad, no parecían entristecerse demasiado por su desdicha, callando y sin preguntar nunca, les oía contar verdades, mentiras e imaginaciones mientras acunaban y amamantaban a los críos propios o ajenos y lavaban sus ropas en un gran pilón. Cantaban unas, reían otras, lloraban algunas más de rabia que de pena; no se consideraban ellas «perdidas» como las llama el mundo, sino «fracasadas», ya que otras de su oficio obtienen pingües y espectaculares ventajas...

—Poca suerte... ¡Si una hubiera tenido más habilidad!

La verdadera rebeldía contra la injusticia social estaba en los talleres de muchachos; la amargura impaciente, el sentimiento de deshonra, un oscuro deseo de venganza en las clases de asiladas ya adolescentes; la angustia, la inquietud en el corazón de la superiora; las otras hermanas, atrafagadas en las múltiples tareas materiales –limpiar, guisar, barrer, adoctrinar, cuidar la enfermería y la farmacia, dirigir roperos, lavaderos, planchador–, no tenían tiempo ni para sentir ni para dolerse; eran hormigas neutras que por amor de Dios habían renunciado hasta a la piedad. Para compadecerse estaba el tiempo... ¡Y con aquella tropa ingobernable e incorregible!

Cuando volví a mi casa después de una semana de convivencia con la miseria, parecíame que la vida corriente no tenía sentido: era algo no sólo injusto, sino inverosímil. Muchos días tardé en reacostumbrarme al vivir común: familia, amor, esfuerzo para ganar el pan, para lograr un poco más de perfección en el arte, lecturas, espectáculos, aquel verso perfecto, aquella música... Comer sobre blancos manteles, en vajilla de tersa porcelana, beber en copas de tallado cristal..., aquella carta que no quiere llegar, aquellas flores que trae un amigo, aquellas gotas de perfume que echo en el agua para lavarme, ¡qué absurdo, y, sobre todo, qué irrealidad! ¿Dónde estamos, mi alma?

Cuando la elegía estuvo escrita pedimos autorización a sor Antonia Osés para dedicársela. No consintió en ello. Intenté convencerla de que allí no podía tratarse de vanidad por su parte, sino de admiración y agradecimiento por la nuestra. Se negó inexorablemente. Sin embargo, en la primera edición de la obra, en la primera página del libro, va esta dedicatoria: *A Sor A. O., madre admirable.* Ahora, ella ya no existe, y pongo aquí su nombre porque es justicia.

El reino de Dios es uno de los hijos afortunados... aunque tuve en cierto modo que defender su existencia. Gregorio Martínez Sierra había formado, en unión con Enrique Borrás, su primera compañía dramática. E, inevitablemente, se había contagiado de esa enfermedad característica en todo empresario: el temor al público. Compartía mi amor hacia la obra..., pero le daba miedo estrenarla. Era –pensaba– demasiado realista, no tenía consuelo sentimental ninguno..., el respetable público no gusta de penas...

Yo argumentaba:

—Si tú no tuvieses compañía propia y otro empresario a quien se la ofreciésemos no quisiera estrenarla, ¿qué dirías de él?

—Tienes razón, pero...

—Entonces... Si nosotros hemos de renegar de nuestros hijos, más valdría no volver a escribir.

Dije esto muy quedito, con mucha suavidad, como se dice lo irrevocable, y triunfé: la *elegía* se estrenó en el teatro Novedades, de Barcelona, el último día del año y obtuvo un gran éxito.[62] Era una noche tibia como de primavera: en los entreactos, paseaba yo con algunos amigos por los andenes del paseo de Gracia. Sorprendíame que la obra, con todo su dolor, produjese a ratos regocijo en el público: algunas de las más desdichadas figuras tenían, en escena, irresistible fuerza cómica. Así es la realidad: del que cae, todos nos reímos, no sé por qué feroz instinto.

Madrid, pocas semanas después, confirmó el éxito barcelonés, aunque, hay que reconocerlo, con menos calor cordial: el público de la Ciudad Condal toma el teatro más en serio que el de la capital de España, y aunque, como el madrileño, gusta de reír, no le molesta pensar de cuando en cuando.[63]

Buena fortuna ha sido también para *El reino de Dios* la perfecta traducción en lengua inglesa, hecha por Harley y Elena Granville Barker; representóse en Londres gracias a ellos. Público y prensa la acogieron favorablemente. Aún

---

[62] La compañía Borrás-Martínez Sierra se forma en 1915 y actúa en el teatro Novedades de Barcelona durante esta temporada. Fue en este teatro donde se estrenó *El reino de Dios*, el 31-XII-1915.

[63] Con *El reino de Dios* se estrena la compañía Gregorio Martínez Sierra en el teatro Eslava. No parecen haber transcurrido pocas semanas entre los dos estrenos, ya que el estreno madrileño fue casi 9 meses después del barcelonés, el 24-IX-1916.

sigue representándose de cuando en cuando por toda Inglaterra.[64] En los Estados Unidos de América, Ethel Barrymore presenció una representación llevada a cabo por uno de los cuadros dramáticos universitarios y la adoptó, atraída por el señuelo que a toda actriz deslumbra de poder, en una misma representación, hacer papel de adolescente, de mujer y de anciana. Después de una larga gira por diferentes Estados, inauguró con ella el teatro Schubert, y entre unas y otras representaciones, la mantuvo dos años en el cartel.[65] Como ni autores ni traductores pudimos asistir a los ensayos, la gran actriz, dejándose llevar de su «temperamento artístico», hizo en la *elegía* modificaciones que el tal temperamento le sugiriera; según he podido deducir de relatos de amigos y recortes de prensa, retrotrájola en cierto modo a nuestra idea primitiva dándole un carácter místico-romántico, reduciendo a inofensivo «acompañamiento» la acción de los malaventurados que tanto lucharan por venir, como he dicho, a primer término, y con el fin de hacerla más conmovedora, suprimió casi todo el instintivo regocijo que no puede faltar en grupo de seres humanos por muy desdichados que sean o que se les suponga; en resumen, transformó *El reino de Dios* en un aria coreada en la que ella se lució de lo lindo y que a autores y traductores nos dio un confortable puñado de dólares. El público, que no está obligado a echar de menos lo que no se le da, se mostró satisfecho, y ¡todos contentos! Repito que, de todas nuestras obras, ésta es la que prefiero, y no

---

[64] En inglés se llamó *The Kingdom of God*, estrenándose el 26-X-1927 en el londinense Strand Theatre. El 21 de noviembre de 1927, desde la ciudad de México, le escribe Gregorio a María: «Me llega la confirmación del gran éxito de *El reino de Dios* en Londres. No me extraña nada. Precisamente estos días la estoy ensayando y me parece una obra maestra». (Archivo María Lejárraga.)

[65] El estreno en Nueva York fue en 1928 en el teatro Schubert.

porque haya sido afortunada en sus peregrinaciones y navegaciones; aunque hubiese fracasado en Europa y naufragado en el Atlántico, no le tendría menos amor. Las madres sabemos querer a los hijos desafortunados.

* * *

Don Juan de España es otra de las obras que prefiero, mas con preferencia de distinto matiz.[66] Esta comedia vagabunda téngola en la memoria, no como recuerdo de aventura entrañable, sino como pudiera guardar el de un largo viaje en compañía de un buen amigo. Es un juego de ingenio y un empeño de trabajo hecho a conciencia y con buen humor. Años hacía que Gregorio Martínez Sierra deseaba diésemos al teatro nuestra propia versión de *El burlador de Sevilla.* Apremios de trabajo más urgente y más fácil habían ido demorando la realización de sus deseos. Contribuyó no poco a la decisión de emprenderle el entusiasmo que la idea despertara en Manuel de Falla. No pensaba, ni nosotros tampoco, aprovechar el asunto para hacer una ópera; se trataba para él de componer una serie de números sueltos que habían de servir de música de escena. No menos ilusión que él poníamos nosotros en el proyecto; algo notabilísimo hubiera sido si el músico le hubiera llegado a realizar. En el capítulo de este libro consagrado al autor de *El amor brujo* se explica por qué no fue así: mas como, en esta clase de colaboraciones, el trabajo del escritor precede al del músico, emprendimos nosotros y rematamos la obra.[67] Gregorio Martínez Sierra

---

[66] *Don Juan de España* se estrena con gran éxito en el teatro Eslava el 18-XI-1921.

[67] En este libro aparecerá dos veces una explicación del incidente que parece haber causado la ruptura entre los Martínez Sierra y Falla. En el

tuvo empeño en que aprovecháramos en lo posible los lugares de acción consagrados por la tradición donjuanesca. Por lo cual, como en el de Tirso, empieza el drama nuestro en Italia. Mas no viene don Juan directamente a España; pasa antes por Flandes, como el don Luis Mejía de Zorrilla por París, ¿cómo no? Allí, en las tradicionales fiestas del *Bœuf gras*, triunfa como nunca, ríe, arde, proclamando su credo, sensualista exaltado y convencido. París, sueño casi inalcanzable para los españoles jóvenes de principio del siglo XX, era en el XVI obligada etapa en el camino de la vida de todo español aventurero, ya fuese su aventura de placer o de sabiduría. Pasada la primera flor de la existencia, nuestro don Juan vuelve a su tierra y posa en una venta castellana: allí , por primera vez, la torpe realidad de su pasado le da crudamente en el rostro, y una veleidad de remordimiento, tan pronto extinguida como encendida, asalta su conciencia. ¿Por qué en Castilla? Tal vez porque el padre de este don Juan de España naciera en Castilla la Nueva y su madre en Castilla la Vieja, y cuando de cosas del despertar del alma se trataba, no supieron sentirlas sino sobre la tierra de Teresa de Jesús.

Baja el impenitente a su Andalucía natal, y allí le aguardan renovada locura, arrepentimiento, expiación y muerte, no en pleno pecado y final condenación como al desaforado héroe de Tirso, no en redención gratuita, atraída como dádiva por el apasionado y limpio amor de una mujer como al de Zorrila, sino más ortodoxamente, en contricción sincera y desprecio de sí mismo, suscitados por el terror a la muerte y la consideración de su propia vileza.

En la persona de nuestro don Juan andan no diré en conflicto, pero sí amasados o emulsionados para la compo-

---

apartado titulado «Manuel de Falla», propondrá una explicación similar a la que encontramos aquí, pero más detallada.

sición del personaje, dos elementos harto españoles: el amor a los goces sensuales y el temor a morir; la arrogancia de la sangre viva y la cobardía de la carne mortal. En no pocos de mis contemporáneos compatriotas –por cierto no los menos aficionados al placer del amor– he observado esta curiosa mezcla: Simbolizada está en nuestro drama en la *Dama velada*, que surge inevitablemente y hace temblar al protagonista en el instante supremo de la satisfacción sensual. Neurastenia, esquizofrenia, dirán algunos sabios médicos: aviso de Dios, afirmarán teólogos. El autor dramático no es quién para dirimir la contienda, y dice simplemente: Realidad.

He calificado esta comedia de vagabunda: no sólo porque el protagonista vaya corriendo Europa, sino también porque corriendo Europa ha sido escrita. Imaginada y planeada en un invierno madrileño, en Madrid está escrito el primer acto; en la primavera hicimos mi marido y yo uno de nuestros acostumbrados viajes a París, y allí, en el hotel d'Harcourt, viejo albergue situado en el bulevar Saint-Michel, se escribió el segundo; volvióse pasado poco más de un mes el compañero a sus ocupaciones madrileñas, y yo, de humor siempre selvático, interneme en el bosque de Fontainebleau, en el famoso pueblo de Barbizón, en la humilde pero bien atendida pensión Las Pléyades; entre paseos y sabrosas comidas escribí el tercero; en esta ocasión, debo agradecimiento a un viejo amigo, M. Lafont, profesor en el Liceo Louis le Grand, que me suministró libros y documentos en que estudiar costumbres parisienses de la época en la cual viviera y triunfara nuestro héroe. En Barbizón, don Juan me hizo rabiar un poco: a mitad de acto se encastilló en obstinado silencio; silencio que duró una semana entera: entró el maldito en el Patio de los Naranjos, se quedó contemplando el lamentable grupo de gente mendiga y leprosa que mataba el hambre tomando el sol en las gradas de la catedral y no dijo esta boca es mía. Sin duda estaba, como era su deber, meditando en la repugnante insignificancia de los halagos carnales y mundanos, teñidos por el Diablo en los seductores colores de las bengalas infernales. Yo, ante el mutismo de mi «personaje», me desesperaba a conciencia: ni la buena comida ni los rumores y fragancias del bosque lograban sacarme de mi desolación: la «aridez», tormento de los místicos, ponía en mi pan sabor de ceniza. ¿De qué sirve la vida si el trabajo no marcha? Desesperada, abandoné Barbizón y me fui a Bois-le-Roy... Persistió el Burlador en su silencio; a pesar del calor asfixiante y pegajoso, volví a París, y allí el señor don Juan se decidió a tomar la palabra. Lo primero que dijo fue:

—¡Carne villana! ¿Hasta cuándo no he de lograr domarte? ¿Por qué sientes asco de la podredumbre, tú que te revolcabas satisfecha en el fango de los sucios deleites?

En dos días se terminó el acto, y resurgió en mi afligido espíritu el amor a la vida.

El acto cuarto se escribió en Viena. Celebraba allí uno de sus congresos la Asociación por la Paz y la Libertad, grupo internacional que en aquellos días presidía Jane Addams, la extraordinaria mujer norteamericana que fundara en Chicago la famosa Hull House, hogar social para emigrantes desamparados.

Con el pretexto de asistir al Congreso justifiqué ante mí misma el ya antiguo deseo de recorrer el Tirol y conocer la capital de Austria. Curiosa esta tendencia de la conciencia a exigir autojustificaciones para los placeres más inocentes. ¿Por qué no confesarnos tranquilamente: «Me doy este placer por el placer de dármelo?». ¿Por qué este remusgo de remordimiento con que nos hostiga la conciencia suspicaz en cuanto sospecha que lo estamos pasando bien?... Si hubiera yo tenido una hija, seguramente no hubiera sembrado en su mente esa exaltación de la negación propia, esa doma implacable de la voluntad que novelistas morales y moralistas místicos incrustaron en mal hora en la mía.

No creo que las tareas del Congreso interesaran mucho a los congresistas, salvo a la presidenta, mística a lo moderno y por lo social. A la mayoría de ellos, lo mismo que a mí, atraíales la curiosidad de ver cómo se las había, después de los desastres de la Gran Guerra, la capital romántica, nido de tantos sueños de artista, emporio de tantas refinadas elegancias. Hicimos el viaje desde París hacinados en un tren inválido; aún no había habido tiempo ni dinero para restañar las heridas de la guerra; recuerdo que los vagones aún no tenían portezuelas. Cerrábanse lo mejor que podían con tablones clavados momentos antes de echar a andar el tren; de cortinas en las ventanillas, ni hablar. ¿Dónde había entonces medio metro de tela disponible? ¡Cómo nos tostó el sol al pasar, en una interminable tarde veraniega, los incomparables paisajes tiroleses! Las señoras congresistas habíamos retenido puestos en el tren, mas a la hora de partir éramos tantas que no fue posible respetar privilegios y en cada vagón de seis asientos íbamos doce por lo menos. Gracias a que casi todas eran norteamericanas y sabían tomar las molestias no ya con resignación, sino con regocijo; donde una europea hubiese protestado con malhumor, ellas se reían.

Ya en Viena, pasábamos los días y parte de las noches recorriendo calles y jardines, visitando templos y palacios..., el Prater, Schoenbrun, que ya no era residencia imperial, sino café, restaurante, palacio de fiestas: los salones que conservaban intacto el precioso mobiliario, alquilábalos el Municipio para celebraciones particulares; recuerdo el refinadísimo saloncito de música en que nos reunimos a merendar no sé con qué motivo unas cuantas congresistas. La ciudad estaba arruinada, entristecida, mas no había perdido su encanto: de noche, en los jardines de cerveza, seguían los violines desgranando valses –y no se sabe lo que es realmente un vals hasta que se le ha oído sonar en Viena–. En ellos y en los innumerables cafés seguíamos los forasteros tomando el delicioso café con nata y saboreando las pastelerías de fama universal... Pasaban las vienesas, elegantes a pesar de su miseria; que la mujer de Viena siempre ha sabido aún más y mejor que la de París hacer con un pedazo de trapo un prodigio de modistería. Eran también modelo de dignidad: hubieran querido acoger a las congresistas con hospitalidad generosa. No podían. Eran pobres de solemnidad; que al desmoronarse el Imperio había desaparecido la riqueza. Ponían su orgullo en no dejarse invitar por nosotras; sentábanse a nuestras mesas, servíannos graciosamente de intérpretes y guías en nuestros paseos por la ciudad, pero no había medio de que aceptasen ni un helado ni una taza de café... Y se disculpaban, como si de su propio hogar se tratase, de las deficiencias urbanas: las calles descuidadas, la escasez de medios de transporte. Era el tiempo en que los estudiantes estaban tan pobres que ni un albergue podían pagar y procuraban, a fuerza de astucia, quedarse encerrados dentro del edificio de la Universidad para dormir al menos bajo techado; eran las horas tristes en que las mujeres norteamericanas instalaban puestos de auxilio para proporcionar latas de leche a los niños hambrientos...; pero en los restaurantes no faltaba refinamiento ni golosina para los extranjeros que acudían a la baratura de la ruina como moscas a la miel, y en los escaparates se veían maravillas en objetos de piel y joyería fina para que el viajero pudiera llevarse por poco precio lindos recuerdos. Daba vergüenza sacar un dólar o una libra esterlina en medio de tanta negra miseria... Las forasteras, para mayor comodidad, habíamos decidido ir sin sombrero (allí empezó la moda que hoy persiste). Las vienesas no eran –decían ellas– demasiado pobres para permitirse alarde semejante de despreocupación.

En fin, entre valses, paseos, nocturnas tertulias en los jardines, amarguras y resignaciones, escribióse con toda felicidad el acto cuarto de *Don Juan de España*, en un cuartito de un hotel cuyo nombre no recuerdo, situado en el Mercado Viejo. Los personajes y su amanuense nos entendimos perfectamente: hablaban y se movían ellos sin melindres ni indecisiones, seguía yo sus movimientos, cazaba al vuelo sus palabras, tecleaba vertiginosamente la Corona portátil, mi fiel compañera. Horas serenas, semana feliz.

En Berlín salió a luz el acto quinto: fue en una pensión de la Grünewald: era la habitación limpia y espaciosa; podía tomar baño caliente a diario; la comida era escasa y desagradable, mas yo la mejoraba adquiriendo en el mercado negro latas de leche americana y pedazos de un embutido rojo oscuro que tenía remota semejanza con el chorizo español y que llevaba el alarmante nombre de «gendarme». Siempre me gustó Berlín en verano, su limpieza, su facilidad, el silencio de los bosques que le rodeaban, la quietud de sus lagos... Había ya pasado en la capital alemana bastantes meses de julio y agosto. Antes de 1914 era su baratura tan inverosímil que si, al acercarse la canícula, nos encontraba escasos de dinero, para huir del calor de Madrid, decidíamos: Vamos a Berlín. Y a pesar de los gastos de tren, resultaba el veraneo más barato que yendo a El Escorial o a Cercedilla. No tengo, no la he tenido nunca, simpatía por los alemanes. Me repele esa mezcla de sentimentalismo y crueldad que es su característica; pero la tierra alemana me es simpatiquísima; siempre me encontré a gusto en ella; es un tapiz que a mi entender merecía otras figuras. En la Selva Negra he pasado semanas de soledad inolvidables..., huella profunda han dejado en mi espíritu mis vagabundeos por Heidelberg, Francfort, Hamburgo; mi estancia en la casa de un guarda forestal en los Vosgos; sus bosques, sus praderas; en campos y ciudades alemanes he trabajado siempre bien; su cielo empañado ayúdame a concentrar el pensamiento. La inspiración, hablando a lo romántico, la serenidad y facilidad en el trabajo, expresándome a lo realista, que escritores y artistas alemanes han ido tantas veces a buscar bajo el cielo de Italia, las he encontrado yo en tierra germana. Por eso le estoy agradecida.

De vuelta a París encontré a mi compañero, que allí me esperaba, y se resolvió y escribió el acto sexto; el séptimo y último en Madrid, ya entrado el otoño. Habíamos cerrado el círculo.

Ni una sola palabra de *Don Juan de España* está escrita ni pensada en Sevilla, patria del héroe. Mas quiero recordar una ocurrencia que tiene cierta relación con el drama. Era en 1915; de paso por Sevilla, fui una clara mañana de invierno a visitar el Hospital de la Caridad fundado por Mañara, el don Juan arrepentido. En el patio, cuatro sacerdotes estaban sentados calentándose al sol. Amablemente, me saludaron y yo respondí al saludo con no menor cordialidad. Deseaba visitar la capilla donde se conservaban los espeluznantes cuadros de Valdés Leal y aguardaba a que alguien viniese a franquearme la entrada. Salió al fin una «hermanita» que no me mostró demasiada simpatía. El verme, mujer joven y sola, cosa desusada en Sevilla, y con sombrero tan de mañana, hízole sospechar que yo era francesa. Ardía entonces en España la encarnizada contienda entre francófilos y germanófilos, y la mayor parte de la gente clerical, sin duda en testimonio de acendrado catolicismo, había tomado parte por el protestante emperador de Alemania. Mirábame la «hermana» de arriba abajo con muy poca fraternidad.

—¿Viene usted de Francia? –me preguntó en tonillo impertinente.

—Sí, hermana, del mismo París.

—Ya me lo figuraba...

—¿Por qué, hermana?

—Como viene usted sola... –dijo con retintín.

—Mi marido se ha quedado durmiendo.

—¡Ah!... Es usted casada...

—Sí, hermana y por la Iglesia, lo mismo que usted con el Divino Esposo.

Sin responder directamente, acentuó la impertinencia:

—El traje se le habrá comprado usted en París...

—Sí, hermana, el traje y el sombrero. ¿No le gustan?

—Las modas son cosa del Demonio.

—Desde luego, hermana. Todas las modas; lo mismo las del siglo veinte que las del diecisiete.

—¿Por qué dice usted eso? –interrogó malhumorada.

—Porque, aunque es bien sabido que el Malo se encierra con los modistos de París para aconsejarles en sus desvaríos, no es de ahora la costumbre: viene de lejos. Y tan de inspiración infernal y parisiense es este modestísimo traje de lanilla, que no ha necesitado más que tres metros de tela, como la plisada y primorosa falda que usted lleva y que ella sola necesita nueve varas y media de fina estameña: ésa era la moda que el Demonio inspiraba a las parisienses cuando San Vicente fundó la orden. San Vicente de Paúl, hermana, era tan francés como el actual Presidente de la República. Y esa toca que usted, hablando en mal francés y peor español, llama *corneta* y ese *collete* nítido para planchar los cuales ha gastado usted, hermana, tanto tiempo precioso y tanto almidón, eran tocado y gala de las damas elegantes de entonces; usábanlo, hermana, hasta las favoritas del rey. No se haga usted ilusiones de austeridad; viste usted a la moda lo mismo que yo, inspirada por Lucifer lo mismo que la que yo ahora sigo; la de usted lleva unos pocos siglos de retraso; pero el pasar del tiempo no santifica las inspiraciones infernales... Por lo demás, soy tan española como usted y, por añadidura, casi pariente suya espiritual... Una de mis hermanas carnales pertenece a la orden de Hijas de la Caridad. ¿Le parece a usted garantía bastante para abrirme la puerta de la capilla?

—¡Pase usted! –dijo en el mismo tono en que hubiese dicho: ¡Váyase usted al infierno!

Abrió la puerta y se alejó muy digna. Los cuatro sacerdotes se reían a carcajadas. Al pasar, les miró como si hubiera querido hundirles en las propias calderas de Pedro Botero.

* * *

Sueño de una noche de agosto, comedia en tres actos, ha sido una hija privilegiada, de las que se crían sin dificultad y luego tienen buena suerte en el mundo: ni tan bonita ni fea, ni tonta ni demasiado lista, alegre sin exceso, soñadora con toda corrección.[68] Está pensada, planeada, discutida, «hablada» casi palabra por palabra, en unas cuantas interminables sobremesas; el ponerla luego sobre el papel en otras tantas claras mañanas fue tarea fácil: *coser y cantar*. Es madrileña neta: engendrada, nacida, educada en Madrid. Su punto de partida fue un hecho real que no tiene nada que ver con el asunto: a un caballero conocido nuestro arrebatóle el viento huracanado precursor de una veraniega tormenta el sombrero de paja, al cual hizo entrar por la ventana de un piso bajo; mas el tal caballero era anciano, y no había dentro de la habitación ninguna niña linda y desvelada.

Algunos amigos escritores de los que no escriben comedias no entienden esto de la colaboración tan frecuente entre autores dramáticos. A veces, discuten conmigo y pronuncian la tremenda palabra: ¡Imposible! Son orgullosos, egocéntricos, huertocerradistas, torremarfileños... Compartir el ensue-

---

[68] *Sueño de una noche de agosto* se estrena el 20-XI-1918 en el Eslava.

ño y la idea, fundir pensamientos, enredarlos en graciosa maraña, es tan natural y tan gozoso para dos inteligencias que bien se entienden como jugar al tenis lanzando y recogiendo alternativamente la esferilla que va por el aire; es trabajo... o juego tan exaltante como encender una hoguera en el campo recogiendo y trayendo cada uno un pedazo de leña, unas cuantas ramillas, un montón de hojarasca; es como lanzar a lo alto un cohete, sosteniendo uno la frágil caña mientras el otro acerca la chispa, y quedarse ambos luego con la boca abierta viendo desparramarse en el espacio las estrellicas multicolores. ¿Placeres infantiles? Desde luego, amigos sabios. Todo trabajo de arte, y más de arte dramático, es juego de niños. Por eso conserva la juventud del alma en quienes a él consagran la vida de buena fe. Y, en este juego, la posibilidad de colaboración es rara fortuna y saludable privilegio: ejercita la humildad, cura la ceguera que no quiere admitir deformidad ni falta en el propio engendro, fomenta la autocrítica, refrena la garrulería, corrige los daños y deslices de la facilidad, consuela en los tormentos de la aridez, alienta en las angustias de la dificultad, crea, en fin, entre los colaboradores complicidad tan entrañable que no pueden desanudarla todos los negros azares inherentes a esta pícara vida; el lazo es irrompible porque está hecho con los frágiles hilos de araña que sirven de riendas en el carro de la Reina Mab.

Sueño de una noche de agosto ha tenido fortuna en su patria y fuera de ella. Puesta en inglés por los Granville Barker con el título *The romantic young lady* (La señorita romántica), fue la primera de nuestras obras que pasó la frontera.[69] Estre-

---

69 *The Romantic Young Lady* se estrenó en el Royalty Theatre de Londres en septiembre de 1920, con Dennis Eadie en el papel titular. El dramaturgo y actor inglés, Harley Granville Barker, dirigió esta obra.

nóse en Londres con muy buen éxito apenas terminada la guerra mundial. Para presenciar el estreno hice mi primera *navegación de altura*: veinticuatro horas por mares norteños, desde Dinamarca, donde me había llevado sin motivo alguno mi vagabundo espiritual, a Hull, en Inglaterra. Recuerdo que esta mi primera experiencia me produjo mortal aburrimiento; iba sola, el mar estaba quieto y parecía sólido como si estuviese hecho de mármol negro; la estela que íbamos dejando atrás no tenía aspecto de espuma, sino de metal gris; sin duda para suavizar el tedio servían algo exquisito de comer y beber a casi todas las horas del día... y de la noche. Mis compañeros de navegación no parecían participar de mi aburrimiento; en el bar, a todas horas se oían estrepitosas carcajadas; los caballeros iban divertidísimos con las tres o cuatro sirenas profesionales, muy bonitas y muy elegantes –no me cabe duda– contratadas por la Compañía armadora de la nave–, puesto que hablaban de volver al punto de partida y comentaban viajes anteriores. Entre caviar, helados, té, champaña y tedio iban pasando lentas las horas. «¡Si sucediese algo!», pensaba sin querer. Y me retractaba con susto al darme cuenta de que lo único que podía alterar nuestra calma era que el mar perdiese la suya, perspectiva en verdad poco halagadora.

Este viaje y el estreno en Londres de *The romantic young lady* me proporcionaron ocasión de conocer al matrimonio Granville Barker, que había traducido la comedia. H. Granville Barker era un hombre interesantísimo: actor, autor dramático, notabilísimo director de escena; vivo, inquieto, de insaciable curiosidad intelectual. A mi parecer, consideraba la vida como un «experimento» y siempre hubiese querido ir un poco más allá. No creo que le interesase tanto llegar como seguir andando y escudriñando. Por eso, el último tercio de su vida ha sido, a mi entender, una tragedia: la suerte le dio demasiado, y ese «demasiado» no era precisamente lo que él hubiera requerido.[70]

Era Helen, a quien yo conocí, su segunda esposa; la primera fue una actriz cuyo nombre no recuerdo y a quien no he conocido personalmente.[71] Mis noticias provienen de otras actrices inglesas que me hablaron siempre de ella con grandísimo elogio, lo cual –dada la malignidad propia de la especie humana– oblígame a pensar que no sobresalió extraordinariamente en su oficio; mas, al parecer, la pareja se entendía bien, y formaban un matrimonio feliz con todo el desorden de la farándula, con toda la sabrosa inquietud del pan que hay que ganar a medias y con azares.

En uno de ellos, la compañía que dirigía y en la cual era primer actor H. G. B. llegó a Norteamérica. Allí conoció el apuesto galán a Helen, mujer de algunos años más que él, pero de gran belleza, de suprema elegancia, casada a la sazón con un millonario norteamericano cuyo nombre no hay para qué citar.[72] Antes había estado casada con un secretario del magnate; pero un divorcio realizado de común acuerdo habíala dejado libre para ascender al trono de la opulencia. Viéronse el inglés y la norteamericana y sufrieron mutua fascinación: la de ella fue, digamos estética. Granville era muy buen actor… y muy buen mozo, además; de carácter alegre, decidor, hombre culto, de brillantísima conversación. La de él fue tal vez un vértigo sensual harto justificable por la belleza y la elegancia de aquella mujer envuelta en todas las seduc-

---

[70] La «tragedia» a la que ella se refiere aquí es, probablemente, el hecho que Granville Barker se retiró de la escena por completo y, en compañía de su esposa, Helen Huntington, se fue a vivir a París.

[71] Su primera esposa fue la actriz Lillah McCarthy.

[72] Aquí se refiere a Archer Milton Huntington, fundador de la Hispanic Society of America en Nueva York.

ciones y suavidades del superlujo que pueden rodear a la esposa de un opulentísimo norteamericano. Ello es que un nuevo divorcio volvió a libertar a la dama, la cual, después de haber saboreado los deleites de la riqueza, se lanzó a gustar las dulzuras de la intelectualidad. La primera esposa de Granville Barker se sometió a lo inevitable con harto dolor, según me contaron sus compañeras y amigas, y siguió trabajando sin lograr grandes triunfos. No sé que haya vuelto a casarse.[73] Casáronse, sí, los fogosos enamorados. Y aquí da comienzo la tragedia que yo he creído atisbar en sus vidas.

El marido norteamericano se portó como quien era: espléndidamente. Al parecer, dijo: «No puedo consentir que mujer que ha sido mi esposa pase necesidades». Y señaló a Helen de por vida una magnífica pensión que la capacitó para vivir, no sólo sin preocupaciones económicas, sino con todas las comodidades y refinamientos a que estaba acostumbrada: casa de campo en Kent, magnífico piso en París, lujoso personal, criados, etiqueta mundana...

El amor tiene extrañas contradicciones, y una de las más dignas de nota es que el amador, al encontrarse en posesión del ser amado, se empeña en hacerlo cambiar y en suprimir en él las mismas cualidades... o los mismos defectos que, precisamente, le enamoraron. Así, la dama que se enamora de un don Juan, si llega a conseguirle para esposo, pone todo su empeño en transformarle en un San Luis Gonzaga, sin tener en cuenta que lo que despertó su amor o su capricho fue la inquietud galante, la prodigalidad sensual y la cínica irresponsabilidad del deseado. Y del mismo modo, el hombre apasionado por los encantos de una mujer alegre, animada, graciosa, caprichosa y sociable, se obstina, una vez que

---

[73] Lillah McCarthy se volvió a casar en los primeros años de la década de los 20 con Frederick Keeble.

es su dueño, en reducirla a la más gris de las domesticidades sin querer recordar que no le fascinara por hormiga, sino por mariposa.

En esta ocasión la vocación transformadora la sintió la dama. Habíase enamorado de H. Granville Barker viéndole representar comedias, y en cuanto se casó con él, su primer cuidado fue separarle en absoluto del teatro. No solamente le obligó a renunciar a sus actividades de actor, sino le impidió por completo que volviese a tener relación ni trato con ninguno de sus antiguos compañeros. Bien recuerdo el trabajo que me costó conseguir, la noche del estreno en Londres de *The romantic young lady* (Sueño de una noche de agosto), que nuestro insigne traductor bajase conmigo al escenario a felicitar a los actores; la señora se quedó dignamente en su palco sin consentir rozarse con gente tan ruin. A todos los ensayos asistía para estar bien segura de que él no pasaba de un salto del patio de butacas desde donde dirigía, a la escena, cosa que en aquel tiempo hubiese hecho con facilidad. Yo le vi, en el ensayo general, saltar como un chiquillo acróbata tres filas de butacas para acercarse a las candilejas y hacer una observación a uno de los actores. Y no sólo esto: Helen Granville Barker, en quien sin duda el recuerdo de sus dos divorcios norteamericanos había creado –una vez instalada en Gran Bretaña– el complejo de la respetabilidad, hizo todo lo posible, y desdichadamente lo consiguió, por apartar a su flamante esposo de toda compañía incorrecta, de toda amistad «vulgar» y peligrosa. Entre las cuales amistades indeseables se contaban, a su parecer, amigos íntimos como Bernard Shaw, H. G. Wells y el matrimonio Sidney y Beatrice Webb, los ilustres fundadores del grupo fabiano. En el diario de Beatrice Webb, publicado, a raíz de su muerte, por su marido con el título *Our partnership* (Nuestra asociación), se hace muchas veces referencia amistosa y elogiosa a H. Granville

Barker, a su aguda inteligencia, a su fecunda inquietud intelectual, a su entusiasmo por toda causa justa.[74]

Todo ello desapareció. Helen no toleraba ninguna heterodoxia social. ¡Quién sabe si, como tantas otras norteamericanas casadas con ingleses, abrigaba el exaltado y correctísimo sueño de ser presentada en la corte de Saint James! Todas las gratas ligaduras de la juventud se cortaron, todos los viejos intereses se perdieron, toda sospecha de divina locura se arrancó de raíz como mala hierba; la jaula dorada se cerró sobre el brillante pájaro y su bellísima captora.

Cierto, la prisión era espléndida: primavera en Londres, verano en Kent, otoño en París, invierno en Santa Marguerita; secretario, jamás secretaria. ¡Dios nos libre de tal incorrección! Coches, criados de guante blanco para servir el yantar cotidiano en el solemne comedor Luis XIV... ¡Qué tedio caía sobre mí las pocas veces que me senté a aquella mesa inmensa en torno de la cual estábamos los tres como perdidos en un desierto! La helada cortesía de Helen, su corrección implacable llegaban hasta quitarme el uso de la palabra...

—¿Qué estará sintiendo –pensaba yo a falta de poder hablar–, que estará sintiendo este hombre, farandulero infatigable, amigo del riesgo y de la paradoja, él que ha tomado parte en escena en tantos banquetes ruidosos, él que ha sido no marido-amante de una mujer rica, sino rey y mendigo, Romeo y Yago? ¿A qué puede saberle este vino del Rin servido en copas de *baccarat*, a él que ha libado zumo de ilusión en jarros de dorado cartón piedra? Y que sabe, porque se lo han dicho Shakespeare y Calderón, que el mundo comedia es? ¿Qué le parecerá esta *mise en scène* de vida ultracorrecta, a él, que puso en escena tanto tormentoso existir, que trajo

---

[74] Beatrice Webb, *Our Partnership*, Londres, Longmans, Green, and Co., 1948.

por primera vez al tablado británico los sueños heterodoxos de Ibsen, Chejov, Schnitzler?...

Cuando llegué a Londres para el estreno de *The romantic young lady*, estábame esperando en el hotel un estupendo ramo de rosas rojas; la tarjeta decía: Helen Granville Barker, pero cuando nos reunimos la misma noche invitada por ellos a cenar en uno de los más exclusivos y silenciosos hoteles donde para la ocasión residían, el tono con que comentó: «¡No viene don Gregorio!», me dio la medida de su desagrado. «No viene don Gregorio –repetí sonriendo–. Vengo yo». Esa era la desabrida realidad. Yo no era como ella bellísima y elegantísima, pero, al cabo, era mujer, más joven que ella, casi tan «informal» y esencialmente incorrecta como Bernard Shaw o Beatrice Webb. *Maltheur!* No logré estar a solas con Granville Barker más que los brevísimos minutos que empleamos en bajar la escalera del teatro para ir desde el palco al escenario a dar las gracias a los actores. No se me olvida la mirada crítica con que me examinó de arriba abajo ni el suavísimo tono agridulce con que elogió mi traje «tan español». A la verdad, estaba hecho en París por un gran modisto, ya que Gregorio había tenido empeño en que asistiese al estreno londinense muy bien vestida, y era de encajes negros con grandísmos volantes, y llevaba en el talle una rosa, ¡ay!, de terciopelo.

El esclavo de amor, para matar las horas de cautiverio, se dedicó exclusivamente a escribir. Escribía a horas fijas, que la dulce tirana organizó la vida con inflexible método: trabajo, reposo, obligaciones sociales... Publicó algunas obras dramáticas, un libro muy notable sobre arte escénico; también traducía obras ajenas. Aquí entra nuestra suerte. Para complacer a su segundo esposo, que, amén de millonario, era apasionado hispanófilo, aprendió Helen el castellano; para recreo de su esposo tercero, llevóle algunas obras del teatro español contemporáneo. De ahí nacieron sus prodigiosas traducciones y adaptaciones y nuestros éxitos en la escena inglesa: *The Kingdom of God* (El reino de Dios); *The two Shepherds* (Los pastores), *The romantic young lady* (Sueño de una noche de agosto);[75] *Take two from one* (Triángulo).[76]

Como ya he dicho, Granville Barker era simpatiquísimo; su peculiar matiz de espíritu, a un tiempo irónico y entusiasta, iba bien con el mío, y supongo que en situación normal hubiéramos llegado a ser grandes amigos, pero... Desde el primer instante inspiróme profunda compasión... Robusto, sanguíneo, hecho para la acción y la inquietud, la paz, el bienestar, el método, la estricta corrección le fueron lentamente deteriorando. Declarósele un terrible eczema, indudablemente de origen nervioso, presentóse un tremendo y atormentador exceso de presión arterial. Helen, sintiendo con terror que se moría, le cuidó con asiduidad infatigable, sin escatimar solicitud, compañía constante, tratamientos médicos, cambios de lugar... sin darse cuenta de que tal vez el único remedio posible hubiera sido un poco de libertad.

La vi poco después de la muerte de su marido, en 1948, en la penumbra de su solitario y suntuoso salón de la plaza de los Estados Unidos en París, vestida con el más elegantes de los lutos, maquillada, atildada, correcta como nunca. Parecióme sombra o esqueleto que, por artes de magia, conservase apariencia de vida. Y, en efecto, pocos meses después se murió de pena.[77]

---

[75] Estas tres obras a las que habría que añadir *Wife to a famous man* (*La mujer del héroe)* se publicaron en *The Plays of Sierra*, vol. 2, Londres, Chatto & Windus, 1923.

[76] *Take Two from One*, Londres: Sidgwick & Jackson, 1931.

[77] Harley Granville Barker muere en agosto de 1946, no en 1948 como recuerda nuestra autora. Helen Huntington Barker muere tres años y medio más tarde.

Cuando esta comedia se estrenó en España parecía que la protagonista de ella fuese la señorita romántica; en Londres resultó ser el hombre que había perdido el sombrero y que perdió tras él la cabeza y el corazón. Puede parecer extraño el fenómeno, ya que los traductores no alteraron el original, pero es naturalísimo: en la intención de los autores, ambos personajes tenían la misma importancia; pero en las representaciones madrileñas, la actriz era superior al actor, y en las londinenses, el actor, el inolvidable Denis Eadie, era infinitamente superior a la actriz.

Cruzó el mar y arribó a Norteamérica, donde, lo mismo que otras hermanas suyas, sirve como libro de texto para lengua española en varias universidades y escuelas; se representa a menudo por cuadros dramáticos escolares y sociedades de aficionados y se radiodifunde con frecuencia. Vertida al italiano, se representa y radia corrientemente en Roma y en Milán. En Francia, exquisitamente traducida por el cultísimo profesor y apasionado hispanófilo Juan Camp con el título *A Madrid, un soir...*, si aún no ha logrado subir a las tablas, se radiodifunde también no pocas veces. En resumen, la niña se porta bien y se divierte corriendo mundo sin menoscabo de su buena fama. Siento por ella cariño especial porque nunca nos dio un disgusto, raro aunque negativo fenómeno en hijos y en comedias.

* * *

Rosina es frágil, comedia en un acto, es una aventura meramente personal. Todos ustedes saben que hay días, semanas y hasta meses completos en los cuales, sin motivo alguno especializado, la vida se pone inaguantable. Recuerda sin duda el alma dormida que está desterrada, y todos los halagos consuetudinarios del destino se tornan cenicientos, insípidos, necios, sin sentido. La candelilla de la ilusión empieza a echar humo como mal cuidada lámpara de petróleo, el tapiz se vuelve del revés y deja ver sobre la fea urdimbre los nudos de la trama; en resumen, la existencia huele a acetileno y sabe a hongos crudos. Es tal desabrimiento el rescate de los sueños, el látigo con que, de vez en cuando, azota la suerte a los optimistas empedernidos.

En los que tenemos por oficio escribir, el *tedium vitæ* adopta como forma profesional el aborrecimiento a la palabra escrita. Imposible leer, y escribir ¡no digamos! Sobre el papel invitador, una mano que no es la nuestra ha trazado las palabras tremendas: ¿PARA QUÉ?

Era un día de primavera en Madrid, en nuestra casa: todo como siempre; las horas en su bien engrasada rutina, el silencio limpio, las flores en sus búcaros, los libros en su sitio... Yo los miraba, tan bien alineados en las estanterías. ¿Cuántos días llevaban así? ¡Mala señal! Cuando hay orden perfecto, es que el alma no tiene ganas de arrastrar la cadena de vivir. La ilusión desordena, la inquietud rompe líneas, el trabajo revuelve... ¿Dónde estamos, conciencia, tú dormida, yo atontada, perdidas como niños en la niebla?

Recorriendo con la vista y los dedos los lomos de los libros, buscaba y pedía: ¡Socorro, amigos! ¡Ayuda, hermanos!

¿Cuál elegir? ¿Clásicos? ¡No! ¿Místicos? *Vade retro!* ¿Contemporáneos? ¡Si son mi misma voz! ¿Poetas? ¿Acaso han de valer las palabras medidas para vencer el desmedido tedio?

A un brusco movimiento, deshízose la línea y cayó un libro al suelo. Siguiéronle otros dos. Parecían haberse lanzado hacia mí por propio impulso... Cubiertas de papel amarillo... ¿Franceses?... Orden, medida, estilo impecable, sutileza... ¡No, no! Recogílos sin mirarlos... Al intentar volverlos a su sitio, se me escaparon de las manos y volvieron a caer... Dejéme yo caer tras ellos, y me senté en el suelo: Recogílos...

Leí el nombre del autor, el mismo en los tres tomos: Alphonse Allais, y los tres títulos inverosímiles: *Amour, délices et orgues; Rose et vert pomme, Le parapluie de l'escouade*... Rompí a leer –no hay otro verbo más exacto– y los leí los tres de un tirón. Empecé a media mañana, leí comiendo, leí cenando... Pasé el día y parte de la noche leyendo, riendo y sonriendo, olvidada del mundo y de la suerte. Al volver la última página, la vida había cambiado de color.[78]

A la mañana siguiente lancéme a escribir, y en tres sesiones quedó pensada, ordenada y escrita *Rosina es frágil*.[79] Estrenóse casi inmediatamente después de terminada. Siempre y en todas partes ha hecho reír al respetable público. Los estudiantes de Norteamérica la quieren como a una novia alegre. Figura en las liquidaciones de derechos de autor con tanta importancia como cualquiera de sus formalísimas hermanas en tres o más actos. Es un don de abril, una rama de espino o de alelí, y a la primavera se la agradezco... A la primavera y a Alphonse Allais, ya que con su gracia superintelectual y su funambulesco ingenio vino a disipar las nieblas sucias de hollín de mi melancolía.

Nota: La frase final de la comedia no es mía; es de Joaquín Quintero, que la añadió oportunísimamente durante el ensayo general.

---

[78] Alphonse Allais (1855-1905), escritor francés que crea un tipo de comedia muy particular, en la cual entreteje lo absurdo con lo cómico.

[79] El estreno de *Rosina es frágil* fue en el teatro Eslava el 8-IV-1918.

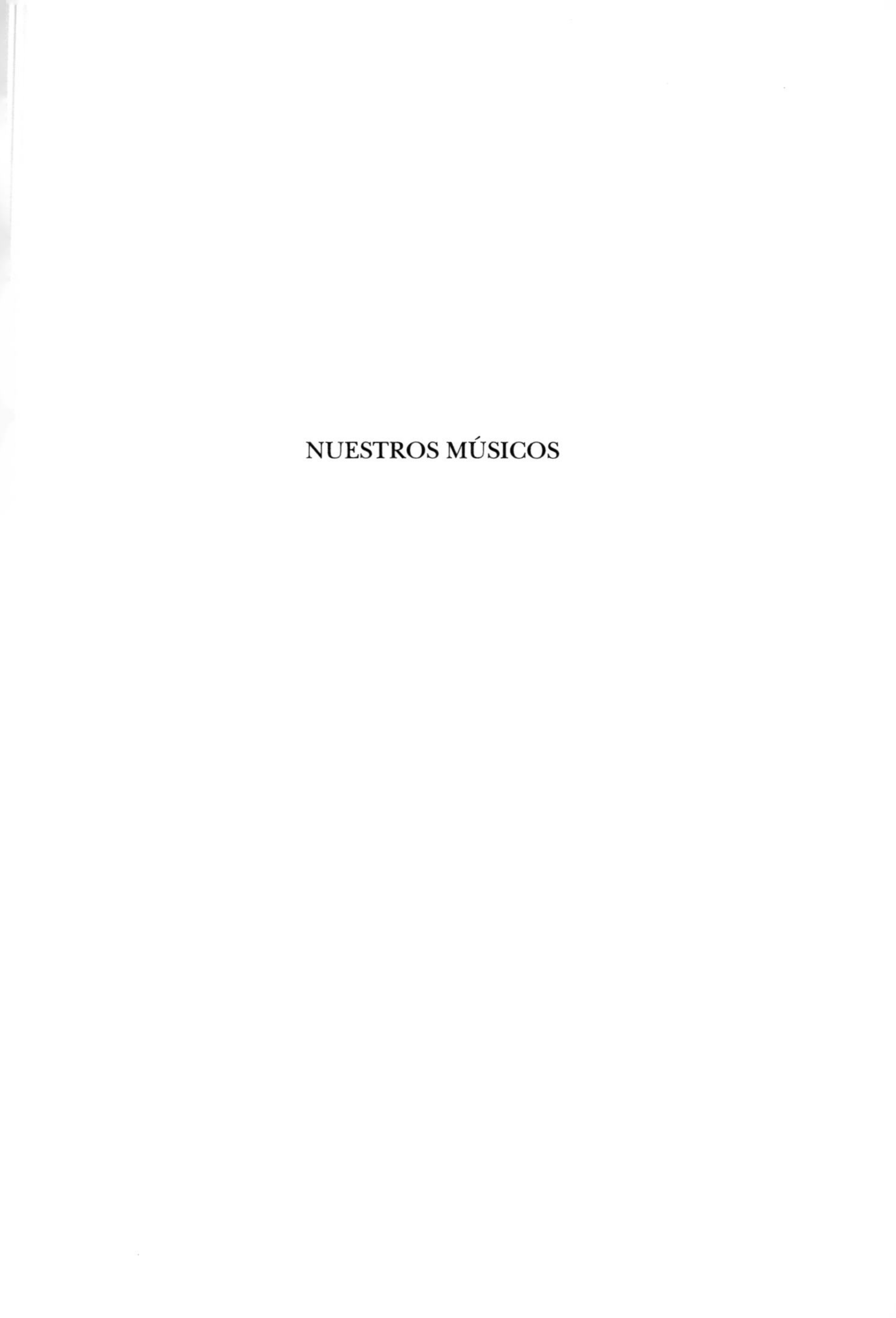

NUESTROS MÚSICOS

NUNCA HABÍAMOS PENSADO ESCRIBIR una obra dramática para lo que se llama *zarzuela grande.* La zarzuela es género híbrido y soberanamente absurdo, análogo a lo que en Francia se conoce con el nombre de *ópera cómica.* Su acción, que va desarrollándose a ratos hablando y a ratos cantando, con intervención traída por los cabellos de unos coros que obligan a los protagonistas a vivir en mitad de la calle y a proclamar en público y a voces sus más íntimos y recónditos anhelos, el primitivismo que es indispensable poner en el argumento, dentro del cual no caben sino las emociones elementales: odio, amor, deseo, celos y ansia de venganza, sin que el desdichado autor de la letra pueda permitirse el lujo de insertar en su expresión la menor sutileza psicológica ni el más leve atisbo de humanidad, nos había alejado con antipatía instintiva de esa provincia del arte escénico.

Ya la *ópera* es en sí género irreal e inverosímil, puesto que en ella hay que cantar hasta los ¡buenos días!, pero al menos, se presenta desde el primer instante en plano de sincera irrealidad y no se toma el menor trabajo hipócrita por hacer creer al público que su acción es otra cosa que un pretexto para las notas sobreagudas o ultraprofundas y para los gorgoritos más inverosímiles. La *letra* en un libreto no es sino un cañamazo de palabras que el compositor utiliza porque algo hay que cantar, ya que el sonido que más conmueve al auditorio es el de la voz humana: lo que esa voz pueda decir no tiene importancia; la mayoría de los intérpretes atentos a dar la nota justa suelen despreocuparse en absoluto de articular la sílaba que es su cimiento y apoyo indispensable: intente un libretista terminar una frase final de melodía en sílaba que no sea *ar, er, ir, or, mi, ti, si,* y verá lo que le sucede. Hasta el *ía* que, en el canto español, debiera ser fundamental puesto que es la terminación más común del romance octosílabo, base y raíz de nuestra lírica, pierde casi siempre la *a* final porque el cantante, embelesado en la tarea de prolongar el agudo de la *í*, la deja caer sin remordimiento o no logra atraparla aunque haya tenido la buena voluntad de intentarlo. Además, acostumbrado a cantar y sabiendo que su triunfo ha de lograrlo exclusivamente en el canto, el cantante de zarzuela suele decir la parte hablada sin expresión ninguna, como niño que decora la lección en la escuela, o con afectación tan exagerada y fuera de lugar que es imposible oírle con paciencia.

José María Usandizaga

Nunca, pues, repito, nos había asaltado la tentación del *libretismo*. Pero un verano, durante las pocas semanas que el negocio teatral nos obligara a ello, estuvimos en San Sebastián. Algunos amigos nos hablaron de un músico joven que ya había logrado fama en su tierra con el estreno de una ópera, *Mendi Mendiyan*, de asunto vasco e inspirada en temas populares[80]. Nos dijeron que el compositor, por el cual sen-

---

[80] Con libreto de José Power, presidente de la Sociedad Coral de Bilbao, se estrena *Mendi mendiyan* en el teatro de los Campos Elíseos de Bilbao el 21-V-1910.

tían gran entusiasmo, deseaba colaborar con nosotros en una obra dramática. En realidad, no había aguardado nuestro consentimiento: de nuestro libro *Teatro de ensueño* había elegido el drama *Saltimbanquis*, y llevaba ya algún tiempo trabajando sobre él; los amigos organizaron un encuentro para que pudiéramos oír la música y darnos cuenta de la calidad del compositor. Desde luego, quedamos encantados.

José María Usandizaga era un chiquillo. Cuando le encontramos tenía veinticuatro años, pero representaba mucha menos edad. Era pequeño, desmedrado, enfermizo, cojeaba levemente. Tuberculoso desde la infancia, sólo el solícito cuidado maternal lograba ir conservándole la vida. Era su espíritu infantil como su cuerpo; había vivido aislado del mundo como dentro de un fanal hecho de cariño y admiración porque la familia, contra lo que acostumbra suceder, se había dado cuenta inmediatamente de la llama genial que ardía dentro de la carne enferma. Su madre, pianista distinguida, había sido su primera maestra de música y su descubridora. En una de sus muchas enfermedades de infancia, para tenerle quieto, le había comprado uno de esos pianillos de juguete que se hacen sonar golpeando las teclas de vidrio con un macillo de corcho, y el crío, en su apasionado golpeteo, no armaba ruido, sino hacía música. La madre comprendió, y llevándole al piano, le inició en los misterios del solfeo y en la técnica del instrumento, a cuyas teclas de marfil apenas alcanzaban los dedos del niño... Recuerdo que cuando murió en plena gloria y yo acudí a darle el último adiós, la madre me recibió con este lamento: «¡Aquellas manecitas que tocaban tan bonitamente!». Sin duda tenía grabadas en el corazón las horas en que, sentado en sus rodillas, porque era tan pequeño que desde el taburete no hubiese podido llegar al teclado, el hijo iba aprendiendo... Aprender no es la palabra exacta. José Mari, como le llamaban los suyos, no aprendía; parecía ir sacando de sí mismo los elementos de una ciencia que hubiese sido suya... ¿Cuándo? ¿Dónde? Era músico y nada más que músico por todos los átomos de su arcilla mortal. Al referirse a él y a su trabajo, no es posible hablar de vocación, sino de *encarnación*. Era, en realidad, la música encarnada. Fue nuestro huésped en Madrid cuando, formalizada la colaboración, llegó el momento de refundir el libro y ajustar la música y la letra, y después del estreno triunfal, porque él, con embriaguez pueril, no podía arrancarse a los deleites del éxito y de la vida madrileña, al halago de los aplausos y a la adulación de la gente de entre bastidores. Recuerdo cómo al volver a casa después de algún ensayo, antes de quitarse sombrero ni abrigo, se precipitaba al piano y, en pie, probaba en las teclas la idea, la modificación, la variante que en la calle acababa de ocurrírsele. ¡Cómo tocaba! Era el mismo demonio. Tomaba una melodía, una frase musical, un tema, propios o ajenos, y hacía de ellos lo que se le antojaba, en serio, en broma, apasionadamente, románticamente, con lentitud, con vértigo, en caricatura... Tocaba la música de la pantomima de *Las golondrinas* (nuestros *Saltimbanquis*, al trocarse de poema dramático en zarzuela, cambiaron de nombre) como la tocaría, decía él, la orquesta de los Conciertos Lamoureux en París o la Banda Municipal de Pamplona; hacía burlescos encajes de maravilla con los que él llamaba «lamentos cromáticos» de César Franck y los gimientes arpegios de su maestro Vincent d'Indy. Porque sus padres, cuando la tuberculosis le mordió los huesos de la mano, truncando así la carrera de gran pianista que habían soñado para él, le llevaron a estudiar en París a la *Schola cantorum* bajo la férula del austero vizconde. Allí encontró su camino de compositor.

Sabido es que todo alumno de la *Schola* estaba obligado a elegir un instrumento para formar parte de su orquesta.[81] José María Usandizaga eligió... los timbales. Por eso, en agradecido recuerdo de sus días estudiantiles, se complacía en poner en sus partituras desacostumbradas filigranas para la caja y los platillos.

Contábame cómo Vicent d'Indy,[82] enemigo de toda sensualidad en la música, a la que consideraba como escala de Jacob que había de elevar las almas hasta las cumbres místicas, sacándolas de los miserables anhelos de la *arcilla concupiscente*, aborrecía la música rusa, a la que llamaba *pecado mortal*. Por entonces llegó a París la primera compañía de ópera moscovita: el vizconde se apresuró a llevar a sus alumnos a todas las representaciones para que aprendiesen «lo que no debían hacer». Y sucedió lo que suele ocurrir con las novelas pornográficas que algunos autores escriben –según dicen ellos– para mostrar la abominación del pecado: la mayoría de los alumnos se dejaron prender en el hechizo sensual, colorista, brillante, saltante y palpitante de Mussorgsky, de Rimsky-Korsakov. Y la música del vasco Usandizaga fue en España el exponente máximo de la sensualidad asiática: la suya propia, exacerbada por las fiebres lentas pero constantes de la tuberculosis, respondía a la rusa como eco extraño que repitiese poniendo en el rebote de la resonancia, no la voz recibida, sino la propia voz.

¡Qué feliz fue aquella vida breve![83] La enfermedad no logró entristecerle ni preocuparle un solo instante. Era tan grande y absoluta la fe que tenía en sí mismo, en la exce-

---

[81] Entre 1901 y 1906 Usandizaga estudió en la Schola Cantorum de París, escuela de canto litúrgico y de música religiosa.

[82] Director de la Schola.

[83] Nacido en 1887, Usandizaga murió en 1915.

lencia de su arte, en su destino, que ni un segundo imaginó que pudiera terminar su existencia; sin embargo, quería vivirla apresuradamente, agotar sus delicias a su modo infantil. El aplauso le embriagaba; la popularidad que ganó en una noche le parecía roca inconmovible y no, como es en realidad, fantasmagoría y fuego de bengala; no tuvo tiempo de sufrir penas de amor, ni traiciones de amistad, ni acedías de crítica envidiosa, ni siquiera el roer del buitre prometeico que se ceba en la entraña de todo creador haciéndole dudar de sí mismo y de su obra; a todas sus ilusionadas preguntas, la vida dijo ¡sí! rotundamente. Horas antes de morir trabajaba con afán y saboreaba, poniendo las notas sobre el pentagrama, el aplauso futuro. Cierto que esas últimas notas fueron las de una marcha fúnebre: mera, mas sobrecogedora coincidencia.

El día que en San Sebastián nos conocimos nos hizo oír los fragmentos de música que ya había compuesto para *Saltimbanquis.*[84] Y sucedió que uno de ellos, tal vez el primero, fue la *Canción de la primavera*; los versos a que había prendido su inspiración no eran nuestros, sino de Juan Ramón Jiménez, como todos los que decoran –ilustraciones líricas– el libro *Teatro de ensueño.* Al combinar la obra lírico-dramática, la poesía convertida en «romanza» pasa de los labios del poeta que en el libro original los recita para ensalzar a Lina, la niña saltimbanqui, una de las *amadas ideales* de Juan Ramón Jiménez, a los de Lina misma, y sirven para consolar a Puck, el payaso autor de pantomimas, de la amargura de las viejas memorias; era, pues, necesario escribirlos de nuevo. Juan Ramón Jiménez estaba entonces muy lejos de Madrid; yo, autora del libreto, me vi precisada a encargarme de la trans-

---

[84] Se conocen el verano de 1912 después de haber visto el músico vasco una representación de *Canción de cuna* en San Sebastián.

formación; tarea enojosa, casi desesperante, puesto que la música estaba ya compuesta, y había que versificar, conservando incólumes acentos y cesuras, un nuevo texto que expresase dentro del mismo molde ideas completamente distintas del primitivo y que conservasen el mismo aroma poético que, después de todo, es el que había inspirado al músico.

Desesperada estaba un atardecer, intentando en vano encontrar y ajustar rimas rebeldes, cuando llegó un muchacho gran amigo mío, que tenía en aquel tiempo remoto la dulce costumbre de llamarme «madre». Bien podía serlo, pues yo había nacido más de quince años antes que él. Era Cipriano Rivas Cherif, cuya amistad conservo como grato rescoldo en mis días de invierno.[85] Compadecido, en aquella ocasión, de mis angustias, se ofreció a componer los versos que tanta guerra estaban dándome y, en efecto, en menos de una hora escribió la famosa romanza:

> En viejas memorias pierdo
> yo también la vida entera,
> mas, al recordar, recuerdo
> tan sólo la primavera.

Realizó en su trabajo el milagro de expresar clarísima y líricamente lo que yo quería decir, de conservar en su sitio todos lo acentos y de terminar todas las estrofas con palabras idénticas a las que Juan Ramón Jiménez empleara en el original. Todavía estoy agradeciéndoselo.

---

[85] Rivas Cherif trabajó durante una temporada para la Editorial Renacimiento y recuerda que «María se *lucía* conmigo, y también con Fernando Fortún, llamándonos *mis hijos*». Cipriano Rivas Cherif, «*La casa de la primavera*». *Memorias de Tito Liviano*, Boletín Bibliográfico Trimestral, Libros Selectos, núm. 23, México, p. 34.

En los ensayos de *Las golondrinas*, la tal romanza fue objeto de apasionadas discusiones entre José María Usandizaga y Emilio Sagi Barba, director de la compañía de zarzuela que había de estrenarla. Termina la canción en una cadencia trémula en la cual, esfumándose la melodía, expresa la tímida osadía de un amor infantil que a sí mismo se ignora. Cantábala hechiceramente Luisa Vela, esposa de Sagi Barba, la que estrenó en España *La vida breve*, de Manuel de Falla. Mas a Sagi Barba, cantante efectista de la vieja escuela, se le había metido en el magín la idea de que el «fragmento» debiera terminar en un sobreagudo impresionante que arrancase a viva fuerza el aplauso del público. A Usandizaga, autor novel, seguro de sí mismo y orgulloso, no era posible decidirle a una modificación que, con razón, juzgaba absurda. Sagi Barba insistía con énfasis, gritando en su jerga medio española medio italiana:

—Maestro, yo me *tiro* el sombrero delante de su genio musical, pero usted no conoce al público, y yo sí. ¡Con esa cadencia final, el público no aplaude, y si no aplaude, estamos reventados!

—Usted entenderá mucho de «latiguillos», pero de música, el que entiende soy yo, y en una obra mía no se canta sino lo que yo he escrito, pensándolo antes mucho, para que usted lo sepa.

—Yo –vociferaba Sagi Barba–, para que usted se entere, la romanza de *El guitarrico*, que es uno de mis éxitos grandes, la canto cada noche con un final distinto, y el autor se calla y el público se vuelve loco; hay representación en que la tengo que repetir tres veces, variándola siempre. ¡No le digo a usted más!

–Pues yo le digo que la *Canción de la primavera* se canta como es, o no se canta de ninguna manera...

El criterio del autor triunfó para el estreno y en las representaciones en Madrid, mas no estoy segura de que en las veraniegas *tournées* por provincias, Sagi Barba no obligase a su esposa a lanzar una nota final sobreaguda capaz de arrancar de sus cabales las bambalinas.

En la pantomima del segundo acto, cuyo coral fugado sobre un tema de responso decidió el éxito hasta aquel momento indeciso de la obra, Luisa Vela representaba el papel de Colombina, pero encontrándose no ya en meses mayores, sino en últimos días de embarazo –de hecho la valerosa tiple dio a luz diez días después del estreno–, para ocultar la inoportuna deformación de su talle, combinó un fantástico traje en el que con el pretexto de ser esposa del viejo señor Polichinela, lucía como él dos jorobas, una en la espalda y otra en el pecho: lo curioso del caso es que todas las tiples que han cantado después *Las golondrinas* han repetido sin motivo alguno esa extravagante indumentaria.

Estrenóse la zarzuela en un local infecto, viejo, destartalado, con pésimas condiciones acústicas, el antiguo Circo de Price, transformado de pista de caballos y acróbatas en sala de teatro líricodramático; ni calefacción decente existía en él; dos inmensas estufas intentaban templar un poco el aire dando en realidad más tufo que calor y tendiendo inestéticamente sus negras tuberías sobre el patio de butacas. Confieso que cuando se habló de estrenar la obra en tan triste lugar, yo voté con decisión en contra del proyecto; volvía de Berlín, donde habíamos asistido a las cuidadas y elegantes presentaciones de las operetas vienesas que entonces eran la gran moda. Cuando vi representar *La viuda alegre*, que en Berlín habíame encantado, en el madrileño Circo de Price, me quedé aterrada. ¡*Las golondrinas* en aquel ambiente, con aquellos coros, con las deficiencias o por mejor decir imposibilidades del escenario, con aquel fementido cuerpo de baile, de ninguna manera!

Se renunció al proyecto durante algunos meses, pero José María Usandizaga, autor novel, ansioso de gloria, estaba impaciente por estrenar y no había otra compañía de zarzuela posible. Después de todo, Sagi Barba, que sin duda alguna tenía magnífica voz de barítono, era el ídolo del público madrileño; Luisa Vela, además de una voz potente, pura y cristalina, poseía un estilo de canto perfecto que no habían logrado alterar los efectismos de su cónyuge; a la mediana presentación, el público ya estaba acostumbrado. Mi marido, fanático de la buena interpretación y de la perfecta puesta en escena, no mostraba tampoco mucho entusiasmo, pero al fin cedimos.

El ensayo general, la tarde misma del estreno, fue un desastre: todo salía mal, nada estaba a punto; los coros entraban a destiempo, la luz no funcionaba, los trajes no estaban terminados... Sin embargo, el compositor Amadeo Vives, que asistía al ensayo con maligna curiosidad, deseoso de saber si «el nuevo» tenía calidad para disputarle el primer puesto que, desde la muerte de Ruperto Chapí, ocupaba sin rivales dignos de tenerse en cuenta en el campo de la zarzuela grande, a medida que adelantaba el lamentable ensayo se iba poniendo verde, señal evidente de que la música le parecía cosa seria y, al llegar en el tercer acto al *racconto* del barítono, terminado con la frase:

> Al morir... ¡se reía!

que Sagi Barba cantó prodigiosamente sin permitirse, por temor a las iras del autor de la música, más «latiguillo» que una risa amarga dentro de la más pura tradición operística, no pudo resistir el disgusto y se marchó, rezongando con ira:

—¡Vaya éxito! ¡Cien representaciones seguras!

Acertó. Por la noche, en el estreno, todo marchó como una seda. Hubiérase dicho que un mago con su talismán había puesto orden en el caos: los coros entraban a tiempo y cantaban con afinación, las luces se encendían y apagaban cuando y como era menester, los trajes lucían pomposos sin dejar traslucir el secreto de que estaban a medio hilvanar. Los españoles, poco aficionados a tomarnos trabajos minuciosos de preparación, somos formidables improvisadores, maestros en el arte de levantar castillos en el aire y sacar equilibrio de la incoherencia. Un director de escena alemán se hubiese suicidado después del lamentable ensayo general. Sagi Barba y toda su compañía afrontaron la prueba del estreno con serenidad y seguridad absolutas, como si se sintieran apoyados en la perfección técnica escénica ultramatemática.[86]

En el primer acto, el coro de inusitada factura en el cual se oyen junto con los rumores y gritos de la feria, como en el *Petruchka* de Stravinski, las voces infantiles que cantan populares canciones de corro, interesó vivamente a la mayoría del público, desconcertó a algunos «tradicionalistas», sedujo a los conocedores y, en resumen, fue el primer número que logró los honores de la repetición. En el segundo acto, la pantomima triunfó en toda la línea, dando la razón a Usandizaga, que afirmaba que un coral fugado desencadena el aplauso inevitablemente, y la *Canción de la primavera* fue bocado exquisito, correr de agua en arroyo cantarín mentas y juncos, «nana» de amor cantada por una madre niña para mecer su ensueño... En el tercero, el tumultuoso dúo de Puck y Cecilia, la amante traidora, el de Puck y Lina con el *racconto* de él y su *¡se reía!*, que tanto había alarmado a Vives, el grito

[86] *Las Golondrinas* se estrenó el 5-II-1914 en el Circo de Price y fue recibida con entusiasmo. En José Montero Alonso, *Usandizaga*, Madrid, Espasa Calpe, 1995, pp. 86-95, se encuentra una completísima descripción del estreno y de las críticas que recibió la obra.

de pasión de la niña enamorada, *¡No era piedad!*, el vertiginoso y perfecto concertante final, levantaron tan desbordado entusiasmo, tal tormenta de aplausos como pocas veces se han producido en un estreno. José María Usandizaga pudo beber el vino del triunfo en copa llena y desbordante y embriagarse de él plenamente por primera y última vez; ya la Segadora estaba junto a él afilando la invisible guadaña, y la corona de frescos laureles tenía aquella noche aromas de ciprés. El chiquillo genial estaba no ya embriagado, sino enloquecido: la Fortuna le había dado de una vez todo su tesoro; los triunfos de teatro, sobre todo de teatro lírico, no se parecen a ningún otro; en ellos hay de todo, ruido de aplauso, frenesí de lisonja, repetición noche tras noche de la exaltación inicial, expresión hiperbólica del entusiasmo de intérpretes y de parásitos que surgen como setas en noche de lluvia entre bastidores, halagos de mujeres –¡en una obra lírica toman parte tantas segundas tiples que están anhelando salir del coro!–, persecución de desconocidos libretistas que suspiran por romper el anónimo..., hipérbole, halago... El triunfador respiraba a toda prisa el aroma de todas aquellas flores sin pararse a pensar en que tal vez algunas eran de trapo, sorbía las gratas palabras sin descubrir en ellas doblez ninguna. Su triunfo tenía matices de glorificación regional, ya que habían acudido al estreno innumerables hijos de Guipúzcoa, sus paisanos, todos exaltadísimos aficionados a la música. Ovaciones, festejos, convites: la gente vasca sabe comer y beber superabundantemente. Yo estaba alarmada y preocupada. La madre de nuestro héroe, que le había mantenido en vida a fuerza de cuidados y precauciones, al confiarme el hijo, había, en cierto modo, hecho una transmisión de poderes y responsabilidades: ¡Que no salga de noche! ¡Que no beba! Todos los médicos estaban acordes en que, para él, copa de alcohol era copa de veneno... ¿Cómo impedirlo?

Las primeras noches después del estreno, Gregorio Martínez Sierra le acompañaba al teatro y, como volvían a casa juntos, podía vigilarle; mas, pasada la primera semana, ya la obligación de salir a escena para recibir aplausos, que para el músico, chiquillo embrujado, era placer intenso, para mi marido, poco amigo de tales exhibiciones, resultaba molesta y además tenía que acudir a otros quehaceres. Me decía, al marcharse, si la noche de invierno madrileño era, como acostumbra, helada o lluviosa: «Procura que no salga». Yo así lo hacía, mas cuando llegaba la hora de la representación, ¿quién hubiera sido capaz de detenerle? Por la edad, era hombre; por el extraordinario éxito, el héroe del día; por la voluntad, chiquillo mimado y testarudo. Como chiquillo, suplicaba; como hombre en candelero, se imponía.

—Mire usted que Gregorio se va a disgustar...

—Sólo un momento... Vuelvo en cuanto termine el primer acto...

Y echaba a correr con impaciencia de enamorado.

Pasaban las horas; entre sueños oía yo el ruidito metálico de un llavín. ¿Cuál de los dos sería? Solía ser él; acercábase temeroso a la puerta de mi habitación, y preguntaba:

—¿Ha vuelto Gregorio?

—No, no. ¡Váyase usted a dormir!

Pero él tenía la costumbre de hacer con su madre una especie de examen de conciencia diario, contándole todas sus impresiones. Y no podía menos de tomarme como a ella por confidente, ¡ahora que tenía tanto que contar! Sentábase a los pies de mi cama, y hablaba, hablaba... Era burlón con verdadera gracia; sentía y veía el ridículo agudamente; se tomaba, desde luego, muy en serio, pero hacía caricatura hasta de sí mismo... Volvía a sonar en la puerta el llavín, y él escapaba con rapidez de conejillo perseguido. Mi marido, al entrar, preguntaba preocupado:

—¿Salió José Mari?

—Sí, sí; pero ya ha vuelto. Está durmiendo.

Si, dejándose arrastrar por las invitaciones de sus admiradores, había bebido una copita de lo fuerte, no porque le atrajese la bebida, sino para demostrar que era tan hombre como el que más, al llegar a casa se ponía el termómetro alarmadísimo por ver si le había subido la fiebre, su perdurable compañera... Estuvo con nosotros casi todo el invierno. No perdía tiempo. Hizo, mientras estuvo en Madrid, la reducción para piano de la partitura. Los libretistas le acosaban, pero él fue leal y no admitió más colaboración que la nuestra. Tenía prisa por emprender nueva tarea; esta vez no quería componer una zarzuela, sino una ópera. No me dejaba en paz; necesitaba llevarse decididos el asunto y el plan para ir pensando temas. En *Las golondrinas*, lo reconozco sin falsa humildad, la letra había contribuido eficazmente a asegurar el éxito de la música. *Saltimbanquis*, poema dramático escrito casi en la adolescencia, tenía todas las características pueriles que requiere un buen libreto: claridad de asunto, violencia de situaciones, inflexibilidad de línea, caracteres bien dibujados, pero sin complicación psicológica: «Te quiero!...» «¡Me traicionas!» «¡Te burlas de mí!... «¡Te mato!...» «¡Te adoro en silencio!...», etc. Realismo castellano idealizado con las emociones de infancia: la feria, los titiriteros que pasan por el pueblo, el casi imperceptible aroma de lirismo shakespiriano que fue lumbre primera de nuestra inspiración juvenil. Aunque nacimos unos lustros antes que Usandizaga, el libro sobre el cual compuso la música era exactamente su contemporáneo.

Santiago Rusiñol, insigne autor de *La alegría que pasa*, enamorado él también, como es sabido, de andanzas de payasos y titiriteros, tomó tal cariño al asunto que tradujo y adaptó para la escena catalana el drama primitivo *Saltimbanquis*. Con el título *Aucells de pas* (Aves de paso) lo estrenó con excelente éxito en Barcelona, y aun hoy se representa a menudo por los pueblos de Cataluña.[87]

La nueva y última obra de Usandizaga fue una ópera, *La llama*. El acicate de la muerte próxima, aunque él no tuviera de ella presentimiento consciente, impulsábale con urgencia a dar al mundo cuanto llevaba dentro. Pretendía que en el libro hubiese de todo: amor contrariado e imposible; añoranzas, ilusión juvenil, fragancia bucólica, crueldad, guerra, calabozos, lamentables cortejos de prisioneros, angustia, esperanza, altivez, desolación, muerte... Cada día, su ansiedad creadora le sugería un nuevo motivo... Intentando poner un poco de coherencia en su anhelo volcánico, tomé como inspiración para el libro la llama de las hogueras, que en la tragedia de Esquilo va encendiéndose de cumbre en cumbre para anunciar, desde las costas del Asia a los montes de Grecia, la caída de Troya. De ahí el flameante título de la obra. En la selva intrincada de su deseo procuraba yo abrir sendas practicables; no hace falta, en verdad, mucha verosimilitud para un libreto en cuya letra nadie ha de reparar; sin embargo, y *Las golondrinas* lo habían demostrado elocuentemente, un poquitillo de humanidad no perjudica. A José Mari, los personajes no le importaban; necesitaba situaciones dramáticas. Trabajando con otros colaboradores, cabe temer: «¡A la altura dramática de esta situación no van a llegar! ¿Encontrarán el alarido lo suficientemente desgarrador para esta angustia, para esta agonía?» Con José María Usandizaga tales temores carecían de sentido. Cuanto más truculenta era la situación, más en su elemento se encontraba; nunca le falló el aliento dramático; siempre encontró elocuencia lírica de buena ley

---

[87] *Aucells de pas* se estrena en Barcelona en 1907.

para expresar lo inexorable. Así como puede afirmarse que Falla es el músico de la pasión y Joaquín Turina el de la ilusión, hay que proclamar que José María Usandizaga es el maestro de la «situación». Había nacido dramaturgo como Verdi, lo mismo que Wagner. Vibraba al choque del conflicto, sacudíale el abrasado viento de la fatalidad.

La llama, en cuya partitura trabajó febrilmente –ya lo he dicho– hasta momentos antes de morir, se estrenó en el Gran Teatro de Madrid pocos meses después de su muerte.[88] Gregorio Martínez Sierra y yo hubiésemos querido cortar, suprimir todo lo que sobraba; había allí música y letra para cinco óperas, y bien sabíamos que, en escena, daña cuanto sobra; pero la familia y los apasionados amigos no consintieron corte ninguno: en su veneración incondicional, les parecía crimen, casi profanación, suprimir una nota de las que había puesto sobre el pentagrama el que ya no existía.

El resultado fue el que, a sangre fría, podía preverse: en muchos momentos el entusiasmo del público fue delirante, pero llegó al final fatigado, bien pudiera decir se exhaustó... La tensión emocional no puede sostenerse más allá de ciertos límites... y, por lo tanto, el éxito no fue la apoteosis que los entusiastas habían descontado. Lo será cuando, pasado tiempo, un director consciente y libre de influencias personales dé a la obra el necesario equilibrio, destacando las piedras preciosas con la supresión de cuanto no es indispensable... Para entonces ya estaremos durmiendo el sueño eterno cuantos tuvimos parte en la obra...

---

[88] Habiendo muerto Usandizaga el 5 de octubre de 1915, *La llama* se estrenó póstumamente en el Teatro Victoria Eugenia de San Sebastián el 30-I-1918, mientras que en Madrid se estrenará el 30-III-1918. Tal era la fama del difunto músico, que el ayuntamiento de Madrid asiste oficialmente y en corporación al estreno.

En el estreno ocurrió un incidente en que parecía surgir por modo misterioso el espíritu ardiente de su autor: la tiple que, en el primer acto, entraba precipitadamente en escena llevando en la mano la antorcha encendida, último emisario de la victoria, se prendió las ropas con la llama. Afortunadamente, pudo apagarse con rapidez la antorcha viva, antes de que las llamas pasasen de la ropa al cuerpo, y evitarse el incendio. En las sucesivas representaciones, la lumbre de la antorcha fue eléctrica, y las llamas, tiras de rojo tul movidas por un motorcillo de abanico.

San Sebastián hizo a su hijo muy amado exequias soberanas; para marcar el paso del cortejo, sonaba su propia marcha fúnebre.[89] Aún no había cumplido veintisiete años el autor de la música de *Las golondrinas*, ave de paso también él, brillante y palpitante...

Manuel de Falla

Triste, materialmente hablando, es el destino de los músicos que vienen al mundo con algo nuevo que decir. La música, que tiene mal ganada fama de ser «lenguaje universal» y medio de emoción infalible, no suele ser comprendida, es decir, *sentida emocionalmente* por el público hasta que el tal la ha oído repetidas veces y puede, por lo tanto, asociar con ella el recuerdo de emociones pasadas o de venturas desapare-

---

[89] En cuanto María supo de la muerte de Usandizaga se desplazó desde Barcelona a San Sebastián para despedir a su amigo y colaborador. Desgraciadamente, no llegó a tiempo al entierro. En una carta dirigida a Gregorio, fechada el 7 de octubre de 1915, le cuenta emocionadamente que la única corona que llevaba la caja del difunto era la que ellos habían mandado.

cidas. Las músicas poco originales agradan y emocionan fácilmente aunque se escuchen por primera vez, pero es porque sus «dulces sones» recuerdan otros con los cuales el espíritu de quien las oye tiene costumbre de conmoverse y deleitarse. El compositor de fuerte originalidad suele pasar la vida entera incomprendido («no sentido» valdría más decir) y, por lo tanto, vive pobre y muere decepcionado, abrazado a su obra como a ingrata amante. Las generaciones siguientes que, por haber escuchado desde la infancia lo que para sus padres fueron ritmos nuevos y melodías inéditas lo han incorporado ya en los primeros años al tesoro en formación de sensaciones más o menos conscientes, los tienen «en la sangre» y los van asociando a las emociones de su temprana vida. Así, llevan laureles a la tumba del ayer desdeñado, y aplauden ruidosamente cuando ya él no tiene oídos con que darse cuenta del aplauso, y hacen de su obra que, poco a poco, se va tornando «clásica», es decir, moneda corriente, norma con que medir y desdeñar el trabajo de los músicos nuevos, los cuales, a su vez, son tachados de locos, y viven su calvario...

Todo esto se aplica exactamente a Manuel de Falla. Ahora su nombre ocupa en la apreciación universal el primer puesto, indudablemente el primero entre los compositores españoles del siglo XX. Hasta las cupletistas y cancioneras de *music hall* cantan, y reciben por ello el aplauso sincero y entusiasta de los públicos más vulgares, sus *Siete canciones españolas,* que estrenadas en 1915 por Luisa Vela, cantante de voz maravillosa y estilo perfecto, ante un auditorio madrileño, melómano, exclusivo y *ultra sofisticated,* la flor y nata de los conocedores, fueron recibidas por él con evidente frialdad, cortesía un tanto desdeñosa y absoluta incomprensión... Hoy son uno de los mejores negocios de los fabricantes de discos. Con los derechos de autor que ganó por ellas durante quince años no hubiera podido su autor pagarse una botella de champaña.

Manuel de Falla ha llevado existencia más que austera, preocupado enteramente de su obra, soportando pobreza y soledad con áspera y orgullosa resignación. Cuando ya la Muerte le había señalado por suyo, se dio el Destino el placer sádico de rodear su cabeza con gloriosa aureola y le hizo pasar rápidamente del aislamiento a la popularidad, le permitió cortar las primeras espigas del material provecho que, en cosecha abundante, van recogiendo ahora sus herederos. Triste destino, vuelvo a decir, es el de los músicos que componen la canción nueva. Cuando el mundo la aprenda y la cante, ellos no la oirán.

Conocí a Manuel de Falla en París, en 1913, pocos meses antes de la primera guerra mundial. Joaquín Turina, nuestro amigo y después nuestro colaborador, nos había hablado de él, y gracias a él le encontramos. Vivía a la sazón en uno de esos tristes, sórdidos, repelentes hoteles en los cuales, como hubiese dicho Cervantes, «toda incomodidad tiene su asiento», en los que París ha cobijado tanto sueño de arte y tanta esperanzada ilusión de futura gloria. En la habitación pequeña y no muy limpia, con la alfombra raída, las cortinas desteñidas y deshilachadas, el lecho dudoso, la luz escasa, no había otro lujo que un piano alquilado, a costa Dios sabe de qué privaciones, el cual, como decía el maestro sonriendo con no poca amargura, sonaba más a bandeja que a clavecino... En fin y afortunadamente, la canción interior y el encarnizado afán de materializarla y hacerla oír al mundo hacían olvidar al solitario la melancolía del forzado ascetismo.

¿Forzado? No del todo. Manuel de Falla, si hubiera, como tantos, condescendido a bajar del ensueño de cuando en cuando, habría podido ganar holgadamente los francos necesarios..., dar lecciones, escribir para los editores tal cancioncilla insinuante, tal vals corrientemente sensual, tal piececilla para piano con melodía evocadora de otras y sin demasiadas dificultades de ejecución que las niñas románticas pudieran destrozar en el piano. El mercado estaba abierto, y para Falla hubiera sido harto fácil contribuir a abastecerle, mas el autor de *El amor brujo* fue como muy pocos fiel a su musa, y prefirió el hambre a la claudicación: el hambre, sí, porque, durante sus siete años de estancia en París –él mismo me lo contaba cuando llegamos a ser amigos– se vio no pocas veces obligado para comer a recurrir a las «primas» que ofrecían en sus anuncios las fábricas de productos alimenticios, y así, llenando y recortando *bonos* en los periódicos, obtenía de vez en cuando una muestra de cacao soluble, una lata de conservas, un paquete de harina lacteada. Si, a días, invitado en casa de un amigo rico, alcanzaba a cenar normalmente, era ya tal su costumbre de no comer, que al día siguiente estaba enfermo.

Esta «senda estrecha» debió ser para Manuel de Falla más dura de andar que para otros muchos, porque no estaba acostumbrado a ella. Nació en Cádiz, hijo de familia no sólo bien acomodada, sino más que medianamente rica, y la infancia y la juventud hasta los veinte años transcurrieron para él en la facilidad y despreocupación de quien no necesita para nada pensar en ganarse la vida. Era un «señorito andaluz» redimido de la frivolidad de sus congéneres por su amor a la música y su anhelo de hacer algo muy grande en el arte divino. Los cantares de su Andalucía los llevaba en la sangre y además tuvo una niñera morisca la cual le dormía al son de melopeas árabes y le contaba para entretenerle cuentos dignos de figurar en *Las mil y una noches.* Así en su fantasía, que más tarde sería su inspiración, se cuajó la embrujada combinación flamenco-mora que había de engendrar su extraña música removedora como ninguna de los más hondos pozos sensuales. Porque la música de Falla es la quintaesencia de la sensualidad; nunca hace brotar en los ojos de quien la oye las dulces lágrimas de la ternura, de la suave nostalgia, de la emoción que pasa rozando el alma como mariposa que tiembla un segundo sobre un clavel y echa a volar alegre e irresponsable en busca de una rosa. (Esa característica de emoción feliz y sentimiento a flor de piel está reservada para la música de Joaquín Turina.) La de Falla habla de sangre y muerte, de fuego en las entrañas, de pasión exclusiva y celosa, de anhelo no logrado, o, lo que es aún más fuerte, de deseo, de anhelo reprimido. Porque aquí está el elemento verdaderamente dramático de este cantar hispano-moro, andaluz-africano: Manuel de Falla, que ardía «por los cuatro costados» en fuego de infierno, fue siempre católico, no sólo convencido, sino exaltado e intransigente. Creía firmemente que la salvación de España solamente habría podido lograrse con la vuelta a la Inquisición, y era enemigo acérrimo de toda sensual blandura. Tanto como en Dios creía en el Diablo, y luchaba contra él a brazo partido. En la Edad Media seguramente habría llevado cilicio y dormido sobre lecho de ortigas. En este siglo XX, dejado de la mano de Dios, su modo de alejar al Enemigo Malo fue sublimar en notas su endiablada inquietud. Cuántas veces le he oído decir: «¡Si no fuera por la música, mordería!» A medida que pasaban los años, su fervor religioso degeneró en pasión maniática. Bien lo prueba su extraño y desaforado testamento. Sentía escrúpulos de conciencia, y le parecía que escribir para el teatro era poco menos que pecado mortal: de cuando en cuando afirmaba su decisión de componer exclusivamente música religiosa; ¡el autor de la *Danza del Fuego* en *El amor brujo!* Yo le decía en broma afectuosa: «Sí, sí, escriba usted misas y oratorios; con eso, le dará usted al Diablo el gustazo de que los fieles se condenen dentro del templo».

Confieso que el día en que fuimos por primera vez a visitarle en su triste hotel parisiense, yo no conocía nada de su música. Por fe en la afirmación de Joaquín Turina, sabíamos que era perfecta, españolísima y extraña. Ansiábamos oír algo de ella con curiosidad sobreaguda. No fue posible aquella tarde. Hallamos al «maestro» sentado al piano descifrando la partitura de *La consagración de la primavera,* de Stravinski. El genial compositor ruso era por entonces la gran admiración del genial compositor español. En realidad, existen entre ambos coincidencias de calidad y de técnica que no podían menos de engendrar simpatía mutua, ya que uno y otro eran lo bastante conscientes del propio valer para que pudieran rebajarse a sentir la mordedura de la envidia. Y pienso que no pocas veces, con plena voluntad, se han dejado influir recíprocamente.

Recibiónos con la refinada cortesía que era una de sus características, pero se negó en absoluto a hacernos oír su música... ¿Pudor de padre que se resiste a mostrar la hija que sabe hermosa a unos desconocidos? ¿Orgullo suspicaz? ¿Temor de no ser comprendido? ¡Vaya usted a saber! Ya he dicho que Manuel de Falla tenía casi siempre una legión de diablos dentro del cuerpo. Pero nos deleitó –era prodigioso pianista– durante más de una hora con la formidable interpretación pianística de aquella partitura que estaba saboreando a solas cuando llamamos a su puerta.

La consagración de la primavera. Verdadero despertar fue para mí que, a la sazón, no conocía de Stravinski más que su maravilloso *Petruchka*... Fue en verdad gran acierto psicológico o refinada astucia gitana aquella obstinación en hacernos escuchar, antes de abrirnos su propio tesoro, la música del ruso, tan afín a la suya; tal vez su demonio familiar le murmuró al oído: «Si éstos sienten la música de Stravinski, no pueden menos de sentir la tuya..., y si no la sienten, no hay para qué echar margaritas a puercos».

Así, en la selva mágica poblada de resonancias elementales y de alaridos entrañables, de melodías que pugnan por nacer como savia que pugna por subir cuando la primavera anuncia su llegada, envueltos en armonías sabias e inefables, pudo engendrarse la amistad nunca del todo terrena ni completamente humana que nos unió durante largo tiempo. Tranquilizado sin duda por nuestra adhesión a su idolatría, pronto vino Falla al terreno de las confidencias y nos confesó un amable secreto: sin saberlo nosotros, éramos sus colaboradores. ¿Cómo? Nos contó la aventura. Atravesaba el futuro autor de *El amor brujo* uno de esos períodos de esterilidad que pueden compararse en tormentos a los períodos de «aridez» que padecen los místicos. Había llegado al convencimiento de que ya nunca se le ocurriría nada digno de ser notado sobre el pentagrama, y andaba por las calles de París hundido en la desesperada tristeza del creador que está seguro de haber perdido para siempre el don de crear. Así pasaron meses... Un día, en los vagabundeos con los cuales intentaba, merced al movimiento del cuerpo, templar su tortura interior, se detuvo en la calle de Richelieu ante el escaparate de la Librería Española. Allí estaba acechándole –al menos él lo creyó así– un libro: *Granada (Guía emocional)*, de Martínez Sierra. Gastó los pocos francos que llevaba en comprarle, y pasó la noche leyéndole. A la mañana siguiente despertaron a un tiempo él y la inspiración. La olvidadiza Musa había vuelto a sentarse a la cabecera de su humilde lecho. El poder de crear le animaba de nuevo. Y en su cerebro se agitaban confusas, insistentes, ansiosas de romper a cantar las embrujadas melodías de una de sus mejores obras: *Noches en los jardines de España.*

El andaluz gaditano jamás había estado en Granada: no conocía ni la Alhambra ni el Generalife, ni su bosque encantado ni sus fuentes; mas, por no sabemos qué hechicería cordial e intelectual, supo hacer suya totalmente la emoción que otros habían sentido, y nadie ha cantado como él el rumor de los surtidores y el acre y sensual aroma de los arrayanes. Así las musas se ayudan, adoctrinan y amparan mutuamente dándonos a los necios humanos lecciones de solidaridad.

En aquella primera visita –no todo ha de ser ultraterrena poesía– ocurrió para mí un incidente cómico. Aunque la cortesía de Falla y la música de Stravinski habían creado entre nosotros simpatía e intimidad, yo sentía extraña inquietud. No sé qué resonancia molesta me advertía: «En este hombre hay algo falso; aquí existe una cosa que no es verdad». Y estaba nerviosa queriendo descubrir el motivo que me impedía abandonarme al encanto de la amistad naciente... Antes de separarnos, engolosinados por el agasajo musical, le rogamos que tocase aún un poco para despedida. Él consintió y volvió a sentarse al piano. Yo, siguiendo una costumbre adquirida en la niñez, me acerqué y me quedé en pie a su lado para volver las hojas de la partitura. Y sucedió que un descarriado y pálido rayo de sol poniente entró en la estancia atravesando las sucias muselinas del balcón, y dio en la cabeza del pianista. Y entonces se desveló el misterio inquietante: el cabello negrísimo que, al parecer, poblaba el cráneo del músico adquirió irisaciones acusadoras y asperezas de cosa muerta... El músico era calvo y procuraba remediar el daño con artificio peluqueril. La falsedad que así me inquietaba no estaba, afortunadamente, en el alma de Falla, sino en su bisoñé.

Que, por otra parte, bien pronto desapareció. Al estallar la guerra en agosto de 1914, Falla escapó de Francia a toda prisa. En su precipitación, al tomar un tren por asalto, perdió el bisoñé. Y así, entró de nuevo en su patria ostentando con toda franqueza la marfileña y espaciosa calva, la cual acentuaba el carácter ascético de su dueño. Poseía yo entonces, entre otros pequeños tesoros hoy desaparecidos, una esculturilla en marfil que pretendía representar la cabeza de San Francisco de Asís. La amplia tonsura dejaba al descubierto una superficie craneana pulida y brillante que recordaba la del compositor. El y yo, repetidas veces, hemos comentado riendo la semejanza..., que a él, aprendiz de santo, le halagaba, no hay por qué ocultarlo.

Ya de retorno a España, empezó para él la lucha por hacerse oír. No volvía a la patria con las manos vacías. Con las manos llenas había, en realidad, salido de ella siete años atrás. Llevaba ya compuesta su primera ópera, *La vida breve*, con libro de asunto andaluz escrito por Fernández Shaw. La obra, desdeñada en España como es de ley, habíase estrenado en la Opera Cómica de París con muy buen éxito, del cual apenas la noticia había atravesado las fronteras llegando a los oídos de poquísimos españoles.[90] Desde luego, no a los míos, y eso que estaba yo tan personalmente interesada en cosas de teatro. Añadiera en París las ya mencionadas *Siete canciones* y los formidables *Jardines de España*, de los cuales faltaba terminar la instrumentación. Cuando él llegó, estaba toda España resonante del triunfo de *Las golondrinas*. Aquel éxito había en cierto modo abierto el camino para la música dramática española barriendo la idea de que, para ser escuchada con gusto por el público corriente y moliente, la música de zarzuela había de ser cosa frívola y sin grandes complicaciones. José María Usandizaga, con su inspiración sabia y juvenil, había demostrado brillantemente que una zarzuela puede triunfar en toda la línea... aunque la música sea de primerísima calidad.

Quedaba, sin embargo, otro prejuicio por destruir: él consideraba cosa «vulgar» y propia únicamente para juergas entre

---

[90] El estreno parisino de *La vida breve* será el 30-XII-1913.

gente ordinaria o ante turistas ávidos de lo «pintoresco» la música popular española. Ese prejuicio había, a fuerza de desdenes, alejado de España –y hecho triunfar en el resto de Europa– a otro gran músico español, Isaac Albéniz. Y el asunto de *La vida breve* era, como ya dije, andaluz, y con temas de música popular andaluza estaba compuesta la partitura. Por lo cual, cuando, tras arduas negociaciones, llegó el momento de estrenar la obra en el teatro de la Zarzuela de Madrid, nos creímos obligados a publicar la víspera del estreno, en uno de los periódicos madrileños de mayor circulación, un artículo titulado «Las guitarras mágicas» para advertir al público y tal vez a la crítica de que tan «populares y vulgares» eran en Alemania los temas que Beethoven magnificara y sublimara en su *Sinfonía pastoral* como pudieran serlo en España las seguidillas de *La vida breve.* Las cuales gustaron, en efecto, al respetable público franca y totalmente.[91]

Ya estaba, pues, el nombre del nuevo músico español en boca de los españoles, ya unas cuantas campanas de las más sonoras se habían echado a vuelo en honor suyo... Mas una sola ópera, por muy verdadero que haya sido su éxito, no resuelve la vida material de su autor... ¡Si Falla hubiera sido capaz de explotar su buena fortuna escribiendo unas cuantas zarzuelas! Pero eso era pedir peras al olmo. Andaba, por entonces, ocupado en completar la instrumentación de los *Jardines de España.* Mas las angustias económicas, la inquietud de la vida familiar –padre, madre, hermana, hundidos en la ruina total y que él solo se veía obligado a sostener, día tras día inexorablemente– le impedían terminar su trabajo y le imposibilitaban para comenzar otro.

---

[91] *La vida breve* se estrenará en Madrid el 14-XI-1914 en el teatro de la Zarzuela, cantando los papeles principales Emilio Sagi Barba y su mujer Luisa Vela.

Era Falla de temperamento no ya nervioso, sino «chispisaltante». Su exagerado sentimiento de dignidad personal, su fe en la calidad de la obra, su maniática exigencia de perfeccionarla hasta lo infinito, hacían de su trabajo una especie de tortura, algo como un autotormento en el cual a un tiempo se destrozaba y se complacía. Yo, que durante mucho tiempo le he visto trabajar y he fingido reírme de su meticulosa autocrítica para endulzarle un tanto la amargura del negro vivir, sé lo que hay de fiebre y de bilis en esas melodías desgarradas y desgarrantes que hoy se aceptan como cosa natural, fruto de un árbol lozano y feliz, hijas de una inspiración superabundante. Cierto, la inspiración era en Falla siempre fresca y clara, sin vacilación ni duda, a modo de comunicación divina, inmediata y certera. Mas la realización, aquel poner sobre el pentagrama, con aquella escritura musical cuidada y elegante, los imperiosos dictados de la voz interior, no era cosa fácil ni fiesta de dioses. Alfarero exigente, daba vueltas al torno perfilando una frase, afinando el contorno del vaso, y una vez terminado, lo rompía arrojándole al suelo, y volvía a empezar. «¿Está mejor así? ¿O así? ¿O de este otro modo?», preguntaba, por preguntarse a sí mismo, a quien acertaba a estar a su lado mientras trabajaba. Yo, a la verdad, las muchas veces en que me tocó ser testigo de sus dudas, puesto que fuimos colaboradores y él me dispensaba el honor –tal vez mera apariencia– de fiarse no de mi opinión, sino de mi gusto, no encontraba gran diferencia entre una y otra versión y respondía, sospechando que no me escuchaba: «Así me parece mejor». Aquella profana opinión mía parecía aquietarle un momento, mas pronto volvía a la contradicción de sí mismo y a la interior pelea. No fue tarea fácil el arte perfecto de Manuel de Falla.

Gregorio Martínez Sierra, mi marido, formó entonces, en sociedad con el insigne actor Enrique Borrás, su primera compañía dramática.[92] Y por este motivo hubimos de recorrer España y el Norte de Africa en *tournée*, como acostumbra decirse. Con el deseo de facilitar su tarea al amigo a quien altamente estimaba y de cuya música fue ferviente entusiasta, Martínez Sierra le invitó a venir con nosotros a correr mundo. Y así convivimos casi todo un año, unos cuantos meses de invierno en Barcelona, otros de ciudad en ciudad en Andalucía y Levante; dos breves excursiones a Melilla, Ceuta y Tetuán. En aquella especie de hogar ambulante, Falla trabajaba en su «orquestación»; mi marido se ocupaba de ensayos y representaciones, haciendo su *début* en el oficio –que ha sido su pasión número uno– de director de escena. Yo daba los últimos toques a nuestra comedia dramática (elegía la subtitulamos) *El reino de Dios*, planeada en Madrid, comenzada en París, continuada en Munich y que había de terminarse y estrenarse en la ciudad condal.

Y aquí quiero contar unas cuantas naderías pintorescas.

Yo, amiga por entonces de instalaciones definitivas, puesto que habíamos de pasar varios meses seguidos en Barcelona, no quise vivir en un hotel y alquilé un pisito en la calle de Roselló (teníamos el teatro muy cerca, en una bocacalle del Paseo de Gracia).[93] Mi marido había alquilado los muebles a un anticuario su amigo, y con ellos más el piano que fue

---

[92] Enrique Borrás entablará una estrecha amistad personal y profesional con Gregorio. Juntos formarán la primera compañía de Gregorio en 1915, la compañía Borrás-Martínez Sierra.

[93] A finales de la primavera de 1915 y después de estrenado *El amor brujo*, Falla acepta una invitación extendida por los Martínez Sierra de pasar algunas semanas del verano con ellos en Barcelona, ya que ellos se han instalado en la Ciudad Condal para preparar la nueva temporada. Después de estar algunos días en Sitges, Falla llega a Barcelona a finales de julio. La estancia de Falla en Barcelona se alarga a casi seis meses, compartiendo piso con ellos en la calle Rosellón 166.

preciso alquilar también para nuestro músico, el «salón» tenía un aire de suntuosidad pasada de moda bastante divertido. Aquel salón era el cuarto de trabajo de Falla. Yo tenía instalada mi máquina de escribir en el comedor, al otro extremo de un largo pasillo que terminaba, como es costumbre en Barcelona, en amplia galería de cristales. En los momentos de duda o de cansancio nos hacíamos breves visitas. Yo, para divertirle, a veces leía mis cuartillas; él me comunicaba sus escrúpulos musicales. Falla era, como casi todos los hombres españoles, noctámbulo empedernido y aficionado a trabajar de noche. Yo, por el contrario, siempre he sido madrugadora y amiga de irme a dormir temprano. Por lo cual, cuando, después de cenar, mi marido se marchaba al teatro, yo me retiraba «a mis habitaciones», mas no sin haber dispuesto sobre la mesita del salón en que Falla debía trabajar una botella de vino de Málaga y un platillo con dulces y galletas. Al volver a casa mi marido, bien pasada la medianoche, yo le preguntaba:

—¿Qué está haciendo Falla?

Y él no pocas veces me respondía:

—Allí está profundamente dormido con la cabeza sobre los papeles.

—¡Hombre de Dios –suplicaba yo–, despiértale y que vaya a dormir a la cama! –y así lo hacía, asegurando, naturalmente, que apenas acababa de dejarse vencer por el sueño.

Por las mañanas representábamos cotidianamente un paso de tragicomedia. Yo, que he interpretado siempre mi papel de ama de casa con divertida complacencia, siempre también he tenido empeño en que nuestra mesa estuviese lo mejor provista que nuestros medios han permitido. Y puesto que en Barcelona no es deshonor como en Madrid, sino por el contrario como en Francia, laudable costumbre el que la señora haga la compra, al mercado iba cada día bien tempranito. Los mercados de Barcelona están bien instalados y abastecidos con abundancia de verduras. ¡Oh, aquellos altísimos collados de rubias y negras setas, de rojos *rovellons* (níscalos los llamamos en Castilla), de blanquísimos hongos! ¡Oh, aquella desbordante profusión de plateada pesca, de tentadores mariscos! ¡Y las pirámides de fruta! Barcelona, una de las reinas del Mediterráneo, es ciudad para *gourmets*; las amas de casa pueden a todo sabor recrearse en la tan femenina voluptuosidad de dar de comer a sus hombres suntuosamente... por poco dinero.

A la compra iba, pues, tempranito, no como quien cumple una obligación, sino buscando un placer que me servía además para hacer ejercicio natural marchando deprisa en el aire fresco de la mañana –nunca he podido sujetarme a la gimnasia artificial e impuesta como receta médica– y para acumular el optimismo necesario a la ruda batalla del día. Y al abrir la puerta para salir a la calle, oía invariablemente la voz de D. Manuel de Falla que gritaba desde su cuarto: «¡Espéreme usted! Yo la acompaño».

¿Por qué había de acompañarme el gran compositor, perdido siempre en el laberinto de sus matemáticas sonoras, en la excursión al parecer prosaica y materialista de ir a comprar verduras y pescados? Pues porque él, hipernervioso y autoatormentador por naturaleza, había hecho de mi persona tan naturalmente sana, terrena y sólida, el fantasma de un ser frágil, incapaz de defenderse contra los peligros del tráfico callejero, y había decidido que, de no ir a mi lado por la calle «para salvarme la vida», era más que probable que yo me dejaría atropellar por un automóvil.

Evidentemente, yo no le esperaba –era, amén de poco madrugador, lentísimo para vestirse, arreglarse... y hacer su sesión de gimnasia con pesas–. Corría a mi mercado, hacía mis compras. El, ya que no lograba acompañarme, salía en mi busca. Encontrábame, a veces, ya camino de vuelta. Entonces me reñía por mi imprudencia. Yo me burlaba de sus temores. Caminábamos un momento juntos hasta que, en la primera iglesia que hallábamos al paso, entraba él a hacer sus devociones, y yo volvía a casa sola... e indefensa.

¡Cuántas obsesiones como ésta, cuántos temores incomprensibles le han atormentado! ¡Cuántas angustias pensando en que pudiera huir la inspiración, en que pudiera perderse la salud! ¡Cuánto escrúpulo de conciencia sin razón ni motivo! ¡Cuántas dolorosas indecisiones hasta en la determinación más baladí de la vida corriente..., hasta en la hora propicia para tomar un baño o para mudarse de ropa! Todo era para él conflicto y angustia, todo era en él duda dolorosa. De ahí, tal vez, su intransigente voluntad de afirmar y afirmarse, la dureza de su fe, la exigencia celosa en sus afectos, la violencia con que rechazaba toda contradicción, la crudeza inverosímil con que defendía un absurdo si cuadraba con el deseo de su alma. Católico voluntariosamente convencido, su adhesión a los dogmas era violenta como un puñetazo. Antisemita radical, sacábale de quicio la idea de que Cristo pudiera ser judío. Un día, respondiendo a la sencilla observación de alguien que le dijo, combatiendo su antisemitismo: «No aborrece Dios a los israelitas, pues quiso que su hijo naciese entre ellos», le oí gritar con ira: «¡No era judío, no lo fue nunca, no lo pudo ser!». Y no pudiendo dentro de la razón defender su opinión recurría al absurdo y seguía gritando: «¡No pudo Cristo ser nunca judío porque era Dios!».

Esta morbosa violencia suya se exacerbaba especialmente frente a las mujeres. Y ello contrastaba con la galantería ultrarrefinada que solía emplear en el trato con la «dulce mitad» –según dicen los hombres– del género humano. Recuerdo la fiereza y crueldad con la cual, durante unos ensayos de *El amor brujo* para su *reprise* en el Teatro Eslava, peleó una tarde contra la Argentinita, su intérprete, artista primorosa a quien, por otra parte, admiraba fervorosamente.[94] He oído contar a testigos presenciales la agresividad lacerante a que llegara en una querella baladí con la esposa del célebre guitarrista granadino Barrios, señora por la cual sentía respeto y gratitud grandísimos, y en cuyo deleitoso carmen residía en Granada por ofrenda de fina amistad.

En sus numerosas discusiones conmigo nunca llegó a emplear palabras desagradables: tal vez ello se deba a que yo he acostumbrado siempre a usar como medio de defensa contra el enojo masculino, cuando he visto acercarse la explosión, el arma de la risa, y cuando uno de los contrincantes ríe sinceramente y con buen humor, es muy difícil que la contienda se envenene. Pero sí recuerdo una escena trágica «a lo silencioso». En nuestros viajes por Andalucía, de los cuales hablaré después, una tarde llegamos a Ronda. Paseando por las mal empedradas calles de la pintoresca ciudad, un poco fatigados, para matar el hambre compramos sendas roscas de pan. El pan de Ronda era, antes de la guerra española, manjar de dioses, metidito en harina, dorado, coruscante. Comíamos y andábamos admirando las puertas de maderas preciosas traídas de América en los tiempos en que nuestra patria era rica en colonias; las rejas salientes de sus ventanas adornadas con macetas floridas... Por la virtud aplacante del pan combinada con la paz de las calles solitarias, sentí yo ese impulso interior de romper a cantar que es como incienso

---

[94] Si se hizo una reprise de *El amor brujo* en el teatro Eslava, no consta en la bibliografía de «principales representaciones» de Falla recopilada por Antonio Gallego, *Manuel de Falla y El amor brujo*, Madrid, Alianza Editorial, 1990, pp. 286-299. Cabe añadir que Antonia Mercé, «La Argentina», bailará este ballet a partir de 1925, mientras que Encarnación López, «La Argentinita», representará el papel principal de Candelas a partir de 1933.

del alma que agradece al Destino una hora de serenidad. Y como me siento incapaz de hacer versos –toda mi poesía está en prosa–, hice unas coplas sencillas como la hora plácida que las hizo brotar. Las coplas decían:

El pan de Ronda, que sabe a verdad.
...Y, aunque todo en el mundo fuese mentira,
nos queda este pan,
dorado, tostado, que huele a la jara del horno,
¡que sabe a verdad!
Y, aunque todo en el mundo sea mentira,
¡esto no lo es!
Gocemos despacio la hora que es buena
¡y vengan tristezas después!

Decían las coplas... Les faltaba cantar. Falla hizo que cantasen componiendo para ellas una música sabia y desgarradora como suya, en la cual, bajo la serenidad de la melodía dictada en cierto modo por las palabras, ponía la armonía soledades amargas y negrísimas melancolías. De vuelta a Madrid, caligrafiólas con su bello, fino y claro grafismo musical en un plieguecillo de pergamino que cerró con un lazo de seda. Yo, halagada –¿por qué no confesarlo?–, lucía el primoroso plieguecillo sobre un velador a la sombra de un grupo de Sèvres... Aquellas coplas nos dieron la idea de escribir y componer otras cuantas, recuerdos de viaje, y yo ya tenía escritas algunas: de Granada, *Tinieblas en el convento* y *Descanso en San Nicolás*; de Cádiz, patria del músico, *Cádiz se ha echado a navegar*, y otras que no recuerdo... Mas una clara mañana madrileña, enterándose, porque yo se lo dije, de que estaba escribiendo unas notas que pudieran servir de pretexto al *Álbum de viaje* de Joaquín Turina, nuestro amigo común, con quien había yo también dado unas cuantas vueltas por Andalucía y el Norte de África, dejándose vencer por su demonio, el de la ira negra, se apoderó violentamente del pergamino tan cuidadosamente caligrafiado, y le hizo mil pedazos, sin pronunciar palabra. Venció en mí la piedad al natural enojo, y nada dije... Así pereció una embrujada página de música..., a menos que haya quedado el original entre los papeles del compositor.[95] Le creo muy capaz de haberlo destruido furiosamente en venganza del agravio que, a su parecer, mi amistad le había inferido.

De Barcelona fue la compañía dramática Borrás-Martínez Sierra a Levante y a Andalucía. Yo fui con ella y Falla vino con nosotros.[96] Y aquí sucedió la mejor aventura de nuestra amistad. Ya he dicho que nuestro colaborador desconocido de los *Jardines de España* no había estado en Granada nunca; por lo cual, yo tuve empeño en presentarle la maravillosa ciudad que es para mí, con Florencia, el mejor de los huertos del alma. Ambas son nidos del interior ensueño irresponsable y de la bien guardada melancolía; en ambas he podido consentirme el lujo lírico de soñar y sufrir a todo sabor, y los cipreses del Generalife se confunden en la memoria de mi

---

95 La sospecha retrospectiva de María es acertada. *El pan de Ronda que sabe a verdad*, canción andaluza con letra de María Martínez Sierra, se toca en Barcelona el 18-XII-1915. Manuscrito edición de la Unión Musical Española, 1980. Se incluye en *Canciones de María Lejárraga (Tres obras para canto y piano)*, Granada, Ediciones Manuel de Falla, 1993, con un prólogo de Antonio Gallego. *El pan de Ronda* formaba parte de un proyecto más amplio titulado *Pascua florida*.

96 Antonio Gallego en *Manuel de Falla y El amor brujo* propone que: «María, al escribir sus memorias tantos años después, confunde las fechas de este viaje y, sin citar fechas concretas, lo sitúa tras la estancia de Falla con la compañía Martínez Sierra en Barcelona durante el otoño de 1915, ya estrenado *El amor brujo*, es decir, en la primavera de 1916». Según los cálculos de Gallego la visita a Granada fue a finales de marzo, 1915. *Ob. cit.*, p. 20.

corazón con los del cementerio de San Miniato y con los de las colinas de Fiésole. Granada y Florencia enseñáronme el dulceamargo saboreo de la soledad triste y envolviéronme, en no pocas melancólicas puestas de sol, con el confortador aroma de sus arrayanes... Dejemos esto, y volvamos a nuestro excelso músico.

Una mañana de abril –aire de cristal, cielo de esmalte, olor a gloria– dije: «Hoy vamos a visitar la Alhambra». Y allá fuimos subiendo la colina hechizada, bajo los olmos plantados por Wellington. Al llegar a las puertas de lo que fue palacio y fortaleza, dije a mi compañero de peregrinación: «Déme usted la mano, cierre los ojos y no vuelva a abrirlos hasta que yo le avise». Consintió en mi capricho, divertido como chiquillo que juega a ser ciego, y yo le hice pasar rápidamente por el patio de los arrayanes bajo las aguas de cuyo estanque duerme un corazón, por la Sala de la Barca, por el prodigioso Salón de Comares, antigua sala de embajadores, la que tiene por techo una ilusión de cielo estrellado. Condújele a la ventana central –la que está frente a la puerta coronada con estalactitas de oro y azul– aquella cuya inscripción dice: «Hijas somos todas de esta arrogante cúpula...» (No hay que olvidar que en el salón de Comares hay nueve ventanas.) «Hijas somos todas de esta arrogante cúpula, mas, entre ellas, soy yo la más gloriosa. Estoy en el centro mismo del alcázar como un corazón.»

«¡Mire usted!», dije soltando la mano de mi compañero. Y él abrió los ojos. No se me olvida el ¡Aaah! que salió de su boca. Fue casi un grito. ¿Simple admiración? ¿Gozo de haber adivinado, a través de las páginas de un libro, el encanto que desconociera? ¿Orgullo de haberlo sabido interpretar? ¿Regocijo de artífice por haber logrado sutilizar en ritmo y sonido la maravilla de lo ignorado? Acaso todo junto. Pienso que ese momento de total felicidad –su grito no dejaba lugar a duda– fue uno de los éxtasis que compensaron el tormento de su existencia roída por tanto mezquino y, a veces, innecesario sinsabor. Miraba, contemplaba con avidez. Yo, dejándole perdido en su «trance», miraba también. Ya entonces le sabía de memoria, mas nunca me cansaré de contemplar la sonrisa del valle sobre el cual abre la ventana soberbia, el río en lo hondo, la colina frontera, las chumberas que ocultan y defienden las cuevas de gitanos y cuyas palas bruñidas como espejos de metal reflejan el sol de mediodía... A la derecha mano, trepando hasta la cumbre por sus bien cultivadas terrazas, el huerto de huertos del Generalife... «¡Gracias!», dijo sencillamente el músico, volviendo en sí. No le dejaba la emoción decir otra cosa. Y volvimos a casa, dejando para otra ocasión visitar el resto del palacio. Quiero hablar ahora de nuestra colaboración voluntaria y efectiva. Era ya entonces Martínez Sierra empresario y director del teatro Eslava en Madrid.[97]

[97] Gregorio Martínez Sierra fue el director y empresario del teatro Eslava entre 1916 y 1926, en el cual actuaba su Compañía Cómico-Dramática Gregorio Martínez Sierra. Su proyecto artístico fue el resonado «Teatro de Arte». Están de acuerdo muchos críticos teatrales coetáneos y contemporáneos con la evaluación de su labor que hace Saínz de Robles al proponer que este fue «el mejor director artístico con que ha contado el teatro español». Citado en Carlos Reyero Hermosilla, *Gregorio Martínez Sierra y su teatro del arte*, Madrid, Fundación Juan March, 1980, p. 4. Para Julio Enrique Checa Puerta, «Gregorio Martínez Sierra debe ser tenido en cuenta como uno de los pioneros de escena de teatro español del s. XX». «Los teatros de Gregorio Martínez Sierra» en *El teatro de España, entre la tradición y la vanguardia, 1918-1939*, Dru Dougherty y María Francisca Vilches de Frutos (Coord. y Ed.), Madrid, CIS, 1982, p. 126. Sobre la dirección artística de Gregorio Martínez Sierra ver: Agustín Martínez Olmedilla, *Arriba el telón, ob. cit.*, pp. 247-49; Augusto Martínez Alonso, *Los teatros de Madrid*; José Ruiz Alonso, 1947, pp. 217-55; Julio Enrique Checa Puerta, "Los teatros de Gregorio Martínez Sierra" en *El teatro en España, entre la tradición y la vanguardia, 1918-1939*, Dru Dougherty y María Francisca Vilches de Frutos (Coord. y

Su compañía se había formado para representar exclusivamente dramas y comedias tanto españoles como traducidos de otros idiomas; mas esto no impedía que, de vez en cuando, una ráfaga lírica hiciese su aparición en el tablado, ya en forma de música de escena, ya en forma de *divertissement*, como dicen los franceses, para servir de incentivo o de descanso a la actividad del pensar que el arte dramático exige del espectador y sin la cual no hay obra teatral, por muy bella que sea, que pueda considerarse completamente viva. Pequeñas «revistas», series de danzas y canciones folklóricas, pantomimas, representaciones de antiguos «misterios» y «autos» pasaban por el escenario de nuestro teatro con caprichosa intermitencia, y, a decir verdad, eran acogidas por el público, una vez sobrepasado el «chapuzón» de la sorpresa, con indudable favor.

No sé si –como dijo Lope de Vega– el vulgo es necio; de lo que sí estoy segura es de que todo el público es niño... y un poquito salvaje: ama la novedad y se rinde inevitablemente a la magia del ritmo. En cuanto estamos incluidos en un grupo, y cuanto más numeroso, más, el alma infantil reaparece hasta en los que nos creemos exclusivamente llamados al solemne y maduro oficio de pensar...

Pensando en esto (una vez terminados nuestros viajes faranduleros, Falla se había reintegrado a su hogar, en el cual las dificultades económicas le ahogaban más que nunca) mi marido y yo decidimos hacer un intento que pudiese darle unas cuantas pesetas. Y de aquí nació *El amor brujo*. Habíamos pensado que yo escribiese unas cuantas coplas de estilo

---

Ed.), *ob. cit.*, pp. 121-26; Carlos Reyero Hermosilla, *ob. cit.*; Ana María Arias de Cossío, *Dos siglos de escenografía en Madrid*, Madrid, Mondadori, 1991; Gregorio Martínez Sierra, (ed), *Un teatro de arte en España, 1917-1925*, Madrid, Ediciones la Esfinge, 1926.

gitano y que Falla les pusiese música no demasiado ardua para que pudiese cantarlas decorosamente una cupletista que gozase del favor del público, entremezclándolas con unas cuantas danzas gitanas también. «Gitanería» había de llamarse el cuadro, y nos lanzamos a la tarea, aunque a Falla, por sus escrúpulos de conciencia, costó bastante esfuerzo decidirle a componer para el pecaminoso «antro» de un palco escénico. Una vez emprendida la obra sucedió, sin embargo, que por la exaltante virtud del trabajo mismo, tanto la mujer que, sin voz, cantaba coplas como el músico que las exaltaba nos entusiasmamos un poco de más, y lo que hubiera debido ser sarta de vistosas pero inconexas cuentas de coloreado vidrio o –¿quién sabe?– burbujas de agua de jabón irisadas por el sol andaluz, diversión de unos cuantos minutos, se transformó en un cuadro lírico y alcanzó la extensión de un acto normal de comedia. El argumento era sencillo: una gitana enamorada y no demasiado bien correspondida acude a sus artes de magia, hechicería o brujería, como quiera llamarse, para ablandar el corazón del ingrato... y lo logra, después de una noche de encantamientos, conjuros, recitaciones misteriosas y danzas más o menos rituales, a la hora de amanecer, cuando la aurora despierta al amor que, ignorándose a sí mismo, dormitaba, cuando las campanas proclaman su triunfo exaltadamente.

Martínez Sierra, empresario entusiasta y entusiasmado tanto por la obra en sí como por las posibilidades de bella postura en escena que, a su parecer, contenía, echó, como era su laudable costumbre, la casa por la ventana para asegurar una espléndida presentación. Estaba por entonces en la madurez de un opimo verano la excelsa «bailaora» Pastora Imperio, realmente emperatriz de todas las danzantes españolas que en siglo XX han hecho retemblar los tablados con el repiqueteo de su taconear. Pastora Imperio no era ya, como en su adolescencia, la grácil sierpe que se enroscaba al ritmo de su danzar no sólo en la carne, sino en el corazón mismo de cada espectador, desvelando en él todas las sensuales y suprasensibles angustias que son y serán siempre enigma y alarido imposible de traducir a idioma ninguno (lo que grita dentro de nosotros emplea una lengua inhumana o infrahumana cuyas desconocidas palabras son a un tiempo puñales y panales de miel). Era, sí, escultura viva y perfecta que, al moverse, vencía arrollando; era como una fuerza natural que conquistaba al parecer sin esfuerzo y dominaba por la mera virtud de su existir. Ella fue la intérprete que Martínez Sierra designó y aseguró para *El amor brujo,* rodeándola de selecto grupo de lindas gitanillas. Y para encuadrar la obra y crear el ambiente, encargó decoraciones y figurines al malogrado pintor canario Néstor, mago del color imposible y de la luz fantasmagórica. Inolvidable es la presentación escénica de *El amor brujo* para cuantos tuvimos la suerte de presenciarla.[98]

En un principio, como ya he dicho, se pensó en una serie de coplas acompañadas sencillamente por una guitarra. Pero la obra arrolló a los autores. Falla estaba entonces en el momento más lozano de su madurez creadora y compuso una partitura que, para mi gusto, es la más personal y exquisita de todas las suyas. Compúsola para pequeña orquesta: diecisiete instrumentos de cuerda y madera, más un piano. Mar-

---

[98] El estreno de la «Gitanería en 1 acto y 2 cuadros escrita expresadamente para Pastora Imperio» fue en el teatro Lara el 15-IV-1915. A diferencia de otros momentos, en este texto, en que María habla de los estrenos, aquí no queda claro si asistió al estreno de esta obra. En una carta fechada el 13-IV-1915 dirigida a María que está en Sevilla, Falla le comenta que: «Me dijo ayer Gregorio que llegará usted a Madrid casi en el momento de empezar el estreno. No tengo que decirle cuánto me he alegrado». (Archivo Lejárraga.) Sin embargo, no parece haber asistido al estreno. Ver nota 112.

tínez Sierra rebuscó para formarla los mejores ejecutantes que pudo encontrar. Fue un «primor», como dicen en Granada, y el público, sorprendido y fascinado, se rindió totalmente a la «gitanería». Estoy segura de que la *Danza del fuego* ha sido indiscutiblemente el mayor triunfo de Pastora Imperio... El revuelo de su falda enrojecida por las llamas de la hoguera aventaba y arremolinaba corazones como el vendaval avienta y barre el tamo de paja en la era.

La puesta a punto de la orquestación fue pretexto para un nuevo viaje a Granada. Aprovechando los días de Semana Santa y Pascua Florida, a Granada nos fuimos libretista y músico.[99] Alojámonos en el bosque mismo de la Alhambra, allá donde la colina se cansa de subir, en una pensión modesta frecuentada principalmente por damas turistas inglesas de edad más que madura y amigas de silencio. Silencio íbamos también buscando nosotros, puesto que se trataba de escuchar primero y hacer sonar después la melodía mágica envuelta y sostenida por melodías brujas. Pudiera parecer que yo allí sobraba: el libro estaba escrito; la acción y las palabras, decididas... ¿Qué me quedaba por hacer? Algo que al músico le parecía muy importante y a mí muy divertido. Era preciso ponernos de acuerdo sobre el modo más eficaz de transmitir al público la emoción por medio de la sensación sonora. Falla fue maestro incomparable en la instrumentación. Debiólo, no únicamente a don del Cielo, sino a trabajo terco y encarnizado. Con su maniática testarudez, consagró gran parte de los siete años que pasó en París al estudio completo de la técnica de *todos* los instrumentos que componen la orquesta, más el órgano, compendio y cifra de la orquesta misma. Y así, no existía problema de notación e interpreta-

---

[99] Semana Santa, 1915.

ción que él no fuera capaz de resolver satisfactoriamente. Leyendo sus partituras puede parecer a primera vista que hay en ellas demasiadas dificultades de ejecución; sin embargo, no es así. A muchos ejecutantes he oído decir: «Es un placer tocar música de Falla. Cierto que exige de cada instrumento el máximo de lo que puede dar, pero jamás pide virtuosismos imposibles como tantos otros grandes compositores, el mismo Wagner no pocas veces».

Este pleno dominio del medio de expresión convertía la obra común en delicia perfecta. Estaba bien segura, al trabajar con él, que no existía matiz de emoción o capricho de fantasía que, una vez comprendido, no fuera él capaz de reproducir exacta y claramente. En aquella «pensión» tan modesta que, cuando llovía, entraba el agua por las goteras del tejado y teníamos que correr los huéspedes con cubos y jofainas a recogerla para evitar la inundación del suelo embaldosado, en aquella especie de tienda beduína plantada en el Desierto, sentábamonos ambos ante el piano, ¡que sonaba tan mal! El, con su papel y su lápiz; yo, con mis fantasías y mi anhelo. Y yo hablaba y trabajaba él.

—Aquí me gustaría un ligero temblor de angustiada esperanza...

—¿Arpegios rotos? –murmuraba él– ... Escuche usted... ¿Así?... ¿Así?

—Aquí, un alarido desgarrante...

—¿Clarinete? ¿Así?

Hay que advertir que Falla, merced a su arte consumado de ejecutante, lograba reproducir en el piano el sonido de cualquier instrumento.

—Un poco más ronco, porque dentro del grito, quiero que se noten las lágrimas que esa mujer se traga y que empañan su voz...

—¿Para qué el óboe?... ¿Así?

—Así.

—Vamos a ver la copla... Usted ha escrito: «Con sentimiento popular». ¿Está bien así?

—Está prodigiosamente. Pero quisiera que, en esa palabra, el ritmo se quebrara un cuarto de segundo como si la mujer que canta por no llorar se dijese a sí misma: «¡No puedo más!».

—Perfectamente. ¿Así?

—Así.

Y *así* iban pasando las horas de la tarde hasta que llegaba la de ponerse el sol, y abandonando el trabajo, subíamos a la azotea para contemplar del lado de la Sierra los alcázares de oro, topacio y sangre que el astro rey iba fingiendo al hundirse entre nubes.

Aquí la comunión espiritual se rompía y en silencio absoluto cada uno trenzaba y destrenzaba por su parte las propias amarguras.

Por las mañanas –era Semana Santa y Manuel de Falla hubiese considerado pecado mortal faltar a los oficios de la Iglesia– madrugaba lo más que podía, y yo, después de acompañarle y dejarle a la puerta del templo, solía lanzarme camino de la Sierra... por los olivares o ir al cementerio, que en Granada es como un jardín florecido en la temprana primavera, de lilas y lirios, celindas y bolas de nieve... De niña fui beatita a lo clásico –digamos más bien a lo ortodoxo– y gusté como muy pocos los esplendores de la liturgia. De mujer, y a imitación de Moisés, prefiero hacer mis devociones al aire libre, si es posible, en lo alto de un monte.

Aquí, una advertencia; no quiero que nadie pueda pensar que me las doy de entendida en música. Me precio de *sentirla* bien y sinceramente. Eso es todo. Mi educación musical se limita al solfeo exacto y preciso. Sé medir. Sé leer. No he sido capaz de aprender el mecanismo de ningún instrumento.

Jamás acerté a cantar con regular entonación. Durante los cinco meses que pasamos en Barcelona, para engañar el tiempo en las horas de cansancio, ya que conversación sobre motivos de vida o de filosofía era casi imposible entre nosotros, dada nuestra radical oposición de mentalidad, Falla empezó a enseñarme la ciencia de la composición y me descubrió los más elementales secretos de la armonía. Mucho me interesó el aprendizaje, y hubiera deseado llevarle hasta el fin. No pudo ser. Mi propio oficio exigía asiduidad exclusiva y celosa, y una vez que el maestro no residía en mi propia casa, hubiera sido demasiado difícil concertar horas de lecciones formales. Mas las pocas que recibí de profesor tan sabio bastaron para iniciarme en la severa matemática de la composición musical y para convencerme de que –lo mismo que en arte dramático– si la *idea* tiene carácter de revelación sobrenatural y es indudablemente don del Cielo, la realización perfecta es ciencia y trabajo, y sólo se logra a fuerza de obstinación, de asiduidad y de abnegación. También aprendí que en música, lo mismo que en dramaturgia, el peor peligro es el de dejarse llevar por la grata facilidad de la llamada inspiración, y me convencí de que la más ardua tarea del músico, como del autor dramático, es sujetar con mano firme las riendas de Pegaso. ¡Dichosos mil veces los poetas líricos que pueden divagar bellamente sin riesgo de caída catastrófica!

Animados por el buen éxito de *El amor brujo,* buscamos asunto para una pantomima. Así nació el que luego fue *ballet* y se representó y sigue representándose por Europa y América con el título *El tricornio.*

La elección de argumento era siempre la gran dificultad de la colaboración con Falla, que no admitía ni la más leve sombra de ofensa al sexto mandamiento y que estaba bien decidido –¡iluso feliz!– a no poner una sola nota al servicio del pecado sensual. Inspirámonos no tanto en la deliciosa novela corta de Alarcón *El sombrero de tres picos* como en el romance popular *El corregidor y la molinera*, que indudablemente sirvió al novelista de punto de partida. Y es que en la literatura del pueblo existen temas de tan lozana vitalidad que admiten todas las interpretaciones y en todas conservan su lozanía original.

Para esta colaboración no hubo viajes. El tema es andaluz, pero la obra se compuso totalmente en Madrid y el ajuste se hizo ante un piano Rönich que sonaba muy bien, como que cuando yo quise comprarle, habíale elegido para mí Joaquín Turina, pianista admirable y superexigente en cuestión de instrumento. Estrenóse la obra en Eslava como tal pantomima, interpretada cuidadosamente por los actores de la compañía Martínez Sierra.[100]

La partitura era también para pequeña orquesta –diecisiete instrumentos más piano–. Graciosa y gozosamente divertía al público madrileño..., pero acertó a pasar por Madrid Sergio Diaghilev con su compañía de *ballets* rusos, que por primera vez visitaba la capital de España.

Diaghilev, el gran admirador y perfecto conocedor, asistió varias veces a la representación de nuestra pantomima y comprendió el gran éxito que podía alcanzar en forma de *ballet.* Era Diaghilev testarudo e impaciente. Empujados por su voluntad imperiosa, músico y libretista nos pusimos de nuevo al trabajo. Fue preciso modificar un tanto el «libro» para dar entrada en la acción a las grandes masas coreográficas y proporcionar al bailarín estrella –en aquella ocasión Leonidas Miassin– las «romanzas danzadas» que toda *vedette* del arte

---

[100] Con el nombre de *El corregidor y la molinera* se estrena el 7-IV-1917, lo que en un primer momento fue una «farsa mímica en 2 cuadros». La pantomima se reescenifica como ballet titulado *El sombrero de tres picos*, presentándose en el Eslava el 17-VI-1919.

de Terpsícore necesita para su lucimiento. Falla tuvo que instrumentar la obra para gran orquesta, que añadir la «farruca», grandísimo triunfo personal de Miassin, y que componer el estupendo final, mosaico de temas populares coronado con la jota triunfante.

Del éxito de *El tricornio* coreografiado y danzado por Miassin –quien estudió a fondo las danzas flamencas y, según confesión propia, aprendió no pocos recursos de bellas actitudes en las corridas de toros–, con decorado y figurines de Picasso, no es necesario hablar.[101] Todo el que se interesa por cuestiones de música escénica sabe cómo, en el transcurso de pocos meses, alcanzó la obra categoría de «clásica» y cómo desde entonces ha figurado en los programas de gran *ballet* en la misma línea que *Petruchka* o *Sherezada*.

Por cierto que aquel viaje de la compañía de *ballets* rusos a Madrid me dio ocasión de conocer personalmente a Stravinski, que acompañaba a Diaghilev en la excursión.

Varias veces, mientras estábamos poniendo a punto *El tricornio*, vino a nuestra casa con Diaghilev y Miassin, y con su gracia de chiquillo (aún lo parecía) y su modestia de gran creador –únicamente las medianías son vanidosas– no tenía inconveniente en sentarse al piano y deleitarnos generosamente con su inspiración y su técnica igualmente prodigiosas. Estaba a la sazón componiendo su *Boda aldeana*, así es que tuve el privilegio de conocer y saborear la obra mucho antes que el público. En su sencillez, que en nada disminuía la conciencia del propio valer, en su optimismo inalterable, en su trato fácil y naturalmente afectuoso parecíase mucho a otros dos músicos ilustres, Mauricio Ravel y Joaquín Turina, y formaba contraste marcadísimo con la melancolía orgánica y el pesimismo suspicaz de Manuel de Falla. Lamento

---

[101] *Le tricorne* se estrena en Londres el 22-VII-1919 en el teatro Alhambra.

que la vida –tan trágica y descentrante para todos a partir de la primera guerra mundial– haya impedido que aquel primer, fugaz y gratísimo contacto se transformase en amistad verdadera. Desde 1918 hemos vivido todos en Europa dispersos y anhelantes soñando cada día con recobrar el perdido equilibrio, y hundiéndonos paso a paso, inexorablemente, en la sima del terror universal... No he vuelto a ver nunca a Stravinski, aunque siempre he sabido de su vida y azares porque he preguntado por él a cuantos amigos míos han tenido ocasión de encontrarle, y he seguido sus triunfos con fervorosa simpatía.

Los recuerdos que aún me quedan por evocar de mi colaboración con Falla son un tantico amargos. ¿Cómo pudo romperse aquella amistad que por sincera y desapasionada parecía estar a prueba del tiempo y de las vicisitudes de la suerte? No estoy muy segura porque en lo propio siempre somos ciegos, pero me parece que el «pecado mortal» tuvo la culpa. Falla, gran admirador de Chopin, formó el proyecto de instrumentar unas cuantas de sus mejores páginas –baladas, nocturnos, mazurcas y estudios– con el propósito de ensartarlas en una acción dramática representable, a su parecer y al mío, con perspectivas de indudable éxito. Pensar, en cuestiones de arte, es hacer. Manos a la obra. Imaginé un «argumento» con todo el romanticismo correspondiente a la música y a la época en que se escribiera. Era sencillo, como a todo libreto de ópera o de zarzuela corresponde. Los sentimientos y las situaciones que han de emplearse como pretexto para toda interpretación lírica o cinematográfica necesitan ser «primarios», basados en acciones directas, casi pantomímicas y sin complicaciones psicológicas. El trabajo esta vez era para mí más duro que para el colaborador. No he conocido tarea más agobiante que la de insertar o incrustar palabras en una melodía compuesta de antemano, conservándoles ritmos, acentos y hasta vocales definidas para que puedan cantarse sin dificultad insuperable, si al mismo tiempo se intenta decir con claridad y sentido común lo que el argumento y la lógica exigen. A veces, en esta ingratísima tarea, estuve a punto de perder, ya que no la paciencia, el sentido... Sí, positivamente, en ocasiones, bien poco me faltó para desmayarme sobre el pentagrama tirano. No estaba acostumbrada a este absurdo método de trabajar. Mi gozosa colaboración con «mis músicos» (así les gustaba llamarse por halagarme con amistosa lisonja que yo agradecía), con Falla mismo, con Turina, con Usandizaga, con María Rodrigo,[102] con Conrado del Campo,[103] teníame acostumbrada a «dictar», y la melodía que ellos, sobre mis «papelitos», componían seguía con graciosa y sabia fidelidad la corriente de mis palabras. Si algo era preciso modificar en ellas para dar cabida a un «hallazgo» inesperado del músico, la regocijada sorpresa común ante la buena suerte caída del cielo hacía la tarea doblemente grata.

La obra chopiniana había de tener tres actos. Iban ya casi dos, y verdaderamente la orquestación maestra de Falla había logrado prodigios de emoción artística y humana. Mas, llegados aquí, se alzaron en la conciencia del músico los famosos escrúpulos. El conflicto dramático, inevitablemente, era de amor. Y puesto que el libretista era mujer, en vez de tratarse, como es costumbre en obras de varón, de dos hombres que se disputan el amor de una hembra, tratábase de dos

---

[102] Entre 1918 y 1926 nuestra autora colaboró por lo menos dos veces con María Rodrigo. El 16-XII-1921 se estrenó en el teatro Eslava *Linterna mágica*, espectáculo de variedades, y el 5-II-1924 se estrenó el cuadro popular, *Salmantina*, también en el teatro Eslava.

[103] Es el músico Conrado del Campo el que finalmente compone la música para *Don Juan de España*.

hembras que suspiraban por el amor de un hombre. Y sucedió –también inevitablemente– que una de las «tiples» había de encarnar el tipo convencional de «ángel», tan dulce para las imaginaciones masculinas, mientras la otra personificaba el carácter de una dama... digamos frívola para no ofenderla. ¡Aquí de Dios, que matan a un hombre! El pudor de Falla se alarmó agudamente, su galantería natural no podía ni por un instante consentir en rebajar el ideal de «eterno femenino» con motivos culpables. Aunque yo me mataba a explicarle que entre dos ángeles confirmados en gracia no puede haber conflicto, y que si las dos tiples eran santas, el respetable público se aburriría de muerte, no hubo medio de convencerle. Así quedó la obra sin terminar y perdido el trabajo de varios meses. Cierto que han quedado unas cuantas magníficas orquestaciones y alguna ha llegado a tocarse en conciertos, pero la colaboración fracasó.[104]

Repitióse el caso con *Don Juan de España.* Mi marido y yo habíamos proyectado y escrito esa obra dramática en la idea, aceptada por él, de que Falla compusiese la música de escena. Terminada la tragicomedia, esperamos largos meses a que don Manuel se decidiese a hacer la música. El asunto está en cierto modo inspirado por la vida del sevillano Mañara. Nuestro don Juan es cierto que se arrepiente de sus pecados y los expía con áspera penitencia y con trágica muerte..., pero antes de arrepentirse peca, sin lo cual su arrepentimiento no tendría porqué ni razón de existir... y una vez

---

[104] Terminada la orquestación figura en el catálogo de Falla como *Fuego Fatuo.* Esta «ópera cómica/opereta en tres actos, de los Martínez Sierra y Falla sobre melodías de Chopín, tuvo entretenidos a los autores entre 1918-1919. Se conserva entero el guión de canto y piano, pero Falla no llegó a completar la orquestación del acto segundo». Antonio Gallego, *ob. cit.*, p. 68.

más, el músico, aprendiz de santo, no pudo decidirse a poner su inspiración y su ciencia al servicio –pensaba él– del pecado. Había que estrenar la obra. Renunciamos, a nuestro gran pesar, a dar la importancia que deseáramos a la parte musical. Para las escenas en que era absolutamente necesaria la música, nuestro colaborador y amigo el eminente maestro Conrado del Campo tuvo la abnegación de componer las páginas indispensables. Ello provocó uno de los peculiares arrebatos de ira de Manuel de Falla, quien nos escribió una carta desagradibilísima defendiendo lo que él llamaba su «derecho exclusivo» a musicalizar la obra. Ya esta vez no hubo más remedio que responder en el mismo tono..., aunque yo bien sabía que, al escribir la carta, don Manuel no estaba en su completo juicio. Pero hay ofensas que no pueden dignamente soportarse aun cuando se sopeche que el ofensor tiene la razón perdida.[105]

Y nunca he vuelto a ver al colaborador a quien tanto admiré y seguiré admirando mientras viva. He sabido de él porque he tenido estrecha amistad con parientes suyos; he seguido con amistoso interés y sincera tristeza del desarrollo parejo de su fama mundial y de su desequilibrio mental; él, tan católico, no supo perdonar agravios que nunca existieron sino en su imaginación, ni aplacar su cólera sin sentido con el recuerdo de las horas buenas. Suprimió la dedicatoria, con que me honrara un día, de las *Noches en los jardines de España*. Ha muerto en América, a donde le llevaron desilusiones y desengaños. Ha vuelto su cadáver a la patria. Ahora, su nombre se ensalza merecidamente dondequiera que hay

---

[105] Antonina Rodrigo reproduce las cartas más importantes que se cruzaron los Martínez Sierra y Falla en relación a su fracasada colaboración en *Don Juan de España*. *María Lejárraga, una mujer en la sombra*, Barcelona, Círculo de Lectores, 1992, pp. 199-202.

un aficionado a la buena música... Tarde, como es costumbre, ha brotado el laurel sobre su tumba cuando él ya no puede cortar sus ramos ni embriagarse con su amargo aroma. Cada vez que, en cualquier lugar del mundo, escucho el estruendoso aplauso que suscita inevitablemente su arte, siento que un dolor sordo baja de mi cerebro a mi corazón pensando en que él ya no tiene oídos con que escuchar, y digo con palabras de Shakespeare: «¡Descansa, atormentada sombra!».

JOAQUÍN TURINA

No recuerdo cómo conocí a Joaquín Turina: Fue después del estreno de *Las golondrinas*. El resonante éxito de la música de José María Usandizaga atrajo a nuestra órbita a los músicos «sabios» que hasta entonces, con excepción de Amadeo Vives, se habían mantenido desdeñosamente alejados del teatro zarzuelero. Llegamos muy pronto, aun antes de pensar en colaboración, a ser magníficos amigos. Joaquín Turina, sevillano por los cuatro costados y músico de pies a cabeza, era hombre de tal normalidad en el vivir, en el pensar, en el método estricto y el ritmo inalterable del trabajo, que parecía negar todas las teorías que atribuyen cierto inevitable desequilibrio y siquiera leve irresponsabilidad al artista productor de belleza. Todo era en él calma, sonriente aceptación de la existencia; algunas mañanas, cuando, llegando a su casa, le encontraba sentado al piano, hundidos los pies en confortables y burguesísimas chinelas, leyendo calmosamente un ejemplar de *Quo Vadis* o de cualquier otro libraco de análoga altura literaria que tenía en el atril, mientras con todo brío hacía ejercicos sorprendentes para conservar su prodigiosa técnica pianística, hacíame pensar en Juan Sebastián Bach, también trabajador sesudo, metódico y sin exaltaciones exteriores. Sobre el piano había una moderna y relamida imagen del Niño Jesús, y sus propios chiquillos –cuando le conocí estaba casado y tenía dos hijitos que rápidamente aumentaron hasta cinco– andaban a gatas por la habitación. ¿Quién al verle hubiera podido ni sospechar siquiera la luminosa espiritualidad de la música que iba cristalizando en su cerebro?

Cierto que hasta entonces –estaba entre los treinta y los cuarenta– la barca de su vida había navegado por mares tranquilos. Hijo de familia si no rica, bien acomodada, pudo seguir su vocación sin luchas familiares ni económicas. Su padre, pintor a la verdad sin grandes vuelos, sentía el necesario respeto por el llamamiento artístico y consintió benévolamente en que el hijo se consagrase totalmente a la música. Llegó Turina a ser extraordinario pianista, y marchó a París a estudiar composición; allí fue, como José María Usandizaga, aventajadísimo alumno de la *Schola cantorum*. No cedió como el prodigioso chiquillo vasco al sortilegio de la música rusa; dejóse, sí, influir por la francesa: Fauré, Debussy, Ravel fueron sus modelos, y en la primera parte de su producción se nota esa influencia que él, bien agradecido, no intentó nunca negar ni disimular. Su solera andaluza, al plegarse a la manera francesa, perdió en fogosidad y ganó en elegancia y sutileza; a mí siempre me pareció rumor de agua que salta en el surtidor y se deja destrenzar por suaves brisas desparramándose sobre los arrayanes recortados de un *parterre* bien compuesto. Para sentirla adecuadamente hay que pensar en la alberca del Generalife y en los hilillos de agua que caen sobre ella, en los innumerables surtidores de la florentina Villa d'Este. La emoción magistralmente sugerida y elegantemente sutilizada recuerda inevitablemente la de los mejores sonetos de Petrarca.

Ya que hablamos de influencia francesa quiero hacer constar agradecidamente que a Joaquín Turina debo el haber aprendido a comprender y a sentir a los compositores modernos del otro lado del Pirineo. Sentado estaba una tarde al piano en mi casa, y hacíale sonar mágicamente sólo para mí; tocaba páginas suyas y de Falla. De pronto me dijo:

—Es lástima que no conozca usted un poco más la música moderna francesa. Escuche usted. Esto es Debussy –y tocó *La catedral sumergida* y *La muchacha de cabellos de lino*–. ¿Le desconcierta a usted?

—No mucho –respondí–. Me encanta bastante... confusamente... no sé por qué.

—Entonces, escuche usted –y tocó *Minstrels*, que, en verdad, en primera audición, hace casi cuarenta años, resultaba harto desconcertante–. Ya se irá usted acostumbrando.

Explicóme algo sobre disonancias y otros tecnicismos –era muy buen maestro–, y volviendo a las teclas, dijo:

—Esto es Ravel –y tocó la famosa *Sonatina*.

—Un poco fría, ¿no? Oigala usted otra vez. La verdadera música no se *siente* de golpe.

Desde aquella segunda audición, en efecto, la *Sonatina* ha sido para mí una de las más elocuentes expresiones de la emoción contemporánea, sin frases, caudalosa y silenciosa, río de lava canalizado por la voluntad, sonrisa que no quiere dejar rugir a la pasión ni sollozar al sentimiento...

Y eso es la música de Turina, contraste interesantísimo con la sensualidad desaforada mal domada en lucha tumultuosa en la de Falla. Hay que pensar que ambos eran andaluces y escribían en el mismo tiempo y en idéntico ambiente, habiendo tenido los mismos maestros, y esto habla muy alto como afirmación de personalidad original en uno y en otro. Amigos entre sí, llegaron a ser íntimos en nuestro pacífico hogar. Ambos formidables pianistas, tocaban a veces a cuatro manos descifrando para nosotros tal desconocida partitura rusa: Mussorgski, Stravinski, hasta Tchaikovski, que a Falla no le gustaba del todo porque, según él, tenía demasiada influencia alemana, y él, aterrado por la guerra y aliadófilo incondicional, aborrecía todo lo alemán hasta el punto de renegar de sus antiguos dioses Beethoven y Wagner; no se salvaba de la quema otro germano que Weber, no sé por qué. Celoso en todo por temperamento, solía reprocharme:

—A usted no le gusta mi música; le gusta a usted la de Turina.

—Me gusta la música de usted para inquietarme, y la de Turina para aquietarme –le respondía yo sinceramente.

Turina se reía; mi marido le decía con sorna:

—No sé qué más puede usted pedir.

Pero él no se aplacaba; necesitaba la *exclusiva* en todo. En España se han dado muchas veces las parejas compartidoras de la popularidad: Lagartijo y Frascuelo, Calvo y Vico, Galdós y Pereda, Cánovas y Sagasta: el respetable público junta los nombres sin conocer en realidad a los individuos. Así, por aquel tiempo de nuestra juventud se decía en los ambientes músicos madrileños: Falla y Turina. Y había que ver la cara de Falla cuando un traspunte o un corista confundido le decía al pasar entre bastidores: «¡Buenas noches, maestro Turina!». Era épico.

Nuestra colaboración con Turina empezó con *Margot,* zarzuela en tres actos , de los cuales el primero se desarrolla en París y los dos últimos en Sevilla. Influídos estábamos –más valdría decir fascinados– músico y libretistas por *Pelléas y Melisande,* la ópera de Debussy compuesta sobre el libro de Maeterlink; resultado de ello fue que, después de planeada la zarzuela por mi marido y por mí, de acuerdo con el músico, yo escribí el libro como una comedia corriente, en prosa, desde luego un poco lírica, puesto que a ella había de adaptarse la música, no empleando el verso sino cuando lógicamente estaba indicado, es decir, en algunas canciones parisienses y algunas coplas andaluzas. Colaborar con Turina era verdadero placer: no existía para él dificultad técnica de ninguna clase y además trabajaba con alegría, con tranquilo entusiasmo, en perfecto compañerismo; cuando surgía una dificultad, él cedía unas veces y yo otras después de haber buscado la solución en perfecto acuerdo, olvidados de toda vanidad personal, pensando únicamente en la obra. Trabajamos durante todo el verano de 1914, y en la temporada de invierno del 14 al 15 se preparó el estreno en el teatro de la Zarzuela en Madrid. Gregorio Martínez Sierra, con su incomparable pericia en materia de dirección escénica, se tomó el ímprobo trabajo de hacer hablar y representar a los cantantes como si fueran actores de comedia, logrando que suprimiesen los gestos y ademanes afectados y el insoportable énfasis que acostumbran emplear cuando no cantan.[106] Halagados, lo mismo que la orquesta, por sentirse intérpretes de música «de verdad», encandilados por el reciente éxito de *Las golondrinas,* exaltados por la dirección conjunta de Gregorio Martínez Sierra y Joaquín Turina, ensayaban con entusiasta buena voluntad; el empresario también había cumplido con desacostumbrado esmero en las cuestiones de decorado y vestuario; reinaba el optimismo entre bastidores; el ensayo general fue un verdadero triunfo, cosa que hacía suspirar con preocupación a algunos supersticiosos, ya que existe entre la farándula el prejuicio de que un ensayo general demasiado bueno es presagio de estreno tormentoso; pero las gentes de más «oficio» predecían éxito brillante. Santiago Rusiñol, buen perito en efectismo escénico y gran conocedor del público, decía: «Esta zarzuela tendrá por la música tanto éxito como *Las golondrinas,* y además interesará mucho en el extranjero por el interés especial del asunto».

---

[106] Los papeles principales fueron representados por Luisa Vela y Emilio Sagi Barba.

Al salir del ensayo, en la puerta misma del teatro, oí a dos *caballeros* a quienes no conocía que hablaban acaloradamente. Y uno de ellos decía en tono airado: «¿Vamos a consentir que Martínez Sierra siga *descubriendo* músicos?». Pero no me preocupé demasiado.

Llegó la noche.[107] El teatro estaba, como era costumbre en Madrid, en los estrenos, rebosante de público. Levantóse el telón. No fue posible oír una sola palabra ni una sola nota; los «reventadores» habían organizado perfectamente la conspiración para asesinar –no hay vocablo más apropiado– la obra. Comenzaron las protestas en el momento mismo en que empezó a sonar el preludio. Gritos, silbidos, risas soeces, burlas de todo género; a veces el hechizo de la clara música lograba dominar el tumulto unos instantes. Sonaban aplausos, ahogados inmediatamente por los silbidos y el pataleo. La infeliz *Margot* sucumbió a manos de sus feroces adversarios. En la formidable batalla, los cantantes, la orquesta, el director, lucharon denodadamente durante los tres actos, que parecían interminables, pero no hubo remedio. A la mañana siguiente, los críticos teatrales, enemigos naturales del autor y sobre todo del éxito, consignaron el rotundo fracaso, edulcorándole alevosamente con afirmaciones elogiosas sobre la exquisitez, perfecta ciencia musical y «modernidad» de la música, medio el más seguro de alejar del teatro al público corriente y moliente. En las representaciones sucesivas, con el teatro casi vacío, la obra hizo sus pinitos de resurrección: evidentemente agradaba a los espectadores, pero ¡eran tan pocos! No es posible exigir a un empresario que pierda dinero por salvar una obra ruidosamente rechazada en la primera representación, y muy pronto, por voluntad de los autores,

---

[107] *Margot* se estrena en el teatro de la Zarzuela el 10-X-1914. Obra bien recibida por la crítica.

Margot desapareció del cartel. En la temporada de verano –creo recordar que fue en Zaragoza–, el público provinciano, ajeno a las cábalas madrileñas, acogióla favorablemente... y eso fue todo.

Turina, aturdido por la inesperada paliza, tuvo un instante de flaqueza, y echó la culpa del fracaso al libro; como si hubiera libro, por absurdo que sea, capaz de hacer fracasar una obra lírica cuya música gusta... En fin, era su primer estreno, había puesto en su trabajo toda su ciencia, todo su entusiasmo, se había hecho las más lisonjeras ilusiones de triunfo... Ni Gregorio Martínez Sierra ni yo le guardamos rencor por la ideológica deslealtad..., y gracias a nuestra filosofía, la amistad salió incólume de la desagradable prueba. Turina, hasta entonces mimado por la vida, no tenía temperamento de luchador, y decidió no escribir nunca más para el teatro.

Sin embargo, sucumbió de nuevo en dos ocasiones al canto seductor de las sirenas, y escribió la música de escena para nuestro milagro *Navidad*, que se estrenó en Eslava con gran éxito.[108] Dirigió él mismo la pequeña orquesta, y dio pruebas de inalterable serenidad; recuerdo que al empezar, por dos veces, se le cayó la batuta de las manos, y él, imperturbable, se inclinó a recogerla sin darse cuenta de que a veces un incidente tan menudo como éste basta para desencadenar las iras del público, o su burla, que es mucho peor, en una noche de estreno. Pero en aquella ocasión estábamos de suerte, y *Navidad* triunfó ruidosamente.

Escribimos también una ópera en un acto, *Jardín de Oriente*, que se estrenó en el Teatro Real de Madrid en las pésimas condiciones que siempre ha reservado esa empresa a las obras

---

[108] El estreno de *Navidad* o *El milagro de Navidad* toma lugar en el teatro Eslava el 21-XII-1916.

de músicos españoles.[109] La estrella de fama mundial Conchita Supervía, gran amiga de Turina, había prometido al maestro estrenar la obra, pero a última hora, caprichosa como toda gran artista, se volvió atrás de su compromiso; la orquesta del Teatro Real de Madrid ha tenido siempre merecida fama, pero los coros eran lamentables y el cuerpo de baile lamentabilísimo: la empresa no se molestó para nada en la presentación y utilizó viejas decoraciones que no guardaban relación ninguna con el carácter de la obra. Cantada correctamente, pero sin brillantez, alcanzó buen éxito, se representó dos o tres noches... y no sé que haya vuelto a ponerse en escena.

Para preparar esta ópera hice con Turina un corto viaje al norte de África.[110] Quería él escuchar y anotar algunas armonías árabes y entrar en el ambiente. El cruce del Estrecho, de Algeciras a Tánger, fue espantoso. La cáscara de nuez que nos mantenía sobre el mar encrespado bailaba un vals de las olas frenético. No quedó una rata sobre cubierta; yo estaba a punto de entregar el alma; mas, aleccionada por anteriores viajes a Marruecos, no quería hundirme en la especie de infierno maloliente que era el interior de los barcos pequeños y mal cuidados que hacían en aquellos tiempos la travesía. Turina, que tomaba con calma hasta los furores del mar, andaba sobre cubierta sereno, como si estuviésemos paseando por la calle de Alcalá en Madrid, y se consagraba a calmar mis bascas haciéndome beber traguitos de aguar-

---

[109] Con la asistencia de la familia Real se estrena la ópera *Jardín de Oriente* el 6-III-1923.

[110] Este viaje lo realizaron del 12-16 abril de 1915. El que fueran Turina y María a Tánger significa que María no asistió al estreno de *El amor brujo* lo cual explicaría que no describa el estreno de esta obra como tantas otras veces hace en este libro de memorias.

diente. De pronto surgió una sirena en forma completamente humana; era una viajera joven e intrépida que tampoco se había mareado. La solicitud y abnegación de mi músico le hicieron pensar que era mi marido, y como a las sirenas les complace en extremo infernar matrimonios bajo pretexto de auxiliarles, se acercó a nosotros y dijo con desdeñosa compasión:

—¡Ay, cómo se marea su señora! ¡Pobrecilla!

Turina no se molestó en sacarla de su error; hubiera sido quitarle sal al incidente. Ella continuó, estableciendo astutamente una complicidad lisonjera:

—Usted, en cambio, no se ha mareado.

—Ya ve usted –respondió él con matadora elocuencia.

—Yo tampoco. No me mareo nunca. –Acentuaba el «nunca» con incitante coquetería.

—Nunca, ¿de veras? –preguntó el maestro.

—¡Nunca jamás!

Yo, por el bien parecer, había cerrado los ojos como si ya estuviese en la agonía.

—Eso habría que verlo... –supongo que mi músico respondió sonriendo maliciosamente.

Se alejaron un poco. Oí que hablaban de Andalucía; ella al retorno de Marruecos, a donde iba como turista, pensaba asistir a la próxima feria de Sevilla. Él también, puesto que era sevillano. Allí se encontrarían, seguramente...

—¡Seguramente!

Imagino el susto que la sirena debió llevarse si, unos días después, en el real de la feria, se encontró en realidad con su *flirt* acompañado por su esposa y sus niños. Turina era marido ejemplar y padre entrañable.

El desembarcar fue pintoresco. El barco no podía acercarse a la costa, y unas cuantas barcazas salieron a recogernos; íbamos en ellas amontonados como sardinas en cuba; yo, más mareada que nunca. La sirena había desaparecido; sin duda le tocó turno distinto al nuestro en las barcas. Pero Turina «estaba de suerte»; llevaba al lado a una dama otoñal inverosímilmente obesa; iba la tal, ya que no mareada, asustadísima, y cuando temía que nos fuera a tragar una ola, se abrazaba a su vecino con frenesí, como a tabla suprema de salvación; él me miraba con espantada resignación y yo sacaba fuerzas de flaqueza para sonreír como felicitándole por su conquista *in extremis.* En el desembarcadero, unos cuantos moros nos sacaron en brazos. La dama obesa daba gritos furiosos; quizás había soñado que Turina cargase con ella. Yo eché los brazos, cerrando los ojos, al cuello de mi arabe, y creí resucitar cuando me dejó en tierra. Entonces era yo leve carga; no pesaba más que cincuenta kilos. *Oh tempora!*

En Tánger nos dio cordial hospitalidad Mauricio López Roberts, distinguidísimo escritor, muy aficionado a la música, buen amigo tanto de Turina como de Martínez Sierra y a la sazón ministro de España, es decir, casi virrey de Tánger. Él fue nuestro guía en los laberintos de la ciudad mora y nos acompañó a los cafetines donde, a petición suya, unos cuantos indígenas organizaron sesiones de música para que Turina pudiera documentarse. Estaba el músico encantado; todo le entusiasmaba: la música estridente del guitarrillo de tres cuerdas, el cantar monótono, la insistente melodía, la figura de los ejecutantes que, sentados en el santo suelo sobre un andrajo de tapiz, tomaban café (*ajua* decían ellos), no en tazas ni en vasos –no daba para tanta elegancia la miseria del cafetín–, sino en vacías latas de conservas. En las mañanas, visitábamos el Zoco y admirábamos sus inverosímiles mercancías expuestas en el suelo sobre pedazos de alfombras viejas; escuchábamos, sin comprenderlos, a los recitadores que contaban a un auditorio absorto sus cuentos de *Las mil y una noches*; interesábanos sobremanera un vendedor a quien las mujeres compraban afanosamente unas repugnantes bolitas negras; luego supe que eran ni más ni menos filtros de amor, y ellas las adquirían para hacérselas tragar al marido y asegurarse su fidelidad. A veces llegaba a la plaza del mercado algún solemne y elegante moro vestido de blanco, montado en un camello, seguido de tres o cuatro «esposas» que caminaban a pie, llevando sobre la cabeza voluminosos paquetes.

Por las noches íbamos al teatro, donde actuaba una pésima compañía peninsular que cantaba y bailaba fementidas españoladas. Las calles en cuesta, empedradas con agudos guijarros, resultaban intransitables para pies femeninos, así es que la señora de López Roberts y yo íbamos montadas en sendos burros, custodiadas por imponentes espoliques indígenas que prestaban servicio en la legación. Atisbábamos a veces la silueta misteriosa de un moro destacándose en la oscuridad de la calle bajo la indecisa luz de un farol. Olía a fritanga de sebo y a flor de azahar.

Turina quería verlo todo, enterarse de todo, detenerse a la puerta de las mezquitas para oír el clamor del almúedano o el rumor apagado de los rezos que se filtraba por las paredes. Estaba en éxtasis; el pedacito de atávica alma mora que como a sevillano le pertenecía vibraba con simpática emoción. Mauricio López Roberts se reía de sus entusiasmos: «Los primeros días está muy bien –decía suspirando–, pero si tuviese usted que vivir más de un mes en este perpetuo martes de carnaval andrajoso…».

A la vuelta visitamos Gibraltar, y pasamos, como todo excursionista que quiere seguir las buenas tradiciones, nuestro correspondiente contrabando de cigarrillos y chucherías indias. Estuvimos dos días en Algeciras. Como era durante la primera guerra mundial, el Peñón, con sus mil lucecillas, iluminado por el fulgor difuso de los proyectores que vigilaban el Estrecho, parecía un tul sembrado de estrellas. Paseábamos por la orilla del mar comiendo langostinos que comprábamos por una peseta en las freidurías: brillaba la luna; la sombra agigantada de las barcas de pesca se proyectaba sobre los paredones; como las barcas estaban levemente movidas por la resaca, las sombras oscilaban y a mí se me iba la cabeza; Turina se burlaba: «Se marea usted –me decía– hasta con la sombra del movimiento». Llegábamos a un triste y solitario Casino de tablas que se levantaba cerca del magnífico Hotel de los ingleses. La «orquesta» estaba formada por un pianista y un violinista que tocaban en el vacío valses melancólicos; éramos los únicos clientes, y conversábamos con la infeliz pareja casi hasta medianoche; halagados por la presencia del maestro, los músicos variaban un poco en honor nuestro su triste repertorio. Volvíamos al pueblo despacio, en silencio, respirando a pleno pulmón el aire marino perfumado con los aromas del jardín del Hotel, plantado de arbustos silvestres, tomillo, romero, espliego, menta.

Era muy agradable viajar con Turina, compañero ideal. Se ocupaba de todo: billetes del tren, alojamiento, itinerarios, horas de salida y llegada; hacía su maleta... y la mía por añadidura. A mí no me quedaba más ocupación que la gratísima de dejarme vivir en plena pereza. Recordaba al otro compañero de viaje, Manuel de Falla, para quien todo era conflicto, dificultad, tortura.

De nuestra excursión nació el *Álbum de viaje*, colección de piezas para piano compuestas por Turina sobre unas cuantas coplas que yo iba escribiendo, no con ánimo de que se insertasen en el *Álbum*, sino para proporcionar punto de partida, pretexto o trampolín a la inspiración musical. Tengo el honor de que el *Álbum* me esté dedicado. La primera pieza se titulaba originalmente *La compañera de viaje*, mas cuando se corrigieron las pruebas, Falla, en un ataque de escrúpulo sobreagudo, decidió que el tal título me comprometía horrorosamente, y Turina, aunque de mala gana, le cambió por el de *Retrato*, lo cual tampoco dejó muy satisfecho al objetante porque, según él, el tema melódico se parece demasiado a mí, sobre todo una serie no sé si de arpegios o de escalas cromáticas que corre no sólo en el *Retrato*, sino en toda la obra, y que al parecer es la fotografía exacta de mi risa. ¡Música celestial!

¡Qué cosa tan triste es para una mujer haber llegado a vieja, aunque siga riendo por costumbre tan cromáticamente como a los treinta años!

«HELIOS»

A FINES DE 1902, ya el espíritu inquieto y emprendedor de Gregorio Martínez Sierra había imaginado una aventura. «Puesto que es tan difícil –pensó– que periódicos y revistas importantes admitan trabajos de los jóvenes y den a sus nombres la indispensable publicidad que les permitiría ser leídos y entendidos, ¿por qué no ser nosotros mismos nuestros propios voceros y pregoneros, por qué no publicar nuestra propia revista y lanzar a la calle nuestra mercancía? Pero –siguió pensando– no una revista de tres al cuarto, modesta y humilde, sino una revista elegantemente presentada, moderna y no modernista, con buen papel y mejor contenido, con perfecta impresión, en cuya lista de colaboradores anden mezclados los nombres de aquellos escritores que ya ensalza la fama –con tal que, a nuestro inexorable juicio, valgan la pena– con los nuestros que, a duras penas, empiezan a sonar.» Una revista, en suma, que no tuviese aspecto de tímida intentona, sino de acabada realización, que desde el primer número pareciese llevar años de vida próspera. Y así se hizo. ¿Cómo?

Éramos cinco, grupo esperanzado, trabajador, con tolerable fe en nuestro valer y absoluta seguridad en nuestra propia estrella, tanta que si alguna noche de primavera, paseando juntos por las calles de Madrid, la veíamos brillar en lo alto del cielo, no faltaba entre nosotros quien imaginara y dijera que no era tal estrella, sino luz vigilante en la más alta ventana de una torre... la que guardaba nuestro destino. La luz alumbraba, en la elevada estancia, la mesa de nuestro estudio; la ventana por la cual se escapaba nos abría camino para escapar también nosotros de cuando en cuando por las celestes sendas del más desaforado ensueño. Éramos cinco: Gregorio Martínez Sierra y yo, Juan Ramón Jiménez, Pedro González Blanco, Ramón Pérez de Ayala. (Los cito en el orden en que fui conociéndolos.)

Mas empeño así necesita dinero para llevarse a cabo. Y nosotros, la verdad sea dicha, teníamos poco. No éramos desarrapados bohemios, no hacíamos deudas ni apañábamos trampas picarescas para ir viviendo; pero, excepto Ramón Pérez de Ayala, hijo de un comerciante asturiano más que medianamente rico, pocas veces teníamos un duro de sobra en el bolsillo. Yo, novel e inexperta «señora casada», procuraba administrar cautamente los caudales producto de mi sueldo de maestra y de nuestra conyugal literatura, fuentes de peculio, por el momento, harto escasas, haciendo con ellos no pocos milagros. Juan Ramón Jiménez, hijo de familia andaluza que, un tiempo bien acomodada, se había arruinado sin saber cómo –tradición perdurable en la tierra de María Santísima–, estaba en tratamiento en la clínica del famosísimo doctor Simarro, médico filósofo y amigo de poetas, para intentar curarse de una afección nerviosa: era un «melancólico» y, afortunadamente, no se curó nunca. Digo «afortunadamente» porque su melodiosa melancolía ha sido la fuente escondida entre aromos y jazmines de la cual han manado tantas bellas rimas. Pedro González Blanco, huérfano de padre que, al morir, dejó muchos hijos y pocos caudales, seguía sus estudios en la Facultad de Filosofía y Letras, y, lo mismo que mi marido, ganaba lo que podía en mal pagadas tareas literarias. A pesar de todo, decidimos cotizar cien pesetas mensuales por cabeza (cantidad considerable en aquellos tiempos) para pagar papel e imprenta, y fiar lo demás a la buena suerte. Creo recordar que también entró en el grupo cotizante un amigo aficionado a las bellas artes, Carlos Navarro Lamarca. Ello es que la revista, a la cual dimos el nombre de *Helios* –pienso que por mi apasionado amor al sol y a causa de mi no menos desordenada afición a la mitología griega–, salió flamante y elegante a primeros del año de gracia de 1903 y tuvo éxito completo desde el primer número. Verdad es que, además de nuestros cinco ingenios, colaboraron generosamente en ella Jacinto Benavente, que nos permitió publicar su comedia *La noche del sábado*, estrenada recientemente con éxito brillantísimo; los hermanos Álvarez Quintero, Rusiñol, Unamuno, don Juan Valera, Emilia Pardo Bazán y algunos más. Nosotros cinco hacíamos de todo: novela, poesía, crítica de literatura y de arte, filosofía, amén de traducir prosa y verso extranjeros. Sección peculiarísima de nuestra afortunada revista fue su «Glosario», conjunto de notas sobre todos los temas posibles que escribíamos todos y que se firmaba con el nombre de *Helios*, símbolo y cifra de nuestro afán común. Desde el primer momento, *Helios* se puso en primera fila y se consideró honra no pequeña figurar en sus páginas. Publicó con autorización de Navarro Ledesma buena parte del *Epistolario* de Ángel Ganivet, evangelio de patriotismo desesperado para la juventud de entonces. Estableciόse pronto correspondencia y cambio con revistas extranjeras. (Al salir de Madrid en 1936 dejé la colección completa de *Ermitage*, la revista de André Gide, que había conservado hasta entonces cuidadosamente. No sé si habrá logrado salir incólume de los azares de la guerra civil.) Para la difusión comercial de nuestro *Helios* tuvimos casual y excepcional ayuda: la casa editorial Salvat e Hijos, de Barcelona, publicaba una lujosa revista, *Hojas selectas,* de tipo literario-familiar, y había encargado a Gregorio Martínez Sierra de la sucursal administrativa en Madrid. Entre los propietarios D. Pablo y D. Manuel Salvat y nosotros se estableció bien pronto relación de amistad cordialísima, y para beneficio de *Helios* nos comunicaron generosamente su lista de corresponsales, ahorrándonos así tanteos difíciles y ocasionados a error.

Quince números se publicaron de *Helios.*[111] Fue el último, si mal no recuerdo, porque también la colección quedó en Madrid, el de abril de 1904. Todos los nombres que significaban algo en la literatura española del momento aparecieron en sus páginas: Antonio Machado, José Martínez Ruiz (aún no había adoptado el seudónimo de *Azorín,* que ha hecho olvidar un tanto su verdadero nombre), Navarro Ledesma, Francisco Acebal, Mauricio López Roberts, José Carner, Urbano González Serrano, Ángel Guerra, Manuel Machado, Alejandro Sawa, Manuel Ugarte, Luis Valera, Amado Nervo, Mosén Jacinto Verdaguer, Viriato Díaz Pérez, Julio Cejador, Emiliano Ramírez Ángel, Carlos Arturo Torres y tantos otros.

Angustia me causa repasar ahora la lista de colaboradores. La muerte se ha llevado a tantos de ellos, y en el grupo inicial y fundador falta quien le soñó primero, quien dio realidad al empeño con su testaruda ilusión, quien le sostuvo entre incontables dificultades con su esfuerzo tenaz: Gregorio Martínez Sierra.

Los cuatro que aún quedamos ¡somos tan viejos! ¡Y andamos tan dispersos! Juan Ramón Jiménez en Norteamérica; Ramón Pérez de Ayala, Pedro González Blanco y yo, en la

---

[111] *Helios* se publicó entre abril de 1903 y mayo de 1904. En total salieron 14 números de la revista que ha sido considerada la mejor revista del modernismo.

Argentina. Desterrados de la patria madre, vamos viviendo en este Nuevo Mundo, obstinados, para no decirle del todo adiós a la existencia, en tener por actuales las ilusiones de nuestra juventud. Yo, la más vieja de los cuatro, me llamo a mí misma «el decano de los conquistadores», ya que, a la hora en que hubiera debido desaparecer, he cruzado por primera vez el Atlántico y me he lanzado a descubrir América para mi uso particular. Los cuatro, en la hora que en otros tiempos marcaba el descanso de la senectud para aquellos que *bonum certamen certaverunt* tenemos que ganarnos el pan trabajando como a los treinta años. ¡Mejor! Con eso, no sentiremos llegar a la de la guadaña, que tendrá que segarnos deprisa y por sorpresa. Cierto, a Juan Ramón Jiménez le vi el año pasado en su sanatorio de Washington; y a mi afectuosa pregunta: «¿Cómo vamos, Juan Ramón?», respondió: «¡Ay, María, agonizando!». Pero no hay que tomarlo demasiado en serio, porque su agonía es su «melancolía», y esa lleva ya más de medio siglo de dar frutos lozanos. Poco después me dijeron que acababa de hacer una nueva excursión a Puerto Rico. Los otros dos no dan señal ninguna de decrepitud... ¡Vivamos, amigos! Sí, aunque el mundo que fue nuestra cuna y nuestro palenque se haya hecho inverosímil, aunque los jóvenes de hoy nos miren pasar como a fantasmas.

A mí, los fantasmas no me empavorecen; estoy acostumbrada a ellos. He vivido casi ciega años enteros, y, entonces, lo poco que alcanzaba a vislumbrar del mundo exterior se esfumaba en nieblas de fantasmagoría. Pasé hambre, en un rincón de Francia, durante los cinco años de guerra, y me quedé en los puros huesos.[112] He vuelto a ver, ¡alabado sea Dios!, y he vuelto a comer lo necesario, por lo cual casi toda la carne que cubre mi esqueleto tiene apenas un lustro de

[112] Los años de la Segunda Guerra Mundial los pasa en Niza.

existencia![113] Lo malo es que el músculo recién nacido –¡extraña solidaridad!– conserva y acentúa las arrugas del que se fue. Para no pensar en ellas con demasiada viva melancolía, he resuelto no mirarme al espejo más que en caso de extrema necesidad. ¡Sí, amigos, vivamos, aunque el mundo nos tenga por muertos! Esta persistencia en el existir, a pesar de tantísimos pesares, tiene ya un leve regusto de inmortalidad.

Aquella época de *Helios* ha sido tal vez la más feliz de mi vida. ¿Por qué? ¿Quién lo sabrá? Poco dinero, mucho trabajo, esperanza infinita. Yo no sé qué futuras bienandanzas se prometían de la vida aquellos compañeros de ilusión. ¿Qué mujer ha comprendido nunca del todo a un hombre, ni siquiera al que forma con ella pareja entrañable? Yo, hembra al cabo y responsable de un hogar modesto, casi completamente insensible a sueños de gloria literaria –antes de haberla visto pasar a mi lado ciñendo laureles a cuantos a mi lado la anhelaran sabía que era humo y vanidad–, había prendido mi desear a cosas materiales y terrenas: tranquilidad y belleza. Ganar con el trabajo bien hecho el dinero bastante para no tener nunca que pensar en él, casa bonita, cómoda y silenciosa, muebles de bella sencillez, buenas alfombras para andar sobre ellas sin hacer ruido, muchos libros, vajilla fina, cristales, porcelanas –la porcelana ha sido una de mis pasiones. ¿Volveré a ver nunca todos los bellos ejemplares que fui juntando en mis vagabundeos por Europa?–; ¡un jardín! Siempre he llevado en el corazón el huerto riojano en que jugué de niña. Me detenía ante los escaparates de las tiendas madrileñas, y contemplando los tesoros que deseaba poseer, no suspiraba con deseo codicioso, sino me repetía con alegre seguridad: «¡Todo esto llegará a ser mío!». Y lo fue. Claro es que

[113] En mayo de 1948 María se traslada desde Niza a París para operarse de cataratas y recupera la vista.

también de muy niña había aprendido casi de memoria el libro amargo de Tomás de Kempis y me había envenenado el alma de una vez para siempre su implacable afirmación de que todo es fugaz e inestable. Y en muchas ocasiones, contemplando alguna de mis futuras riquezas, pensaba: «Cuando te logre, acaso habré perdido la felicidad».

Hablaré un poco de aquellos tres amigos que, cada uno a su modo, completaban mi vida y lenta y sutilmente iban infiltrando en mi espíritu ciertos matices de pensar y sentir varoniles que pocas mujeres tienen el privilegio de adquirir (al menos en mi tiempo no le tenían) con naturalidad y sin tormentas.

Yo los tenías clasificados así:

Juan Ramón Jiménez: el amigo perfecto.

Ramón Pérez de Ayala: el amigo imperfecto.

Pedro González Blanco: el amigo fantástico.

* * *

Juan Ramón Jiménez encarnó para mí durante mucho tiempo el ideal de «fraternidad» entre hombre y mujer que tanto se sueña y casi nunca se consigue. Yo tenía mi vida sentimental colmada; él llenaba la suya con sueños inefables que tomaban como trampolín para el salto al infinito las figuras de cuanta mujer amable acertaba a pasar a su lado: hoy, una monjita del sanatorio; mañana, la bellísima esposa de un amigo... Hasta de las heroínas de nuestras primeras novelas: Lucita, de *Pascua Florida*; Lina, de *Saltimbanquis*; Blanca y Rosalina, de *Cuentos de labios en flor*, tenía la dulcísima costumbre de enamorarse; para todas ellas ha compuesto versos que andan por esos libros y por esos mundos mezclados con nuestras prosas. Su amistad era leal, sin recelos ni envidias: él poeta en verso, nosotros prosistas, ¿qué rivalidad cabía entre uno y otros? Él ha puesto título a casi todas nuestras novelas largas y cortas: *Tú eres la paz, Golondrina de sol, Margarita en la rueca.* Cuando escribimos para acudir a un concurso literario *La humilde verdad,* como llegase el plazo de entrega y el manuscrito estuviese sin terminar, pasó la noche en claro copiando con nosotros, y así el manuscrito –aún no usábamos máquina de escribir– fue a manos del jurado con tres letras distintas: la nítida y perfecta de Juan Ramón Jiménez, la clarísima y neta de Grogorio Martínez Sierra, y la mía, un tanto desigual e indisciplinada.

¡Cuántos mediodías, mientras almorzábamos, daba él vueltas alrededor de nuestra mesa picando ya una patata frita, ya una raja de chorizo, porque a pesar de su alma poética, era tan aficionado como yo al sabroso embutido riojano... Mi marido, a quien impacientaba un tanto su «revolotear», solía decirle: «Siéntese usted y coma de una vez.» Mas él nunca aceptaba la invitación, porque no quería dejar de acompañar a la mesa a su médico, amigo y huésped, el doctor D. Luis Simarro, por el cual sentía entrañable afecto.

Por entonces, sin duda a causa del exceso de trabajo –aún no había renunciado a ser maestra de escuela– tenía yo el apetito completamente perdido y estaba delgada como un junco. El médico recetaba bistecs sangrantes; a mí érame imposible comerlos; se me quedaba la carne atravesada en la garganta. Juan Ramón Jiménez traía de la farmacia sellos vacíos, y con paciencia, picaba el bistec, rellenaba los sellos y no se marchaba hasta que había conseguido hacérmelos tragar sin dejar uno. Siempre que yo tenía bombones o chocolates, le guardaba su parte; él también me traía a días una rosa, a días parte del frasco de perfume que para él había comprado: un día en que compró tres magníficas corbatas –era presumido y atildadísimo en el vestir– me trajo una: era el tiempo en que las damas empezábamos a usar blusas de camisero y, con ellas, corbatas de hombre. Casi todos los atardeceres venía a nuestra casa. Gregorio andaba, como diríamos en México, «haciendo la lucha», corriendo imprentas, tratando a amansar a algún empresario para que consintiese en leer una de nuestras comedias; yo, aprovechando las últimas luces de la tarde, escribía con lápiz –siempre he manejado muy mal la pluma, y la tinta es aún mi mortal enemiga–; Juan Ramón se acercaba a la ventana que daba sobre un jardincito de los pocos que ya iban quedando entre las calles de Madrid, y decía versos frente al cristal, buscando rimas, puliendo estrofas. Cuando ya no se veía a escribir, hablábamos: yo me burlaba un poco de su melancolía; él se dedicaba a hacerme rabiar –achaque inmemorial de hermanos– burlándose a su vez de mi prosaico e inalterable buen humor, echándome en cara mi risa, en la cual, para ponerle un poco de poesía, se obstinaba en encontrar una «veladura violenta».

En nuestra casa, varios años después, se decidió su casamiento con la admirable mujer que lleva tantos años de ser su abnegada y leal compañera, Zenobia Camprubí. A ella, indudablemente, le agradaba muchísimo el «puro poeta», mas no acababa de decidirse. Vivíamos en una casa nueva de la calle de Alcalá y teníamos una terraza florida. Allí, una tarde en que los cuatro, Gregorio Martínez Sierra, Juan Ramón Jiménez, Zenobia y yo, hablábamos, comiendo golosinas, del Sol, la Luna y las estrellas, como se acostumbra siempre que se quiere celar más o menos lo que, en realidad, embarga el pensamiento, mi marido, cansado sin duda de disimular, dijo bruscamente dirigiéndose a Zenobia: «Dígale usted a este hombre que sí o que no, para que nos deje vivir a nosotros». Zenobia –lo recuerdo bien– se echó a reír, más pienso que en su risa iba el *sí* deseado, porque salieron de nuestra casa juntos, y poco después se formalizó el «compromiso».

Ni un solo recuerdo desagradable tengo de mi larga y serena amistad con Juan Ramón, ni una sombra, ni un momento de vaga hostilidad inconfesada. Siempre me fie de él sin posibilidad de recelo ni duda. Si alguna vez hemos discutido, siempre un poco de broma afectuosa ha puesto el lubricante necesario a nuestras palabras contradictorias. Pocas veces hechos hablado completamente en serio, pero él sabía entender mi burla alegre y yo comprendía a las mil maravillas su ironía melancólica.

A él está dedicado nuestro libro *Motivos*, recuento de impresiones de nuestro primer viaje fuera de España, y él, como de costumbre, le puso título. Cartas suyas guardaba de aquellos días: supongo que aún existen; en una de ellas, estando yo en Bruselas sola por azar, me decía: «¿Qué hace usted entre bruma, oro y resignación?» (Así veíamos entonces los poetas españoles a Bélgica.) «Si no escribe usted un libro admirable, es usted una española inofensiva». Este era el tono de nuestra amistad.

* * *

Ramón Pérez de Ayala, el amigo imperfecto, era y sigue siendo algo bien distinto. Inteligente, agudo, culto, curioso de saber, ansioso de vivir, todo ello en grado sumo. Tiene su organización espiritual una particularidad que no he encontrado más que en él: la disociación absoluta entre el entendimiento y el alma, entre el conocer y el sentir. Además, educado por jesuítas, aprendió de ellos en la infancia, no sólo a sortear y desnredar laberintos espirituales, sino –merced a su privilegiada sagacidad– a trazarlos y plantarlos por cuenta propia. De todo lo cual resultó, o yo mucho me engaño, y le pido perdón si mal le juzgo, un escepticismo total. No pienso que él crea en norma ninguna ni acate regla, venga de donde viniere. Conoce a Moisés y entiende a Kant perfectísimamente, mas no pienso que el Decálogo ni el imperativo categórico le hayan quitado nunca un minuto de sueño. Ya en la lozana juventud daba la impresión a quien como yo le escuchaba en silencio –pocas veces he tenido con él lo que se llama conversación particular, pero le he oído conversar en «el grupo» afirmando, negando, disertando, dirigiéndose a los otros varones que le formaban–. Yo en silencio admiraba, disentía, me indignaba acaso no pocas veces, procuraba comprenderle sin lograrlo del todo. A veces, en su brillantísimo cinismo, se encendía una chispa de ternura casi infantil. Eso explicaba que pueda ser un mismo ente humano autor de *La paz del sendero* y de *Tinieblas en las cumbres.* Y todo con la misma perfección porque, por encima de todo, Ramón Pérez de Ayala es un gran escritor. Acaso no cree sino en las que un crítico inglés ha llamado «las virtudes de la forma».

En amistad era lo mismo: voltario, desconcertante, afectuoso ahora, despegado y hostil poco después. Durante largos días era para nosotros artículo de fe su adhesión leal: de pronto, una ola turbia surgía quién sabe de dónde y nuestra fe tenía que marcharse a paseo. Recuerdo una carta suya recibida por Gregorio en Bruselas que, literalmente, me llenó de espanto. ¿A qué, por qué aquel exabrupto incomprensible e inútil? Pensaba al leerla en unos cuantos días absolutamente felices que su amistad nos había proporcionado el verano anterior. Fue de esa suerte: Escasos de caudales andábamos nosotros a la sazón; mas unas cuantas horas de trabajo extraordinario nos habían dado lo bastante para permitirnos salir de Madrid huyendo del calor asfixiante durante las cortas vacaciones –veintisiete días– que en aquellos tiempos se consentían a los maestros de escuela. ¿Adónde ir en busca de un poco de aire fresco? Asturianos son tanto Ramón Pérez de Ayala como Pedro González Blanco, y ambos salieron para su tierra en cuanto en Madrid asomaron los calores. Antes de marchar nos convencieron de que debíamos seguirles. Así lo hicimos, ¡qué viaje aquél! Para entrar, viniendo de Castilla, en el paraíso asturiano, es preciso atravesar unos cien túneles. Y estaban todos llenos de humo, que aún no se usaban para recorrerlos locomotoras eléctricas. El calor, la falta de aire, el polvo del carbón entrando en los ojos y en la garganta me tenía medio muerta de asfixia y de sed. Al salir de uno de aquellos intestinos del monte, en la estación de Puente de los Fierros, voces alegres gritaron nuestros nombres: allí estaban nuestros dos asturianos amigos, que habían salido a nuestro encuentro decididos a darnos en las últimas horas del viaje el consuelo de su compañía. Traían las manos –como la paloma del Arca en el pico la rama de olivo– sendas cañas a las cuales venían atados ramitos de cerezas. ¡Con qué delicia comí y saboreé la fruta fresca! Pedro González Blanco había prometido buscarnos acomodo en cualquiera de los pueblecillos de la costa. «¿Dónde vamos?» –pregunté confiadamente–. Él no respondió. Había olvidado su promesa. Respondió Ramón Pérez de Ayala: «A mi casa... a Noreña».

Noreña, pueblecito en el interior, no muy alejado de Oviedo, es uno de los rincones del mundo que bien pueden tenerse por trasunto del Jardín del Edén. Allí tenía la familia de Ramón una casa con huerta en la cual la familia acostumbraba a pasar el verano. Muerta ya la madre, retenido el padre en Oviedo por sus negocios, no estaba en la casa más que la gente joven: Cirilo, el hermano casado, con su mujer y dos hijitos; la hermana soltera, Asunción. En resumen, ninguno de los allí reunidos habíamos cumplido los treinta años, y en la casa, en la huerta, bajo las majestuosas arboledas de los caminos, entre las zarzas de los senderos, vueltos a la infancia, formábamos una república de chiquillos que ni pensaban, ni trabajaban, ni hacían otra cosa que dejarse vivir. Las mujeres y los pequeños dormíamos en la casa. A los hombres, incluso a su marido, la señora casada los había obligado a buscar acomodo en la fonda. Así, había para todos perfecta libertad, una de las condiciones de la felicidad, y supongo, juzgando por mí, que todos éramos casi perfectamente felices. Los varones aparecían en la casa ya bien cerca del mediodía. Ramón Pérez de Ayala parecía un ser completamente distinto de aquel indescifrable intelectual que en Madrid presumiera de cínico. Allí no era Pérez de Ayala, era sencillamente «Ramonín», como le nombraban todos los suyos. A un héroe, por mucho que lo sea, nunca le toma su familia completamente en serio. Comidas de abundancia homérica, unas veces en casa, otras en el campo, que empezaba a la puerta misma del caserón, horas de pereza en el huerto. Ramonín recitaba algunos verso de *La paz en el sendero*, que estaba componiendo; largos paseos en la tarde y hasta bien entrada la noche bajo las rumorosas arboledas. La hermana soltera andaba enamorada; su novio venía con nosotros; hablaba quedito y aparte. Cirilo, el hermano casado, daba el brazo a su esposa, que aguardaba un nuevo bebé y apoyaba en él su fatiga, cariñosamente; mi marido y Ramón hablaban de literatura; González Blanco filosofaba a voces, como sigue siendo su costumbre, pienso que consigo mismo; alguno, de vez en cuando, cantaba una melancólica o guasona copla asturiana; nunca me he sentido más llamada al silencio que en aquellos días. Pocas palabras habré pronunciado durante nuestra estancia en Noreña. La belleza de Asturias me quitaba el habla.

¿Cuántos días fueron? Según los cuente a lo extenso o a lo profundo, en el recuerdo, me parecen unas pocas horas o una eternidad. Por eso, cuando acierto a recordar al «amigo imperfecto», no puedo menos de sonreír agradecida y afectuosamente acordándome de «Ramonín».

* * *

Pedro González Blanco, «el amigo fantástico», era, en aquellos días de juventud, paradoja hecha carne.[114] Todo lo discutía, todo le atacaba y defendía alternativamente con el mismo ardor. Lector omnívoro, de memoria infalible e increíble, inteligencia aguda y despejada que, por exceso de rapidez, caía a veces en vertiginosa. Dábale entonces por la Filosofía. Después se ha enamorado de la Historia. En aquellos días era tan poco patriota como casi todos los de nuestra generación. Luego, ya en completa madurez, le ha sobrecogido un apasionado amor a España. Escribía con agilidad –creo que siempre ha sabido muchas más palabras castellanas que todos nosotros–, aprendía las lenguas extranjeras como en juego; traducía despreocupadamente y casi con tanta rapidez como hablaba. A pesar del vértigo que, en ocasiones, me causaba oírle, me entendía con él intelectualmente mucho mejor que con los demás del grupo. Parecíame que le interesaban dos cosas que me preocupaban a mí también, y que a los otros parecían traerles sin cuidado: el problema moral, es decir, el sentido de la conducta, aunque sólo fuese desde el punto de vista teórico, y el ansia de saber y de aprender. También una indudable preocupación religiosa que, por el momento, influido como estaba por Nietzsche, más bien se traducía por la negación; mas el negar apasionadamente

---

[114] Desde Niza María le escribe una carta a Ramón Lamoneda, dirigente socialista exiliado en México y gran amigo de nuestra autora, en la cual le dice que él es el que más sabe de su trabajo político mientras que González Blanco es el que más sabe de su trabajo literario, «[a]sí es que entre los dos cuando yo me muera, podrán ustedes escribir mi biografía y bueno es ir cuidando la reputación póstuma antes de haber salido de este pícaro mundo». Carta del 8 de mayo de 1949. (Archivo Lamoneda, Fundación Pablo Iglesias, legajo ARLF 166-16.)

indica la ansiedad casi tan claramente como el afirmar. En esta provincia del pensamiento, yo andaba por entonces por el trance de perder la fe y en el empeño de agarrarme a ella voluntariosamente porque me dolía decir adiós a tantos bellos sueños de mi infancia, y me complacía que un hombre pudiese dar importancia evidente a un orden de sentimientos y meditaciones que casi todos los varones de España consideran entretenimiento exclusivo de mujeres.

Otro parentesco me unía con aquel intelecto privilegiado; su absoluta carencia de vanidad. Despreciaba la gloria literaria tan absolutamente como yo. Mas, paradoja un poco extraña, yo, que no la quería para mí, la hubiese deseado para él como para todos los demás del grupo, y a veces le reñía porque no se esforzaba como los otros en lograr nombre y fama con labor coherente y obstinada. «Ya ha leído usted bastante –solía decirle en son de reproche–. Ya es hora de que escriba usted por su cuenta.» Él, naturalmente, no hacía caso ninguno de mis consejos. Prefería vivir (lo que los hombres jóvenes llaman vivir) y, para descansar de «la vida», seguir atracándose de letra impresa. En la madurez ha dado su fruto aquel devorar. Los caminos de la inteligencia son muchos y dispares; ahora que yo tengo casi perdido el gusto de escribir, escribe él con incansable perseverancia, como si tuviese veinte años.

En amistad, ya lo he dicho, era «fantástico». Tan pronto venía a buscarnos tres veces al día como desaparecía quincenas enteras. No sabíamos si estaba enredado en desaforada juerga o enterrado en una biblioteca royendo textos viejos. Volvía del destierro con toda naturalidad y sin dar explicación ninguna. A veces, las ausencias eran más largas. En diez años –de 1900 a 1911– vino tres veces a América. Siempre «emigraba» inesperadamente. Cruzaba el mar como otro cruza la plaza de su pueblo. Solía irse a Cuba. Volvía a Europa fumando con empaque magníficos puros cubanos. Nunca contaba sus aventuras de ultramar. Pocas veces se habrá dado hombre más hablador y más secreto. En muchas ocasiones me ha parecido su exuberante y brillantísima conversación esa nube de humo en que los barcos de guerra se envuelven para hacerse invisibles al enemigo. Su comunicación jamás es confidencia.

Ahora, de viejo, escribe como nunca y lee como siempre. Su preocupación religiosa persiste, pero ya no niega. Aquella su agitación infatigable se ha aplacado. Es tan tranquilo que a veces a mí, por contraste, me inquieta. Porque yo llevaré mi inquietud, ¡todas mis inquietudes!, no digo hasta el sepulcro, que no pienso tenerle, sino hasta el mismo instante del último suspiro.

¡EUROPA, EUROPA![115]

[115] Este capítulo lo dedica a su estancia en Europa desde octubre de 1905 y el otoño de 1906, con una beca de estudios de La Escuela Normal Central.

AÑO 1905. El médico me dice: «Si quiere usted salvar la vida a su marido, llévesele usted lo más lejos posible de Madrid».

—Pero ¿es tanto el peligro?

—¿No oye usted cómo tose? ¿No le da a usted miedo oírle toser? Su casa es un foco de tuberculosis. Ya, el haber salido de ella casándose tan joven, le ha librado de perecer a los veinticinco años, como perecerá su hermano segundo, a quien no quedan sino pocos meses de vida; ahórrele usted el probable contagio, el espectáculo de la agonía. El hermano más pequeño también está perdido sin remedio, pero sin duda por estar enfermo desde la infancia ha desarrollado poder de resistencia inverosímil; vivirá algún tiempo e irá contagiando a todos los que restan. Gregorio no resistiría. ¡Llévesele usted!

(Cumplióse la terrible profecía: de los ocho hermanos, murieron en pocos años cinco; tres varones y dos hembras.)

¡Llévesele usted! ¿A dónde y cómo? La vida, por lo visto, estaba fuera, pero el pan cotidiano, sin el cual no se vive, estaba para nosotros en Madrid: mi escuela, *Hojas Selectas*, las colaboraciones en unos cuantos periódicos, algunas traducciones... ¡Si hubiéramos tenido un oficio manual! Un amigo, ebanista y también amenazado de la terrible enfermedad, salvó su salud lanzándose a recorrer Europa como los antiguos «compañeros». Manufacturaba primorosas cantinas de marquetería para los automóviles de lujo (iniciaba entonces el automóvil su carrera triunfal), y así el amigo, llevando por todo equipaje su estuche de herramientas, iba ganando el pan y escalando los Alpes, Suiza, el Tirol, los Cárpatos, con toda calma. Bajaba a las ciudades a contratar trabajo y a entregarlo, y subía a los montes a trabajar. Entonces, las condiciones sociales en general eran malas e injustas, pero al menos el trabajo era libre; las fronteras nada significaban fuera del registro aduanero, y hombre que dominara su oficio excelentemente, en todas partes podía vivir de él sin que nadie le pusiera trabas.

Un oficio. Gregorio era habilidoso y primoroso para todo trabajo mecánico; yo sabía trenzar encaje de bolillos: Esto era todo, ¡menguado bagaje! Nuestro estuche de herramientas estaba debajo de la bóveda craneana y no podía funcionar sino en lengua española, ¡pícara suerte!

Pensando, pensando, recordé que la Escuela Normal Central otorgaba anualmente una beca para estudiar en el extranjero a una de sus antiguas alumnas. Se ganaba por oposición y había que presentar y defender una Memoria. ¡Pensado y hecho! Presenté mi solicitud y me puse a estudiar desaforadamente. Faltaba convencer a mi marido, que, como casi todos los madrileños, sentía repugnancia formidable a salir de Madrid. Precisaba decidirle al viaje, sin explicarle por qué era imprescindible emprenderle. Conociendo su apasionada afición a vivir y su grandísimo terror a la muerte, jamás me hubiese yo arriesgado a decirle que tenía la vida en peligro. Afortunadamente, entre hombre y mujer que bien se quieren existe un argumento femenino que pocas veces deja de rendir al varón. Este motivo incontrastable y casi infalible es… el capricho. ¡Hay que ver y admirar lo fuerte y superior que se siente un hombre cuando, con aquiescencia benévola, cede a la incomprensible y pueril voluntad caprichosa de su hembra! Imaginé, pues, el capricho de salir de España inmediatamente. Suerte que para fingir encaprichamiento no tuve que mentir el deseo. Años llevaba anhelando ver mundo, haciendo planes, estudiando mapas, alineando cifras en el ansia de combinar nuestro al parecer imposible primer vuelo. Cuántas veces había suspirado: «¡Ser la Tierra tan grande y no conocer de ella más que un pedacito tan pequeño!».

Al principio, mi plan le pareció descabellado. ¿Dejarlo todo, arrancarse de todo lo habitual, abandonar las probabilidades que estaban empezando a presentarse... y, además, el trabajo suplementario que representaba para mí la preparación de las oposiciones? Esta objeción me proporcionó el arma decisiva:

—¿Trabajo para mí? Descanso y no pequeño. Figúrate, si consigo la beca, un año entero libre de las inexorables ocho horas de escuela, doce meses seguidos de no estar obligada a saltar de la cama al amanecer, dejándote dormido, para estar a las ocho en punto en clase, trescientos sesenta y cinco días sin tener que levantarme de la mesa con el bocado en la boca –¡con lo que a ti y a mí nos gusta charlar de sobremesa!– para estar a las dos explicando a mi centenar de muñecas que la Tierra es redonda aunque no lo parezca, y que Caín mató a su hermano Abel «por envidia de su virtud». ¿Trabajo para mí? ¿No ves cómo estoy quedándome en los puros huesos a fuerza de trabajar? Si continúo adelgazando de este modo, me voy a poner tísica.

El disparo dio en el blanco. La saeta de la verdad, cambiando la dirección, había, sin embargo, llegado a su destino. Estudié lo preciso, defendí mi *Memoria*, gané la beca, y el primero de octubre del año 1905 tomamos el tren camino de Francia. *Incipit vita nova!*, pudimos gritar con palabras de Dante.

Nuestra primera parada fue en Burdeos, ciudad que nos pareció tan grande y animada que casi nos pesó haberla conocido antes de llegar a París, porque pensábamos, en nuestra inocencia de viajeros inexpertos, que su impresión de vida y movimiento pudiera restar algo al hechizo de maravillada sorpresa que descontábamos en nuestro primer encuentro con la capital de Francia, «segunda patria de todo ser inteligente», como se acostumbraba a decir entonces. Llegamos de noche; alojámonos, por consejo de un mozo de estación, en el cercano hotel Saint-Jean, modesto, pero limpio, con cama excelente como casi todas las de los hoteles de Francia. A la mañana siguiente inauguramos la serie de menudas felicidades previstas: despertar ambos a un tiempo, perezosear un rato en la cama, ausencia de obligación urgente, hacernos servir el desayuno antes de levantarnos, voluptuosidad no gustada por mí más que una sola vez en la vida hasta entonces, la mañana siguiente a mi noche de bodas, cuando la madrina y el padrino vinieron a sorprendernos con sendos tazones de café y formidable platada de churros y buñuelos «calentitos». Calentitos estaban también y apetitosísimos los panecillos bordeleses, delicioso el café, fresca y con sabor a avellana la mantequilla servida, como en la montaña de Santander, en forma de caracolitas. Antes de 1914, a Francia, con arraigado sentido gastronómico, no se le había ocurrido adulterar los alimentos.

La curiosidad nos lanzó bien pronto a la calle; hubiéramos querido verlo todo en medio minuto. A mi compañero, lo que más le interesó fue el puerto, con su trajín de vida negociante y próspera. A mí me sobrecogió el color negro aterciopelado de las viejas piedras en iglesias y monumentos. Antes de salir de España había visitado León y Ávila, y recordaba los sillares de sus catedrales, murallas y palacios dorados por el sol. Mi sorpresa no fue desilusión; al contrario, aquellas ennegrecidas piedras me resultaban más «históricas» que las nuestras color de pan tostado; y como entonces estaba yo mucho más enterada de la historia de Francia que de la de España, me hallaba más en mi elemento «Edad Media» al amparo de aquellas torres grises, de aquellos enmohecidos arbotantes. (A la juventud femenina de mi tiempo, influida por Bécquer y demás románticos, le fascinaba lo medieval.) Fue preciso todo un año de peregrinación por la Europa central y norteña para que, al volver a la patria, se me revelase de pronto el encanto deslumbrador de su esqueleto pétreo dorado a fuego.

Almorzamos en un ruidoso café de la Grande Place, frente al teatro, que estaba cerrado, síntoma que hubiera debido advertirnos del tedio infinito que es la vida de toda capital de provincia francesa, por muy próspera que sea comercial o industrialmente. Francia no se divierte más que en París, en Marsella y en Niza, pero eso no habíamos tenido ocasión de aprenderlo, y el ruido y el vaivén de los trajinantes bordeleses, de los a nuestro parecer innumerables vehículos –todos aún tirados por caballos–, el hablar rápido y la gesticulación bastante meridional de las gentes se nos antojaron expresión de vertiginosas diversiones.

Para comprender esta impresión es preciso pensar lo que era Madrid a principios de siglo. La capital de España en los últimos diez lustros se ha convertido en gran ciudad, sobre todo merced al dinero que ganó nuestra patria neutral, como proveedora de las naciones beligerantes durante los cuatro años de la Gran Guerra (1914-1918). Pero en 1905 aún no pasaba mucho de ser lo que alguien ha llamado *un lugarón manchego*. Fuera del Paseo de la Castellana –del Hipódromo a la estación del Mediodía–; fuera de la Cuesta de San

Vicente, transformada en Paseo y hermoseada por los jardines que la reina regente hizo plantar al pie del Palacio Real en el antiguo Campo del Moro, refugio tradicional de gente miserable y aun maleante; fuera del indudable encanto –hechizo misterioso, puesto que aunque se goza no se sabe bien en qué consiste– de la calle de Alcalá, la Villa y Corte de Madrid no tenía grandes atractivos urbanos: las calles eran estrechas, sucias y mal empedradas; las tiendas, mezquinas, con escaparates pequeños y mal arreglados; los cafés, si animados porque los madrileños tenían el vicio de pasarse en ellos la mitad de la vida, sucios también; los mercados, infectos; el alumbrado público, nada deslumbrante; los teatros, incómodos; los medios de transporte, anticuados. Su cielo y su luz clara le daban, en verdad, alegría ambiente, y el aroma del café que los tenderos de comestibles tenían costumbre de tostar por las mañanitas en plena calle le prestaba cierto regusto ultramarino y tropical que hacía soñar... con embarcarse rumbo a las perdidas colonias.

Salimos de Burdeos a la mañana. Tomamos billetes de tercera clase; éramos jóvenes y aún el cuerpo no temía el cansancio y pensamos que los cincuenta francos que economizábamos podrían servirnos para pagar alguna de las exquisitas delicias parisienses que en anticipación íbamos ya saboreando.

¡Viaje horrendo! El vagón que logramos alcanzar iba casi completamente ocupado por niños ciegos mal vestidos y peor lavados –sin duda asilados de un establecimiento benéfico que cambiaba de residencia–. Las pobres criaturas, durante las diez horas del trayecto, no cesaron de hablar a gritos, de cantar, de entrar y salir, de comer, tirando al suelo mal envueltos en grasientos papeles los restos de sus menguadas refacciones. El hedor era insufrible: en abrir las ventanillas no había ni que pensar dado el terror que la mayoría de los franceses siente por las corrientes de aire. A esto se unía el desgarrante sentimiento de lástima que inspiraban la vista y el contacto de tantos desdichados... Al fin llegamos a París. Era de noche. ¿Para qué decir la emoción exaltante de apearnos en la bien alumbrada y rumorosa estación de Orsay, de atravesar el Sena, sobre cuyas aguas de mármol negro se reflejan las luces multicolores que caen de puentes y barcazas, y luego, los jardines del Carrousel, con el arco romano a la izquierda y la mole inmensa y fantasmal –sombra entre sombras– de los palacios del Louvre a la derecha? Todo está narrado infinitas veces por incontables peregrinos, y cuantos es probable que lean este libro lo han experimentado por cuenta propia. Recuenten, pues, sus propios recuerdos, en lugar de leer las líneas que no escribo. Baste decir que en aquellos instantes, acurrucados, porque el frío era vivo, en el vetusto coche que guiaba un cochero de faz rubicunda y chistera de hule blanco, éramos intensamente felices.

Poco duró el encanto. Encaminámonos a un hotel cuyo nombre, «Hôtel d'Hollande», parecía prometer comodidad y aseo. Habíanosle recomendado encarecidamente en Madrid un amigo poeta cuyo nombre no quiero recordar por no agraviarle con el recuerdo. Escarmentada yo por la noche pasada semanas antes en un fementido hotel abulense, había insistido al escuchar su recomendación: «Pero ¿está limpio?». «¡Claro que está limpio!», había respondido el amigo altivamente. ¡Ay de nosotros! Ya desde el vestíbulo estrecho y con la alfombra más que gastada, el olor a grasa requemada y a perfume barato habíanme, como dicen en Francia, «levantado el corazón». Pero cuando el camarero abrió la puerta de la habitación y desapareció habiendo dejado en el suelo las maletas, al ver la cama recubierta con el gran edredón de satín rojo recamado de manchas infectas, las sábanas grises, el papel de las paredes desvaído y arañado, las míseras cortinas de la ventana, a las cuales faltaba una cuarta para llegar al suelo, el lavabo con la jofaina rajada y el tapón de corcho atado de un cordel, las toallas al parecer lavadas y planchadas, pero oliendo a demonios, casi me eché a llorar... Y ¿a dónde ir? Eran las once de la noche, en ciudad completamente desconocida. Mi compañero de viaje, sobrecogido por el frío de la calle, tosía a más no poder. Le obligué a acostarse. El colchón era bueno, afortunadamente, y, rendido del viaje, él se durmió en seguida como una criatura; yo no pude decidirme a confiar mi cuerpo a aquellas sábanas; medio vestida, envuelta en la manta de viaje, habiendo regado la almohada con agua de Colonia, tendíme sobre el repugnante edredón, y allí pasé la noche tal vez más desvelada de mi existencia.

Apenas entró un poco de luz por la ventana y empezaron a sonar en la calle rumores de vida, me lavé y vestí a tientas para no despertar al durmiente y, dejando prendido en la almohada un papel que explicaba mi fuga, lancéme a buscar alojamiento. La calle estaba triste, el cielo gris, mas por ventura mía no llovía. Entré a templar el frío en un cafetín y tomé sobre el cinc mi desayuno. El café eran tan bueno que pedí me sirviesen ración doble; los *croissants*, deliciosos. Pagué con treinta céntimos de franco –*O tempora, o mores!*– y allí mismo empecé mis pesquisas. El propio cafetero me dio algunos informes; varios de los consumidores, una vieja que vendía cerillas a la puerta los completaron: el pueblo parisiense es cordial y amigo de servir a quien le pide ayuda siempre que el servicio no cueste dinero; ello es que una hora después, y sin salir del barrio, había encontrado el alojamiento ideal. Una buena señora, sola en el mundo, saboyana, es decir, medio suiza, y protestante, había decidido tomar huéspedes en una de sus habitaciones, y acababa de hacer la instalación. Nadie había dormido todavía en las dos camas de barnizado y reluciente pino, nadie había colocado sus ropas sobre las blancas tablas del armario; sábanas, mantas, colchas y edredones habían llegado la víspera del almacén; las alfombrillas, a la verdad más que modestas, pero que ningún pie había hollado, parecían tapices de Oriente; el lavabo relucía de limpio y en el *parquet* encerado se reflejaban las patas de las sillas. Con temor pregunté el precio. No podía ser –afirmó la patrona– menos de tres francos diarios, pero ella no quería ocuparse en dar de comer a los huéspedes ni permitía que, como es costumbre en los hoteles amueblados, ellos hiciesen sus guisotes en la habitación. A fuerza de zalamerías y con el aumento de cincuenta céntimos, logré convencerla de que debía darnos el desayuno: café, leche, pan, mantequilla y miel. La miel no se acostumbra dar tan de mañana en París, pero ya he dicho que nuestra futura huéspeda era medio suiza y seguía tradiciones alpestres. A mediodía habíamos pasado de Holanda a Saboya, y después de haber traspasado nuestro modesto equipaje de las maletas al armario que aún olía a pineda, estábamos comiendo en un Duval, en lo alto del bulevar Bonne Nouvelle. Pronto adquirimos la costumbre de cambiar el Duval por la *crémerie*, en la cual por el mismo precio –un franco cincuenta– podíamos saborear un par de huevos frescos al plato sobre una buena loncha de jamón, y un gran tazón de café *à la crème* o una botella de leche, amén de todo el pan que se nos antojara. En la tarde, encaramados en la imperial de un ómnibus, hicimos nuestro recorrido de orientación: los grandes bulevares –Bastille-Madeleine–. Bajando luego a pie por la rue Royale, desembocamos en la plaza de la Concordia, y desde la terraza de las Tullerías admiramos la inigualable perspectiva de los Campos Elíseos hasta el Arco del Triunfo; asomámonos un instante a los barandales de un puente y contemplamos los pálidos reflejos de la puesta de sol sobre el agua del río. El sol de Francia, íbamos observando, no tiene luz de oro, sino de plata. Cenamos –por ser el primer día decidimos permitirnos tal lujo– en la Cervecería Pousset, y de sobremesa, recontando impresiones, hicimos planes de diversión y de trabajo.

Porque era indispensable y urgente trabajar; la beca –unas cuantas pesetas papel, que no están los becarios como los diplomáticos pagados en oro– apenas alcanzaba a sufragar albergue y comida. Y en aquel año 1905 el dinero español perdía un 34 por 100 respecto de las demás monedas de la unión latina; yo seguía disfrutando en España mi sueldo de maestra, ¡7,50 pesetas diarias!; pero había tenido que ceder la mitad para pagar una auxiliar que me sustituyese durante mi ausencia. *Hojas Selectas* había suprimido su sucursal en Madrid. Traíamos colaboración para un periódico español, *Diario Universal*, que nos pagaba veinticinco pesetas por artículo y publicaba cuando más uno por semana. Las perspectivas inmediatas no eran muy halagüeñas, mas yo estaba contenta. Había temido que la aventura a que nos habíamos lanzado por mi voluntad y que se presentaba harto azarosa angustiase y molestase a mi compañero, que por su gusto no la hubiese emprendido; y estaba medio arrepentida de haberle arrastrado a ella, pero aquella misma noche me di cuenta de que no era así. París le había conquistado de golpe y para siempre en el primer día. Fue el flechazo, el *coup de foudre*, el amor apasionado a primera vista. Madrid había encontrado rival en su corazón. Muchos, innumerables días hemos vivido en la capital de Francia: nunca le he visto en ella triste ni aburrido, ni siquiera cansado o melancólico. En cuanto cruzaba, saliendo de la estación, el puente sobre el Sena, era feliz. Y no es que le atrajeran los famosos placeres parisienses: después de la primera obligada visita de turista a Montmartre, al Moulin Rouge, al Moulin de la Galette y demás reputados y tediosos antros, pienso que no volvió a frecuentarlos; iba, sí, a los teatros, a veces a tres en una misma noche, mas no como a espectáculo, sino como a fuente de información; a estudiar, no a divertirse; su vocación esencial fue la de director de escena, y para «doctorarse» en esa Facultad no desaprovechó ocasión ni momento. El aire brumoso de París tuvo indudablemente afinidad misteriosa con el pesimismo, acaso biológico, que fue característica fundamental de su espíritu, y gris con gris, no sé merced a qué desconocida alquimia, se engendraban en su pensamiento las exaltaciones necesarias a su bienestar interior. Hubiérase dicho que en París algún buen genio quitaba de sus hombros la carga de la vida.

No he sido nunca tan apasionada de la capital francesa. ¿Cómo no admirar desde luego y sinceramente cuantas maravillas muestra al peregrino que va a visitarla? Perspectivas urbanas incomparables, museos, bellos edificios, recuerdos del pasado, reunión en el presente de cuanto los demás países van creando en arte y en belleza, ya que ningún artista ni artífice del mundo cree del todo en su propio valer mientras no ha recibido el visto bueno de París. Decíase entonces: «París es el corazón del mundo». Con más exactitud hubiera podido afirmarse: «París es la feria del mundo». Además, antes de 1914, quedaba todavía en el aire –sobre todo en el Barrio Latino– cierto aroma de romanticismo; con un poco de buena voluntad, aún podía oírse a lo largo del bulevar Saint-Michel el eco de los suspiros de Mimí y del cantar de Musette. Más lejano, pero más profundo como esencia del alma femenina francesa, la risa desgarrada y codiciosa de Manón Lescaut.

Con todo eso, más la buena suerte de haber tropezado con el espectáculo de los *ballets* rusos, la más deslumbrante expresión de arte escénico en el siglo XX, de haber visto danzar a Isadora Duncan y a sus graciosas educandas, a pesar de la Venus de Milo y la Victoria de Samotracia, a pesar de los tristes amores de Peleas y Melisanda exaltados por las entonces desconcertantes pero apuñalantes –si así se me permite decirlo– melodías y armonías de Debussy, a pesar de la Feria de Neuilly y de tantos instantes maravillados como he pasado en aquellos primeros días y en tantos otros de tantos largos años, París, ni entonces ni después logró robarme el alma. No va con mi espíritu el de Lutecia. Admiro –¿quién no?– su altivo lema: *Fluctuat, nec mergitur,* que ha justificado en más de una tremenda ocasión de su historia, y que toda vida orgullosa de su padecer resistiendo puede tener por propio, pero su misma ruidosa agitación de compraventa universal abate mi espíritu produciéndome ese indefinible malestar –dolor de muelas en el corazón– que los franceses llaman *cafard,* y sus grises crepúsculos me dan melancolía.

Dos cualidades para mí preciosas le reconozco, sin embargo: incita a trabajar y deja vivir. Para quien ha nacido y ha vivido y luchado en España, cuyo aire luminoso disipa la mente y hace que el alma se pasee por el cuerpo con pereza sabrosa y deleitoso deseo de no hacer nada; para quien, español, se ha sentido siempre rodeado, atisbado, acechado, cercado por la envidia, morbo y fatal veneno de nuestra existencia nacional, París –para ser justos, Francia entera– es buen taller y puerto de calma. Siempre, en París, he trabajado bien: en cuartos de hotel más que modestos, en humildes pensiones de familia, oyendo caer la lluvia horas y horas… Aún tengo en la memoria el desaparecido Hôtel du Dauphin, en la tediosa calle de San Roque, pegado a la histórica iglesia. Veo su portal estrecho, su escalera en espiral, la habitación sombría ocupada casi toda ella por una de esas inmensas camas francesas; hotel limpio, es cierto, mas tan tenebroso que casi no podía apreciarse su limpieza; habíamos ido a dar en él por indicación de nuestro excelente y admirado amigo el notabilísimo novelista introductor y principal cultivador de la escuela realista en España, D. Jacinto Octavio Picón; teníale él por invariable residencia en sus frecuentes viajes a París. Era triste, triste, triste; el tedio rezumaba de sus paredes grises, la luz que pasaba a través de las muselinas de sus ventanas más que luz parecía impalpable ceniza y traía a la mente las más desoladas sentencias del Eclesiastés… y, sin embargo, allí, en una instalación pintoresca –un cajón de la cómoda sostenido en dos sillas sustentaba la máquina de escribir–, se tecleó con gozo espiritual parte del primero y casi todo el segundo acto de *Canción de cuna*; en París, en una pensión del barrio de la Estrella, está concebida y escrita en su mayor parte *Tú eres la paz*; en París, en un hotel del bulevar Saint-Michel también harto sombrío (Hôtel d'Harcourt), se escribieron los actos segundo y tercero de *Don Juan de España*; en París, en julio y agosto de 1917, en lo más angustioso de la Gran Guerra, entre visitas a hospitales y temor a zeppelines, está hecha la traducción de la tragedia *Romeo y Julieta*, de Shakespeare.[116] Y tantas otras páginas… Sí, en París se trabaja bizarramente porque lo exterior no distrae con sensuales blandicias panteístas y hay que refugiarse dentro de sí, ensimismarse para encontrar esa única justificación del vivir que nuestro Rusiñol ha llamado *claror de dintre.*

Por lo pronto, en nuestra primera visita, creo que los mejores momentos de nuestro paso por la gran ciudad no están, exaltantes como fueron y despertadores de tantos nuevos impulsos espirituales, en la contemplación de sus tesoros de arte y de Historia, sino en las largas horas durante las cuales, amparados contra la lluvia y el frío –¡qué desolado frío el de

---

[116] Desde París, en junio de 1917, María le escribe una serie de cartas a Falla en que le dice que está en esta ciudad «para ver cosas de la guerra» y que «[e]stoy contenta de ver estas tristezas principalmente por haberme ayudado a comprender que la humanidad vale la pena de que se olvide uno de sí mismo por ella» (26 de junio de 1917). Le comenta en otra carta que su socialismo es «sobreagudo» (3 de junio de 1917). (Archivo Lejárraga.)

París si se acierta a llegar a él en otoño dejando atrás el infierno de un verano madrileño!–, amparados, digo, y como secuestrados del húmedo ambiente en un rincón de café lo más cerca posible de la estufa, recontábamos impresiones, hacíamos proyectos de trabajo, trazábamos sobre el papel planes de futuras comedias esbozando y aun escribiendo escenas y diálogos, corregíamos pruebas de imprenta, vivíamos, en suma, para nuestro oficio y absortos por él, en soledad de dos, en egoísta satisfacción colaboradora. No creo que exista en el mundo plenitud de exaltada paz que pueda compararse a la de trabajar en común con alguien que nos entiende y a quien creemos comprender.

Duró un mes el encanto, cortado por una semana de enfriamiento con alta fiebre del compañero, que a mí me alarmó mucho, mas que, afortunadamente, pasó pronto y sin dejar huellas; tuvimos la suerte de que llegase Rusiñol, que nos sirvió de amistoso e incomparable guía en muchos característicos rincones de la ciudad. A mí me divertía todo, no sólo por bello, sino por nuevo y por distinto. Hasta las botellas precintadas en que nos servían la leche en el restaurante, hasta trepar a la imperial de los ómnibus, hasta oírme llamar *madame* o *ma petite dame* por camareros, vendedores y porteras. El día en que más impresión me causó el apelativo fue cuando se lo oí a la vieja –verdadera *bruja del candilejo*– que nos sirvió de guía para subir a una de las torres de Notre Dame. Tan espantablemente fea y antigua era la pobre dama, que un momento dudé si las palabras dichas en tono zalamero habían salido de su boca hedionda o de las fauces abiertas de negro musgo y amarillo liquen de la gárgola que, según dicen, representa al Diablo y que se ríe perdurablemente en aquella consagrada altura mirando hormiguear en lo hondo al París pecador. Nosotros, después de jadear subiendo los interminables escalones de la torre, no pudimos ver nada.

Pálida y diríase tembladora luz de sol iluminaba lo alto de la torre, mas sobre el caserío parisiense tendíase espesísima niebla. Si en las alturas –como ha dicho Goethe– siempre está el descanso, también no pocas veces se encuentra en ellas la decepción.

También era agradable para mí que ni en la calle, ni en los teatros, ni en los cafés me mirasen los hombres ni pareciesen darse cuenta de que yo existía. Acostumbrada a la modestísima insistencia con que, en España, los varones de toda clase, edad y condición siguen con la mirada a toda hembra como si le estuviesen tomando medida, esta suprema indiferencia de los franceses érame gratísima. Hablando de esto un día en Madrid con el maestro Vives, gran mujeriego y harto cínico, explicóme que los franceses, como tienen en casa cuanto necesitan y acaso más de lo que necesitan para satisfacer su apetito sensual, no reparan en el mujerío transeúnte, mientras los infelices españoles, como por infinitas causas sociales y económicas siempre están hambrientos o por lo menos a media ración, no pueden menos de mirar con codicia todo posible bocado que pasa. Es posible. El caso es que yo tan encantada estaba con el fenómeno, que recuerdo haber escrito por aquellos días una carta a mi madre en la cual afirmaba: «París es el ideal para una mujer decente». Y, a pesar de la experiencia de más de medio siglo, sigo afirmándolo.

Conocimos entonces al gran músico español Isaac Albéniz. Arrojado de la patria por incomprensión de sus compatriotas, que si le admiraban como pianista no consentían en reconocerle mérito como compositor, vivía admirado y halagado en París. En aquella época de cultura decadente y extranjerizada, los españoles acababan de descubrir la música alemana y no salían de su asombro, y Albéniz había cometido –siguiendo a Felipe Pedrell– el crimen imperdonable de inspirarse –¡qué ordinariez!– en la tradición popular española.

Era Albéniz hombre de mediana estatura, más bien grueso, poco atildado en el atuendo personal –verdad que yo nunca le vi sino dentro de su propia casa y siempre enfrascado en el trabajo aunque tuviese gente en derredor–. Sabía abstraerse en la tarea sin apartarse de los que le rodeaban –familia y amigos–, extraña y preciosa cualidad. Era furibundo y ruidoso anticlerical, republicano al estilo de la primera República española, buen comedor y bebedor, de champaña sobre todo; bondadoso y terriblemente gritador, por lo cual nadie le tenía miedo; padre amantísimo y esposo modelo, pero sin romanticismo ni melindre sentimental de ninguna clase. Comprendía su arte lo mismo que Sorolla su pintura, como oficio que se jactaba de llevar a la mayor perfección posible, pero sin complicación ni siquiera intención literaria. En resumen, era el tipo de hombre completamente opuesto al que los cineastas norteamericanos han forjado en la película, con la cual pretenden presentar al mundo su figura, y que es, a la hora presente, encanto y delicia de tantos sensibles corazones femeninos... A pesar de lo cual pasó de soltero a casado por modo romántico, aunque el romanticismo no fue cosa suya. Una linda y soñadora chiquilla catalana como él y que respondía al gracioso nombre de Rosina asistía asiduamente a sus recitales de piano, y con la complicidad de los dulces sones se había enamorado del virtuoso al modo irrevocable y decidido con que Julieta se enamorara de Romeo. ¿Cómo llegar a él? La chiquilla era de familia burguesa y no tenía relación ninguna con los «medios» artísticos. Mas ¿no ha dicho Shakespeare: «Cerrad la puerta al ingenio de una mujer, y escapará por la ventana?» Rosina imaginó un inocente ardid; en uno de los conciertos ocupó una butaca cerca del escenario y, durante uno de los pasajes más líricos de forma y más brillantes de ejecución, no pudo resistir la violencia de sus emociones... y se desmayó bellamente. Revuelo de un momento. Las personas que la rodeaban sacaron a la niña al vestíbulo; el pianista continuó tocando; pero, terminada su tarea, corrió a informarse del estado de su admiradora y a darle las gracias por la emoción. Rosina era bonita y lista y estaba realmente conmovida. El músico era joven y, ¿cómo no?, un tanto envanecido. Además, la enfermedad de amor, el *exquisito male* cantado por d'Annunzio, es contagioso. Pronto hubo boda... Y ni él ni ella tuvieron que arrepentirse nunca, ella de haber tendido la red ni él de haberse dejado apresar en ella. Esto, que tiene saborcillo de leyenda, y que los cineastas no han aprovechado, es la pura verdad. Contómelo la propia Rosina, que, madre feliz de un hijo buen mozo y de dos hijas ya casaderas, se divertía en recordar riendo el ingenuo ardid merced al cual ganó su dicha.

La familia Albéniz era el prototipo del hogar español –digamos israelita, que no hay nada más semejante al grupo familiar hispanojudío que la agrupación familiar judeohispánica. Apasionado y mutuo amor entre todos sus miembros que parecen formar un todo único, admiración de la mujer por el esposo junta con la más suave e inflexible tiranía femenina, respeto de los hijos al padre templado por la pasión del padre hacia los vástagos nacidos de su tronco, y orgullo de trabajar hasta el límite de las fuerzas humanas para criarlos como a hijos de rey, reconocimiento sin regateos por parte de todos de la soberanía materna. Verdaderamente, al ser admitidos en la intimidad cordial de aquel puñado de seres felices, se templaba el alma, y llegábase a imaginar que, a veces, el Destino se olvida o se cansa de atormentar a los hombres.

Poco duradera fue, sin embargo, aquella al parecer diamantina cristalización de serenidad. Albéniz murió joven –en 1909– antes de haber cumplido los cincuenta años. Hay que pensar en esto para darse cuenta, comparando su edad con su obra, de lo tremendamente que trabajó. Vivió poco, y sus últimos años no fueron felices aunque tuvieran todas las exteriores apariencias de la prosperidad. Amargólos una interior tragedia que sólo pueden comprender los que tienen por tarea crear en cualquier rama del arte. Todo el mundo ha oído hablar, aunque no todos hayan tenido ocasión de escucharla, de la bella e inspiradísima música con que exaltó el no menos bello e inspirado libro *Pepita Jiménez*, de don Juan Valera. (Extraña tal comprensión perfecta del alma andaluza por un catalán.) Entre los más apasionados admiradores de la obra peregrina se contaba un inglés cuyo nombre no he sabido nunca. El tal, a pesar de su andalucismo, lanzado a escribir por cuenta propia, no quiso o no pudo apartarse de las tradiciones de su raza, y compuso no sé si uno o varios libros sobre las leyendas del rey Arturo y de los caballeros de la Tabla –o mesa– Redonda. Cegado por su admiración, decidió que la música para las óperas que imaginara había de componerla Albéniz. Para asegurarse la exclusiva del trabajo del músico, apartándole de toda material preocupación, le señaló pensión magnífica en libras esterlinas, más el uso de una villa en Niza, situada en el entonces aún campestre barrio de las Beaumettes, cerca de Les Abeilles, villa con teatral aspecto de fortaleza medieval que Maeterlinck se había edificado rodeándola de suntuoso parque.

Y éste fue el negro drama. Albéniz, mente embriagada de sol andaluz, no encontró inspiración para musicar bellamente las brumosas imaginaciones del bretón o británico entusiasta. El rey Arturo no decía nada absolutamente a su fantasía, y herido en su orgullo de compositor, sin querer comprender que en un artista no es mengua, sino gloria, la fidelidad a la propia musa, haciéndose agravio a sí mismo, ya que, precisamente, el no poder romper el cerco de la propia personalidad es la afirmación más incontrovertible de la originalidad, meta y supremo anhelo de todo creador, se atormentó a sí mismo en la estéril labor y en ella murió, después de haberse envenenado con ella los últimos años de la vida. Los suyos no supieron o no se atrevieron a aconsejarle que rompiese el imposible y negro compromiso y volviese al camino sincero que tantas alegrías sin mezcla de amargor le había y les había dado. El bienestar deslumbra y la prosperidad material ciega.

Murió el genial artífice. Murió también el hijo trágicamente. La madre y las niñas se retiraron a Mallorca, uno de los paraísos terrestres. Sin embargo, muchas veces he pensado con melancolía en Rosina, tan apasionadamente aficionada a la capital de Francia que solía decir: «Preferiría vivir de portera en París que de reina en cualquier otro lugar del mundo». Es que en París, precisamente, había vivido sus años felices, y tal vez confundía el continente con el contenido.

Casaron en Mallorca las dos niñas; siempre que las recuerdo pienso en ellas como réplica de Marta y María, las hermanas de Lázaro, amigas de Jesús. Enriqueta, la mayor, era el hada familiar, hacendosa y silenciosa; hablaba por sonrisas, y se imponía con suaves previsiones y cuidados; Laura, la pequeña, era la rutilante estrella, ruidosa y gozosa, que hacía felices a cuantos la rodeaban por irradiación de su propia felicidad. Murió muy joven. Creo que Enriqueta vive aún. Espero que Rosina no haya muerto. Son todas ellas para mí gratos fantasmas y, a pesar de que en los años trágicos, de 1914 a la fecha, pienso habrán padecido lo mismo que yo, como las conocí en plena felicidad suya y mía y después no he vuelto a encontrarlas, no acierto a poner duelo en su memoria.

En casa de Albéniz conocí a dos hombres, francés el uno, español el otro, que me interesaron vivamente. Fue el francés Paul Dukas, el extraordinario compositor y agudo crítico musical, autor entre tantas bellas páginas del estupendo poema sinfónico *L'apprenti sorcier* (El aprendiz de brujo). Tenía Dukas, en 1905, cuarenta años. Era de aventajada estatura, magro, de huesuda armazón. Recordaba en el rostro a Miguel Ángel Buonarroti porque tenía, como el inmortal florentino, facciones marcadísimas y la nariz aplastada y rota. Nunca le vi sentado. Recuérdole en pie, junto al balcón, mirando hacia la calle con esa expresión de ausencia que a las claras denota que quien hacia fuera parece mirar está buceando dentro de sí mismo, o junto al piano en que Albéniz, recabando su opinión y consejo valiosísimos, iba desgranando con evidente satisfacción fragmentos de su *Iberia.* Es uno de los contadísimos compositores eminentes –he tenido ocasión de tratar a casi todos los más grandes de mi época– que, fuera de su música, hayan tenido inteligencia aguda, cultura sólida y lo que acostumbramos a llamar *ideas generales.*

La mentalidad de los músicos es desconcertante. Los franceses acostumbran a decir: *bête comme un musicien,* y Diaghilev se complacía en repetir la frase siempre que, enojado y exaltado, discutía con los autores de sus *ballets.* Yo no la acepto como verdad, aunque no puedo menos de convenir en que no pocas veces está justificada por las apariencias. De los eminentes maestros con quienes he tenido amistad y trato frecuente, unos eran para las cosas de este mundo –incluyendo en el concepto «cosas» las ideas– de inocencia paradisíaca, por no decir pueril; otros, los más modernos y revolucionarios en su oficio, partidarios acérrimos en la vida corriente de lo que ellos llamaban tradición, es decir del atraso absoluto. No hablemos de cuestiones sociales y políticas; la vuelta a la caverna prehistórica les parecía camino único de salvación. Cuando no, daban en fantásticas ilusiones que no hubieran podido engendrarse en la mente de ningún otro mortal. Falla, por ejemplo, encandilado por la efímera gloria política de Paderewski, afirmaba con la mayor seriedad y el más firme convencimiento que únicamente los músicos poseen la capacidad necesaria para gobernar pueblos. A José María Usandizaga, a quien por la diferencia de edad he considerado casi como a hijo mío, en muchas ocasiones, oyéndole opinar sobre cosas de este bajo mundo, bien poco me faltaba para darle un maternal bofetón. La música –hartas veces lo he dicho y siempre muchos de los que me escuchaban han fingido escandalizarse– es la más terrena, por no decir telúrica, que es pretencioso voquible, de las expresiones artísticas; brota de la naturaleza misma y es, más que arte, grito elemental del instinto; lo que hay en ella de artificio y construcción consciente es pura matemática, por lo cual no debe sorprendernos que los músicos verdaderamente grandes sean ellos mismos a modo de fuerzas naturales arrolladoras, ciegos y niños para toda otra manifestación de inteligencia. ¡Ah! –podría objetarse–. Pero ¡y la Matemática, usted misma la admira en ellos, la Matemática llevada a tal grado de perfección! ¡Tal vez la primera de las manifestaciones intelectuales del hombre! La primera, cronológicamente desde luego, y si nobleza se gana por antigüedad, sin duda la más noble. Pero la Matemática no enseña a pensar, sino, precisamente, a ahorrar pensamiento y a prescindir de él; por lo cual, bien podemos decir sin ofenderle que el músico eminente es excelsa máquina movida por impulsos terrenos, celestiales o infernales, y pocas veces queda en el panal sublime de su genio celdilla en que alojar esta mental actividad humilde que los meros mortales llamamos discurrir.

Dukas discurría clara, sagaz y humanamente. Su conversación, expresión de su pensamiento, era interesantísima.

En otro músico, éste español, he podido admirar despierta y clara inteligencia humana, junta con sorprendente soltura y ameno ingenio: en el maestro Gerónimo Giménez (así quería él escribir su nombre, desafiando a la Real Academia Española de la Lengua). Conocímosle siendo él de edad ya avanzada; fue nuestro colaborador accidental: un número de baile flamenco para *Lirio entre espinas*,[117] porque, sin una justificación musical, la obra no podía estrenarse en el Teatro Apolo, de Madrid, y unas cuantas notas, por el mismo motivo para *La suerte de Isabelita*,[118] a las cuales él no daba la menor importancia. Mas era tal la calidad de su entendimiento que mi memoria se complace guardando en la cajita de tesoros las horas deleitosas que debo a su amistad.

Cabe decir aquí, para no apartarme de la verdad, que siento y he sentido siempre amor apasionado por la música, y no menos fervorosa admiración por los compositores ilustres. Además, a ella y a ellos debo incomparable agradecimiento, ya que gracias a ellos y por ella logro descansar no pocas veces de la pesadumbre del pensar.

Pintor era el otro amigo de los Albéniz, que llegó a serlo nuestro. Gosé, español, notabilísimo en su arte, desdichadísimo en su vida. Desde su Cataluña natal fuése a París, ofuscado por el famoso espejismo del reconocimiento mundial que sólo se alcanza a la sombra de la torre Eiffel. ¿Quién dirá el heroísmo de una vida embrujada por el sueño de gloria que lleva al hombre a segregarse de todos sus amparos naturales: patria, familia, gentes que le amen y le atiendan, que aun en el peor de los casos, si le tienen por loco, ya que el arte es desvarío que las familias no suelen comprender, al menos no

---

[117] Víctor Ruiz Albéniz, «El Chispero», describe *Lirio entre espinas* «como boceto de comedia lírica [...] tomando por base un curioso –y arriesgado –episodio de la semana trágica de Barcelona». Esta obra se estrenó en el teatro Apolo el 29-IX-1911 alcanzando un gran éxito. *Historia del teatro Apolo*, Madrid, Prensa Castellana, s.f., p. 430.

[118] Con música de Giménez y Calleja, el sainete *La suerte de Isabelita*, se estrenó en el teatro Apolo el 5-V-1911.

le dejarían morir de hambre? ¿Quién podrá numerar y justipreciar los sufrimientos que se esconden en aquellos estudios miserables, fríos en el horrendo invierno parisiense, desordenados, ya que sirven a un tiempo de taller y de cubil, mal barridos por una portera hostil –como sólo saben serlo los pobres a la pobreza– o, ¿qué será peor?, por la infeliz modelo demasiado amable y a la cual no es posible pagar más que en moneda de sensualidad sin amor?

Y los días pasan, y el reconocimiento no llega, y el marchante de cuadros que, si acierta a atisbar el mérito real del artista, le da con parsimonia lo necesario para comprar lienzo, colores y pinceles a cambio de las primeras obras, que espera –¡él puede esperar!– revender un día a buen precio, pero no se aviene a adelantarle lo bastante para el pan cotidiano.

Gosé era, aunque tan sincero y bien dotado artista, hombre normal, ordenado, limpio de cuerpo y noble de espíritu. Visitámosle varias veces en su estudio de la calle Campagne Première, colmena en la cual abundan tantas análogas celdillas miserables; la suya estaba en orden porque él, no sabiendo soportar la suciedad ni el desconcierto, se imponía el trabajo suplementario de arreglarla y limpiarla, pero ¡era tan pequeña y tan desnuda, desprovista de la más elemental comodidad! De comer, no se hable. Como no tenía dinero para pagar modelos, y le agradaba dibujar elegantes mujeres parisienses, gastaba sus escasos francos en una taza de *camomille* en algún restaurante o café de gran lujo, y allí copiaba graciosos perfiles y galantes actitudes de las damas de noche que iban y venían buscando clientela. Y aquella manzanilla era tal vez lo único caliente que entrara en su cuerpo en el espacio de veinticuatro horas.

¡Qué romántico suena todo esto cuando se lee en una biografía de pintor, de escultor, de músico célebre! Pero ¡qué negro es de vivir años y años! ¡Y qué rebeldía amarga se siente al leer acaso en un periódico que tal obra de un muerto e ilustre pintor acaba de adquirirse por tantos miles de libras o de dólares para tal museo o cual afamada colección!

Llegó para Gosé el reconocimiento inevitable, puesto que el mérito era evidente, mas no de Francia, sino de Alemania. Había enviado como prueba algunos dibujos a varias revistas berlinesas. Los alemanes empezaron a encargarle trabajo, y le pagaron bien,. Antes de la primera guerra mundial, el dinero alemán era moneda de importancia; el marco valía bastante más que el franco. Mas la dicha llegó tarde. Los años de increíbles privaciones habían engendrado la tuberculosis, y el pintor murió cuando empezó a poder vivir, apenas cumplidos los cuarenta años. Guardo uno de sus hechiceros pasteles, una mujercita parisiense frágil como una porcelana, que se está maquillando frente a un espejo, regalo que me hizo quien la pintara cuando Gregorio Martínez Sierra organizó en Madrid una exposición de sus obras, merced a la cual sonó por vez primera su nombre en España. Gosé ilustró uno de nuestros libros, *La feria de Neuilly*, que en 1906 publicó en París la casa editorial Garnier.

* * *

De entre los monumentos que admiré en nuestra primera visita a París quiero recordar con simpatía un «monumento humano»: el viejo Garnier, fundador de la casa editorial que todavía lleva su nombre. Cuando le conocí tenía más de noventa años, y se jactaba de poseer la misma cantidad de millones, ganados en el negocio editorial que había emprendido de joven sin dinero. Hazaña portentosa haber sabido destilar oro sólido de la miel y la sal y la hiel del pensamiento humano. (En Francia, hasta 1914, eran luises y napoleones –monedas de diez y veinte francos– especie corriente.)

Famosa la casa Garnier por sus ediciones de clásicos, editaba también por entonces una sección de literatura española. Llevónos a la calle de los Santos Padres, número 6, donde estaba y sigue estando la sede del negocio, un amigo sudamericano. Creo recordar que fue Gómez Carrillo.[119] El jefe de la sección española nos presentó al viejo. Sin duda por jóvenes y aún tan desconocidos, le fuimos simpáticos hasta el punto de consentir en que su casa nos publicara el más invendible de los libros: una colección de artículos. Llevó el tal el nombre de *Motivos* y, milagro de la suerte, ¡se vendió! No contento con dar benévola acogida a nuestra prosa, nos invitó a comer varias veces. Ya apenas salía de su casa y vivía en sus sombrías habitaciones, rodeado de antiguos pero ricos muebles, no decrépito ni desilusionado, sino alerta y feliz con sus recuerdos, saboreando consciente y naturalísimamente los placeres que su edad le consentía: la autoridad suprema en la dirección del negocio, que no cedió jamás a nadie, la conversación, la buena mesa. Era *gourmet* entendido: nunca olvidaré el formidable *vol-au-vent*, gloria de la cocina francesa –con más setas que trufas– que nos hizo gustar en el primer almuerzo acompañado por un borgoña blanco también inolvidable. Era socarrón, galante con las damas, a la antigua moda francesa; no se había casado y tenía en su casa a una sobrina devotísima que más tarde tradujo al francés con interpretación harto meliflua nuestro *Sol de la tarde*, y a un sobrino, Augusto, que entonces hacía el servicio militar y hoy, ya sexagenario, dirige la empresa. Gustábale hablar del tiempo pasado. Guardaba sobre todos sus recuerdos, como rama de verde laurel, la íntima amistad que le unió con Sain-

---

[119] Enrique Gómez Carrillo, periodista español residente en Francia desde 1892. Casado en segundas nupcias con Raquel Meller, de la que se divorcia en 1920. Muere en París en 1927.

te-Beuve. Ni la muerte ni el pasar de tantos años habían entibiado su cariño y su admiración: hablaba de él como si aún viviera: «Venía a almorzar conmigo todas las semanas... Ahí se sentaba... Un día me dijo...». Y sonreía complacido al rememorar y repetir frases ingeniosas y no pocas veces crueles del implacable crítico.

Viviendo «el viejo», editó su casa nuestros libros *La feria de Neuilly* y *Granada*. Encargóme inmediatamente la traducción de dos obras: *Le rouge et le noir*, de Stendhal, y una de esas novelas interminables con que tantas autoras inglesas han deleitado romántica y dulzonamente a la juventud europea durante medio siglo. Traduje a Stendhal con la natural complacencia, mas la traducción de la amerengada novela británica fue superior a mis fuerzas. El primer tomo –¡tenía dos de cuatrocientas páginas!– le pude terminar a duras penas, pero el segundo se le cedí a mi vuelta a España a un amigo literato que apechugó con él, contento de ganar el franco por página, precio acostumbrado de la traducción. Mas –¡suerte funesta!– al traspasarle el trabajo, olvidé advertirle que yo había traducido al castellano los nombres de los personajes, y él los dejó en inglés. Y como ni uno ni otro corregimos pruebas –ese trabajo lo hacía un empleado de la casa en París–, corre por esos mundos, muy especialmente por América del Sur, una novela extraña en la cual, sin previo aviso, los héroes cambian de nombre en el segundo tomo, como si dijéramos «a mitad del camino de la vida».

* * *

¡Bélgica! El descubrimiento de Bélgica tuve que hacerle yo solita. Gregorio, después de aquellas primeras semanas de París que le hicieron parisiense entusiasta para toda la vida, volvió a España. Había proyectado en Madrid, no recuerdo con quién, la publicación de un semanario, *Alma Española,* del cual esperaba sacar algún dinero. Santiago Rusiñol le ilusionó también con la esperanza de un posible estreno en el teatro de la Comedia. Juntos tomaron el tren de vuelta a la patria, el primer día de noviembre. Vi marchar a mi compañero con melancolía, templada por la seguridad de que pronto había de volver. París le había gustado demasiado para que pensase haber agotado su encanto en menos de un mes. A la mañana siguiente tomé yo el camino de Bruselas. Por primera vez en mi vida viajaba sola. ¡Cuánto he viajado después! Esta primera lección de soledad en otoño me dio un poco de frío en el corazón. Llovía desesperadamente. Hacía frío. Para calentarme un poco por dentro, soñaba con la Bélgica de Verhaeren[120] y de Rodenbach.[121] Cuando hubimos pasado la frontera subieron al vagón unos cuantos campesinos belgas que iban a vender quesos a la capital. El fuerte olor de la mercancía y las risotadas de los hombres me volvieron a tierra firme. No tan firme, al menos en apariencia; iba corriendo el tren sobre encharcadas praderas que parecían disolverse en el agua. De vez en cuando, a través del velo de lluvia, se distinguían fantasmas de pelados álamos puestos en fila y sombras de casas de ladrillo oscuro con puntiagudos tejados. Llegué a Bruselas al comenzar la tarde. Mis experiencias de hoteles para gente de pocos recursos, tanto en

---

[120] Émile Verhaeren (1855-1916). Poeta belga redactor del periódico *La Jeune Belgique.* Preocupado por los problemas de la civilización moderna, su literatura representa un lirismo social que celebra la poesía de las masas y de las ciudades industriales. A su vez, exalta la serenidad que le trae el amor.

[121] George Rodenbach (1855-1898). Poeta belga. Amigo de Verhaeren, colabora con él en *La Jeune Belgique.* Se instala en París y es ahí donde pone de moda la pintoresca melancolía de Brujas. Sus obras más famosas son *La Jeunesse Blanche* y *Le Regne du Silence.*

Ávila como en París, habíanme infundido prudencia tal vez excesiva. Además, ignoraba que Bélgica es uno de los países más limpios de Europa. Además –todo hay que decirlo–, aunque me las daba de valiente, inspirábame cierto temor ir sola a un hotel. En León habíame alojado en la Casa de la Beneficencia, donde una de mis hermanas era «Hija de la Caridad», y allí había tenido, entre la Inclusa y la Maternidad, habitación modesta, pero blanca y limpia. Cuando decidimos que yo fuera sola a Bruselas, pedí a mi monjita leonesa me proporcionase presentación para alguna de sus hermanas belgas y, en efecto, su superiora, sor Antonia Osés, mujer admirable de quien más tarde tendré ocasión de hablar, envióme una carta para sor Marta, superiora de una casa análoga en la capital de Leopoldo II. No estaba la Casa de Beneficencia demasiado lejos de la estación, y allá me fui acompañada de un mozo que llevaba mi maleta. Acogióme sor Marta con agrado, mas en su «reino de Dios» le era imposible admitir huéspedes que no fuesen del todo desvalidos y desamparados. Escribió, a su vez, a la superiora de otras religiosas que regentaban una escuela y recibían en un edificio anexo al convento a unas cuantas «señoras de piso». Creyendo quedarme en el asilo, había despedido al mozo. Sor Marta me «prestó» a un joven asilado, y fuimos en busca del alojamiento, que estaba en uno de los barrios extremos de la ciudad. Seguía lloviendo a cántaros. En aquel tiempo, las mujeres llevábamos vestidos larguísimos, y la mano derecha iba siempre ocupada fatigosamente en recoger los abundantes pliegues de la falda para que no arrastrasen por el suelo. Con la mano izquierda sostenía el paraguas, luchando contra el viento. El asilado portador de la maleta iba de prisa y yo apenas podía seguirle. No era el camino largo, pero me pareció interminable, y tenía ganas de llorar. En verdad, no sé si vertí alguna lágrima, porque el agua del cielo me lavaba la cara. ¡Qué consuelo sentí al entrar en el «recibidor» –*parloir*, en belga– del convento, que estaba caliente, más que limpio, y olía a cera disuelta en trementina con un tenue regusto de incienso!; pero ¡qué lamentable debía ser mi aspecto! Inverosímilmente delgada, con las greñas enmarañadas por el viento y desrizadas por la lluvia, calada hasta los huesos, rendida de cansancio y con horrible dolor de cabeza. La superiora, que, en honor a la carta de su igual en dignidad, salió a recibirme en persona, se me quedó mirando, y antes de dirigirme la palabra mandó que me sirviesen una taza de café bien caliente. No existe en Bélgica ama de casa ni monja ni seglar que deje de tener constantemente la cafetera arrimada a la lumbre. ¡Dios se lo pague, que yo todavía no he dejado de agradecérselo! No es aquella mil veces bendita la única taza de café que, en mis andanzas por Europa, me ha devuelto no diré la vida, pero sí el ánimo para seguir viviendo. Si fuese poeta, para ensalzarlas, ensartaríalas todas en un soneto. Claro es que, en justicia, tendría que poner en la sarta la copa de aguardiente que una mañana de frío y de tragedia bebí en una venta, en lo más fragoso de una serranía andaluza, pero de ella no puedo hablar en este libro ni en verso ni en prosa porque en él se trata exclusivamente de horas serenas.

Serenas fueron cuantas viví durante casi tres meses en el extraño asilo que la suerte y mi voluntad se habían concertado para depararme.[122] Serenidad es la impresión esencial que sobre un inquieto espíritu latino produce la tierra de Flandes. Serenidad, seguridad, facilidad, exactitud, orden, limpieza, constante buen humor –el belga toma a broma hasta sus propios males–. En 1905, Bélgica se llamaba a sí misma *l'hereux pays*, el país feliz. Los tratados políticos parecían haber-

---

[122] Vivió en el convento belga de noviembre 1905 a febrero 1906.

le asegurado la paz para *in æternum*, el trabajo perseverante y no excesivo daba a la mayoría de sus hijos razonable bienestar material; un poco de alcohol vencía las nieblas del húmedo ambiente...

Yo, española, joven, ambiciosa a mi modo, venía de un país decaído, derrocado de todos sus pretéritos orgullos, que en aquella hora vivía malamente y daba a sus hijos pan escaso y amargo, a costa de un trabajo esporádico sin orden ni concierto formado por ráfagas de loco entusiasmo y largos periodos de pereza fatalista. En suma, traía el espíritu en carne viva, el desear vibrante e impaciente, la emoción siempre pronta, el pensar confuso, el sentir, llama viva, el deseo de ver y de saber desaforado...

Bélgica me calmó: poco a poco fuéseme entrando por los poros de la carne y del alma la esencia de paz disuelta en su bruma. En primer lugar, enseñóme a gustar y entender la soledad. Hasta entonces, pienso que ni un minuto de mi vida había estado sola. Hija de numerosísima familia, habiendo entrado por el matrimonio en otra no menos numerosa, alumna primero y maestra después en escuelas populares, siempre en contacto con niñas, madres, padres, gentes todas del pueblo, habladoras y apasionadas, rodeada de amigos, no había en realidad tenido más trato conmigo misma que los pocos instantes, antes de recogerme a dormir, del cotidiano examen de conciencia. En Bruselas, aunque trabajé mucho, tuve inevitablemente largas horas de soledad, y empecé a rebuscar por los desvanes de mi propio espíritu. Puede afirmarse, en cierto modo, que allí empezó a nacer mi «egoísmo», que allí se rompieron no pocas sutiles pero fuertes ligaduras, las telas de araña de tantos prejuicios disfrazados de reglas con que nos atan e inmovilizan familia y costumbre. En aquellas horas tan desacostumbradas, que a un tiempo me causaban melancolía y suavísimo gozo, empecé a vislumbrar *la razón de la sinrazón.* Cierto, la cotidiana carta de España venía a alegrarme el corazón todas las mañanas y a decirme: «¡Aquí estoy, y pienso en ti!», pero llegaba como golosina, como regalo, en suma, como algo venido de fuera no consustancial conmigo misma e inseparable de mi propia esencia. Todo lo nuevo que iba conociendo, aunque tuviese sincerísimo anhelo de compartirlo con el ausente, era exclusivamente mío.

La primera noche en que, rendida por la fatiga del viaje, dormí en la antigua cama de caoba que tenía forma de barco, arrullada por el ronroneo de la estufa que ni día ni noche se apaga, desperté después del primer sueño. Pensé que era muy tarde: luego supe que no; en Bélgica, al contrario que en España, la gente madruga y se acuesta temprano. Pasaban por la calle gentes cantando; cantaban bien, en afinado coro. ¿Dónde y quién canta? La caricia de las limpias sábanas me adormeció de nuevo; parecióme que el lecho se movía meciéndome a compás del cantar. No pude contestar a mi propia pregunta; no desperté hasta que, a la mañana siguiente, una «niña» del internado me trajo el desayuno y el agua caliente para las abluciones. Se arrodilló junto a la estufa y avivó el fuego; explicóme que las gentes que la noche anterior pasaban cantando salían de la Casa del Pueblo.[123] Como era noche de sábado, habían trasnochado un poco más. Este fue mi primer contacto personal con el socialismo.

Tocaba la campana llamando a misa.

—¿Hay una iglesia cerca? –pregunté.

---

[123] En *Una mujer por caminos de España* explica el lugar que ha ocupado esta institución en su vida: «La primera Casa del Pueblo en que entré fue la de Bruselas, teniendo ya más de veinticinco años [...] Y ésta fue una gran revelación, ya que las Casas del Pueblo de mi pobre España han venido a ser [...] no sólo el grande amor de mi vida de mujer madura, sino el fundamento único de lo que aún me queda de patriotismo». *Ob. cit.*, p. 81.

—Es en nuestra capilla –respondió Anita, que así se llamaba la niña sirviente–, pero a esta misa ya no llega usted. Hay otra a las nueve para las niñas del Colegio: cantan muy bien. A ésa van casi todas las señoras. Para que no se enfríe el desayuno, pongo la cafetera sobre la estufa.

Esta Bélgica atiende con la misma calma, con la misma eficiencia a lo temporal y a lo eterno.

Salió sin hacer ruido, como había entrado. ¡Cuánto aprendí de aquella Anita durante los meses en que fue mi fámula! Era pobre y se había educado en el Colegio, aunque no era un asilo, por caridad. Tenía diecisiete años, y dentro de unos meses haría la «prueba» o antenoviciado para ser religiosa. ¡Sabía tantas cosas que yo ignoraba! Encender la lumbre sin aparente esfuerzo, sin soplar, sin tiznarse las manos con el carbón, como por magia; quitar toda clase de manchas en la ropa sin estropear el tejido; sabía el cambio de la moneda belga con todas las de Europa y América; sabía cómo deben certificarse cartas y paquetes, distinguiendo entre papeles de negocios, original de imprenta, muestras sin valor, reembolso; sabía a qué países podían enviarse con seguridad paquetes postales; sabía ir al Banco, abrir una cuenta, extender y cobrar y endosar un cheque, redactar un pagaré y un *bordereau*, cosas todas que mi brillante e idealista instrucción española no había creído necesario enseñarme. «¿Dónde ha aprendido usted todo esto?», le preguntaba. «En la escuela», me respondía con toda sencillez. ¡Bendita escuela belga!

Afortunadamente, había yo venido a Bélgica para estudiar sus métodos y procedimientos. De poco sirvió, sin embargo, cuanto pude aprender en Bélgica y en Francia y en Suiza y en Inglaterra. Al volver a España con tantas ilusiones de aplicar mi flamante información, un alto funcionario de la Administración escolar me dijo muy en serio: «Supongo que no vendrá usted a corrompernos las oraciones con los adelantos del extranjero». Tal era el espíritu pedagógico en España bajo la monarquía de los Borbones. Pero ésa es otra historia que tampoco tiene cabida en este libro.

Al salir de misa, trabé conocimiento con unas cuantas «señoras de piso». Todas eran inglesas y todas, a mi juvenil parecer, ancianas..., aunque tal vez no pasasen gran cosa de los cincuenta. ¡Oh, fantasmagoría de las humanas apreciaciones! Ahora, cuando pienso en los cincuenta míos, creo estar repasando recuerdos de infancia.

Todas me adoptaron como si yo fuera un bebé y se dedicaron a proteger mi soledad y mi inexperiencia. Cuando llegaron las fiestas de Navidad, me abrumaron con un cargamento de *pain d'épices*, de bombones, de chocolate. Una noche desperté asustada: había entrado un fantasma en mi cuarto. A la escasa claridad de la luz del pasillo se veía en el hueco de la puerta una figura altísima, esquelética, envuelta en blancas y largas vestiduras; era, sencillamente, una de mis inglesas, vestida con su largo camisón. A mi espantado «¿Quién está ahí?» respondió disculpándose: «Nadie, nadie, no se asuste. Es que no podía dormirme pensando que tal vez no habría usted cerrado la llave del gas. ¡Como es usted tan niña!». Y se alejó después de haberse cerciorado de que todo estaba en orden.

Con otra empecé a tomar lecciones de pronunciación inglesa. Como he aprendido la lengua de Shakespeare casi sin maestros, aunque la conozco muy bien, siempre la he pronunciado muy mal. Mi profesora era irlandesa, pequeñita, vivaracha; parecía una viejecilla andaluza. Iba yo a su cuarto para dar la lección y merendar; ella hacía el té y yo llevaba ya una tarta de fruta, ya un *cramic*, exquisito bollo belga que entonces no costaba más que cuarenta céntimos. Al llamar yo a la puerta, pidiendo permiso para entrar, solía responderme su vocecilla aguda: «¡Espere, espere, que no tengo puesta la peluca!», porque tenía el cráneo mondo y reluciente como bola de marfil –cuando llegamos a ser amigas, me le dejaba ver al natural– y le cubría con artificio prodigioso de negrísimos y acaracolados rizos. Como se trataba de fonética, hacíame hablar de todo para corregirme, y un día, como yo le explicase mi numerosa familia: padre, madre, suegros, hermanos y hermanas, cuñadas y cuñados, exclamó sincerísimamente: «¡Qué contenta estará usted de no tenerlos que aguantar durante un año entero!». Siempre que me encontraba por los pasillos me preguntaba: «¿Ha tenido usted carta de su marido? ¿Qué dice? ¿Qué ya pronto viene? Dígale usted que no venga. ¿Qué falta le hace a usted?».

Mi vida en Bruselas «a la sombra del claustro» estaba perfectamente ordenada. Por las mañanas, en compañía de un inspector que el Ministerio de Instrucción Pública había galantemente puesto a mi servicio, hacía mi visita de escuelas y tomaba notas concienzudamente. El día en que emprendimos la tarea nevaba a más no poder. «Hoy –dije– asistirán pocos niños a clase». «¿Por qué?», me preguntó con asombro. «Porque está nevando». «Entonces –dijo él– habría que cerrar las escuelas en invierno». Tenía razón el buen señor, pero yo venía de Madrid acostumbrada a tener la clase vacía en cuanto caían cuatro gotas, fenómeno que sin duda dependía de que mis alumnas, niñas del pueblo y de la desdichada clase media, no disponían del calzado necesario para ir por la calle lloviendo o nevando. Por las tardes trabajaba en mis literaturas. Además, de *Le rouge et le noir*, traduje del catalán una comedia, *La bona gent* (Buena gente), que me había enviado Rusiñol.[124] La obra debía estrenarse en el teatro de

[124] En una carta a Juan Ramón fechada en 1905, año en que está traduciendo la obra de Rusiñol, María le escribe que, «A mí tampoco me gusta *Buena gente* ni poco ni mucho». Ricardo Gullón, *ob. cit.*, p. 77.

la Comedia, y urgía ponerla en ensayo. Empeñéme en traducir los tres actos en ocho días. Logrélo, trabajando tarde y noche, pero el esfuerzo me produjo una enfermedad cuya existencia yo no sospechaba, el famoso «calambre de escritor». Se me quedó inútil la mano derecha: ya no me servía ni para sujetar los vuelos de la falda. El médico a quien acudí, después de prescribirme los remedios necesarios, el mejor de los cuales era el absoluto descanso, me dijo: «Pero, criatura, ¿usted no sabe que existen en el mundo máquinas de escribir?». Sí, lo sabía, mas no las conocía ni de vista. «De aquí en adelante, escriba usted a máquina».

No tenía dinero para comprarla. Por consejo y mediación de Anita, alquilé una vieja Yost y aprendí su manejo en un libro también sin maestro, por lo cual mi mecanografía es tan pintoresca como mi pronunciación inglesa. ¡Cuántas veces ha dicho mi marido: «Una cuartilla tuya mecanografiada te retrata por dentro mucho más exactamente que si la hubieses escrito a mano!». Desde entonces, mi máquina es mi fiel compañera. Al principio, parecíame imposible pensar frente al teclado. Ahora estoy convencida de que su ritmo ayuda a discurrir; sobre todo, posee una virtud singular: escupe lo superfluo y lo retórico. No pocas veces me da con sequedad el excelentísimo consejo: «¡Corta aquí! ¡Basta ya! El respetable público no echa nunca de menos lo que no se le dice».[125]

---

[125] María Martínez Sierra escribirá a máquina a lo largo de su vida excepto en sus años de penuria en la Niza ocupada. En una carta fechada el 6 de octubre de 1945, desde esta ciudad le escribe a Lamoneda, ahora exiliado en México D.F., que: «Escribo a mano, no porque sea, sino porque las dos máquinas que tenía las vendí para comer y ahora que tengo un poco de dinero cuestan demasiado caras, pero yo sola sé lo que me cuesta, el dolor de cabeza con que pago cada carta o cada artículo que escribo. Escribo por instinto, a fuerza de costumbre». (Archivo Lamoneda, Fundación Pablo Iglesias, legajo ARLF 166-16.)

De noche no salía. La única restricción monástica de nuestro alojamiento era el cerrarse la puerta a las nueve de la noche. Nadie nos impedía salir cuando quisiéramos, pero, pasada esa hora, era imposible volver a entrar. Decidí, pues, dejar el conocimiento de la vida nocturna de la ciudad para cuando llegase el compañero. Por esperarle, tampoco quise visitar museos ni monumentos. Bastábame con observar la vida diurna. Desde el primer momento sorprendiéronme las puertas de las casas cerradas y me intrigaron las ventanas adornadas con flores, jarrones y vaporosas muselinas, pero también *no practicables*, como se diría en *argot* teatral. Como española, soy ventanera –o balconera–. No comprendía cómo las hembras belgas podrían privarse voluntariamente de la inagotable distracción de ver pasar la vida por la calle. Con el tiempo he creído entender que no es el abstenerse austeridad, sino pura falta de imaginación; no se asoman a la ventana porque nunca se les ha ocurrido: prueba de ello es que, lo mismo que las españolas, se perecen por ir al cine; y el cine no es sino eso: *ver pasar* sin que importe entender o no entender lo que va pasando.

La niebla es el hechizo primordial de Bruselas; por las mañanas es de nácar; por las noches, reflejando en rosados y rojizos matices las luces de la ciudad, es el propio, suntuoso, mágico manto de Iris. Gustábame ver llegar los tranvías de lejos con los focos encendidos en pleno día. ¡De qué profundidades del misterio parecían llegar, extraños monstruos, desgarrando y arrastrando cendales! Algunas mañanitas en que aún no se había puesto la Luna y estaba nuestro romántico satélite en el cielo al mismo tiempo que el Sol, se veían los dos cuerpos celestes, hermanos gemelos, envueltos en el mismo velo húmedo, brillando con frío fulgor, los dos sin rayos, ambos con la misma intensidad. Entonces comprendí por qué en algunos cuadros flamencos que están en nuestro

Museo del Prado se ven a un lado el Sol y al otro la Luna. Yo había pensado que aquello era alambicado simbolismo, y visto a la luz flamenca bañados en la cual los cuadros se pintaron, resultaba ser puro realismo. Años más tarde, navegando sobre el mar del Norte –de Dinamarca a Inglaterra–, comprendí también que los esfumados tonos de la porcelana de Copenhague –puro ensueño, había yo pensado– eran asimismo ultrarrealistas.

Durante varias semanas tuve que resignarme a prescindir de la mano derecha: las cartas a España iban garrapateadas con la izquierda. ¿Por qué no nos enseñan de niños a usar las dos manos indistintamente? ¿Cuál habrá sido el primer educador a quien se le ocurrió la idea de imponer esa limitación mutiladora? Porque es seguro que cuando estábamos en los árboles empleábamos las dos manos para alcanzar los frutos, como siguen haciéndolo con tan gracioso movimiento monos y ardillas. ¡Enigmas de la Historia!

Para emplear las horas que la manquera me dejaba libres, compré una Gramática y me dediqué a estudiar alemán. Pronto me di cuenta de que si la lengua de Goethe y de Kant no presenta dificultad ninguna que le sea propia, posee el privilegio de reunir en sí las dificultades de todas las demás lenguas juntas: el artículo árabe, la declinación latina, el hipérbaton griego, las sutilezas de los modos verbales eslavos, las más primitivas ingenuidades de la yuxtaposición, las más artificiosas cascadas de la flexión –el salvaje y el sofista confundidos en un mismo vocablo–. Todas ellas complicadas, refinadas, retorcidas hasta lo infinito por el amor al laberinto y el deleite en la confusión característicos de la mentalidad germana. ¡Cómo se defiende el condenado idioma! Y, al mismo tiempo, ¡cuán divertido es andar a tientas por sus sendas, callejas y callejones transmutando, ya que no valores, partes de la oración, cazando a lazo preposiciones y fragmentos de verbo errantes por las praderas de la arbitrariedad para hacerlos entrar en el redil de una ordenación lógica! No comprendo cómo hay quien se entretiene en resolver crucigramas teniendo el recurso mucho más provechoso de aprender alemán... Curioso fenómeno: desde el primer momento, es decir, en cuanto fui capaz de entender algo, entendí muchísimo mejor los versos alemanes que la prosa; acaso la locura lírica está más de acuerdo que la noble serenidad de la prosa con su desvarío gramatical. Sí, en Alemania la poesía suele ser clara y la Filosofía turbia –digamos profunda para no ofender–, y si Nietzsche ha podido entrársenos tan rápidamente en el pensamiento y en el corazón es porque, sobre ser profundo y brumoso filósofo, es inmenso y clarísimo poeta.

Las fiestas de Navidad empiezan mucho más pronto en Bélgica que en ningún otro país de Europa, ya que San Nicolás o Santa Claus (donoso hermafroditismo verbal) viene a llenar de juguetes y golosinas la media que los niños cuelgan junto a la chimenea en la noche del seis de diciembre, justo un mes antes que los Reyes Magos, encargados de misión análoga en nuestra España. Al acercarse las festividades decóranse los escaparates de Bruselas con todos los colores del arco iris, más el oro y la plata, más el centelleo de sus millares de bombillas eléctricas. ¡Qué arte tienen flamencos y valones, aficionados al bien comer y mejor beber, para presentar, idealizándolos, jamones,, embutidos, aves, pescados, frutas, golosinas, vinos y licores, entre dorados y plateados flecos, musgos, cintas, flores!... Las tiendas de flores son en Bruselas maravillas de cuento de hadas. No hablemos de las tabaquerías que yo, acostumbrada a las horrendas cajetillas de los estancos españoles, tomé en un principio por confiterías. Y ¡cómo hablar de los escaparates refulgentes llenos de libros ilustrados y de tarjetas postales! A España habían empezado a llegar con parsimonia las de «vistas» y aun algunas con retratos de actrices y *cocottes,* pero aún nos eran desconocidas las maravillas del «escarchado» en nácar –vulgo talco– y en metal... Ahora ya, todo ese esplendor apenas hace volver los ojos a un chiquillo de más de seis años, mas yo confieso que gasté largos ratos contemplando con embeleso el espectáculo desconocido y hasta recorrí los fastuosos salones de una Exposición de la Alimentación con el mismo detenimiento con que hubiese visitado las salas de un museo.

Toda aquella brillante exhibición de delicias domésticas despertó en mí el deseo de saber cómo vivían las familias en el *país feliz,* y escribí a España pidiendo me buscasen entre la colonia belga una presentación que, abriéndome alguna de las inexorablemente cerradas puertas, me permitiese entrar en el *Sancta Sanctorum.* De aquí vino uno de los más gratos encuentros de mi vida. El director de la explotación de los pinares cercanos al Paular (empresa entonces belga) me envió una carta para su familia, que acertó a ser, por mi buena fortuna, la del justamente célebre antropólogo M. Rutot, conservador del Museo de Historia Natural de Bruselas. Decir con qué cordialidad fui recibida en aquel hogar es empresa imposible. Y *recibida* no es la palabra justa, porque no tuve que pedir entrada. Pensando estaba en cómo vencería mi timidez para ir a presentar mis credenciales cuando vino a buscarme la esposa del ilustre sabio, mujer simpatiquísima, educada, aunque belga, en Inglaterra, instruida, sencilla, afectuosa. Su familia de España le había escrito previniéndola de mi presentación y ella se apresuró a venir a encontrarme para evitarme el enojo de decir: ¡Aquí estoy! Sus primeras palabras fueron: «Pero ¿qué hace usted metida en un convento como si fuera usted una monja o una niña, comiendo arroz cocido con ciruelas y otros horrores de la cocina monjil, teniendo que acostarse al toque de queda?». Yo le respondí la verdad: «Tengo poco dinero y me gusta vivir en sitio limpio. Aquí tengo muy buena habitación ¡y me cuesta tan poco! Cuatro francos, todo comprendido». «No es tan poco –respondió–. Por cinco puede usted tener habitación tan limpia como ésta, más comida "seglar", que en Bruselas es buena y abundante, más libertad completa. Mañana mismo se la buscaré a usted.»

En efecto, la buscó y la encontró, en el barrio más agradable de la ciudad, a dos pasos de la Porte Louise, mas yo no quise, por las pocas semanas que faltaban para la llegada de mi marido, abandonar mi seguro asilo, mis monjitas, mis viejas inglesas maternales. Además, el convento era una escuela, y allí a todo sabor, con licencia de la superiora, que, por tener yo una hermana religiosa, me consideraba como «de la familia», podía estudiar el funcionamiento pedagógico, ya que todas las escuelas belgas se rigen por un programa común. Interesábame sobre todo la clase *ménagère* o de artes domésticas, en la cual aprendían *de verdad* las alumnas por grupos de siete los trabajos del hogar, limpiar la casa, guisar, servir la mesa elegantemente, lavar, repasar, planchar la ropa, hasta amasar y cocer el pan, tarea que entonces era aún habitual en muchas casas particulares: desde luego, todo el que se consumía en el convento se cocía en el horno de la escuela. También me interesaba particularmente –y éste había sido el tema de mi Memoria– la educación física, tan descuidada en nuestra tierra, y en la escuela del convento asistí a la tragicomedia que en aquellos momentos vivían las monjitas profesoras obligadas por reciente decreto gubernamental a enseñar en serio la gimnasia y, por lo tanto, a aprenderla ellas mismas, trabajo que hacían con un profesor oficial, bajo la vigilancia de la vicaria, sor María de la Asunción, ordenancista y rígida en la forma, pero llena de interior caridad, cuyo recuerdo sirvió años más tarde para dibujar el principal personaje de *Canción de cuna.*

Monsieur Aimé Rutot es el sabio más simpático y más inteligente con que he tropezado en mi vida. Tan enamorado de la ciencia, que su mujer solía decir: «Mi único rival en el corazón de mi marido es el hombre de las cavernas». Su nombre de pila, Aimé (Amado), le sentaba a las mil maravillas; su mujer, bastante más joven que él, le adoraba. Él pagaba su cariño con otro no menor sin duda, pero, acaso por pudor masculino, templado en la forma con broma afectuosa: afectaba tratarla como a una niña, pero, invariablemente, hacía no sólo su voluntad, sino su capricho. Todos los domingos venía ella al convento a buscarme, y juntas íbamos a buscarle al Museo, porque ni en los días festivos dejaba de ir a recrearse en sus amadas colecciones: en realidad, el Museo de Historia Natural de Bruselas, cuyo edificio se construyó siguiendo los planos de su conservador, es el mejor ordenado y más claro de entender de todos los que he visto en Europa. Recorríamosle, y él me presentaba sus fósiles como si fueran seres vivos, acompañando la presentación con amenísimas explicaciones y graciosas anécdotas. No le interesaba sólo la ciencia, sino la vida en general, y muy especialmente los problemas sociales: él me descubrió las fallas escondidas tras el bienestar material de su patria y afectuosamente se burlaba de algunos de mis entusiasmos: en su casa vi por primera vez a un súbdito del Zar de todas las Rusias, mejor dicho, a dos, sabios profesores que viajaban por Europa y de cuyos labios también por primera vez escuché afirmaciones que me despertaron de algunos de mis sueños. En resumen, aquella acogedora casa no sólo me dio idea, según yo deseaba, de cómo vivían en sus hogares los súbditos del rey Leopoldo, sino abrió para mí no pocas ventanas sobre la vida del mundo en general, de la cual estaba tan ignorante.

En Bruselas también se me iluminó un tanto la conciencia sobre el que yo creía mi acendradísimo patriotismo. Estaba el tal fundado en la emoción, en el escalofrío que suscitaban en mí ciertas exterioridades, ciertas palabras aprendidas en la primera infancia, crisol de toda poesía: Sagunto, Numancia, Lepanto... en unos versos menos que medianos:

> Al ver de nuestra nación
> la bandera roja y gualda,
> siento frío por la espalda
> y me late el corazón;

en una copla, medio insensata, medio blasfema:

> La Virgen del Pilar dice
> que no quiere ser francesa,
> que quiere ser capitana
> de la tropa aragonesa.

Cuando en una parada militar pasaban los soldados marcando el paso al ritmo de una marcha semitorera, se me llenaban de lágrimas los ojos... Por lo demás, ¿qué conocía entonces yo de España, qué sabía de sus bellezas y sus asperezas, de las virtudes y de los pecados de sus hijos, para poderla amar o desamar con amor o desamor conscientes, que son los únicos verdaderos? Más la amo ahora, porque la he visto padecer, porque he visto a sus hijos morir y matar en mezcla espeluznante de ferocidad e ilusión; más la amo ahora..., aunque no ciegamente, lo confieso.

En fin, aquel año de 1906 ocurrió en Bélgica un suceso a la verdad sin gran importancia: murió el conde de Flandes, hermano del rey y heredero presunto de la corona; presencié el desfile del cortejo fúnebre; precediendo y siguiendo a la carroza que llevaba el cadáver iban los consabidos soldados, las bandas de música acostumbradas; alternaban las marchas con el resonar de los tambores en sordina; la música era buena; los uniformes, tan vistosos como entonces se acostumbraba; el ritmo..., ritmo. Y por mi espalda corrió el escalofrío famoso y los ojos se me empañaron de lágrimas lo mismo, exactamente lo mismo que al ver desfilar las tropas españolas por el Salón del Prado de Madrid. Saqué la consecuencia despiadadamente.

Cuando mi marido llegó, al comenzar febrero, acogiéronle mis nuevos amigos con el mismo cariño que a mí. Monsieur Rutot, olvidándose unas cuantas horas de sus fósiles, organizó para nosotros un viaje circular por Bélgica, Holanda y un pedacito de Alemania con minuciosidad y exactitud que habían de ahorrar a nuestra inexperiencia vacilaciones y errores innecesarios: horarios de trenes, precios, ciudades, hoteles, museos, lugares pintorescos que valía la pena visitar. Por mi memoria desfilan imágenes a cientos de paisajes bajo la lluvia o blancos de nieve, de viejas ciudades cuyos nombres iban saltando de las páginas áridas de la mal aprendida Historia a la realidad viva: Gante, Namur, Amberes, Rotterdam, Breda, Amsterdam, La Haya y sus cisnes, Brujas y sus canales y sus beguinas, Aquisgrán y la sombra de Carlomagno, Colonia, el Rin, ¡el Rin!, que el día en que cruzamos sobre él por el bárbaro puente de los Hohenzollern estaba por azar, aunque era el mes de marzo, azul y oro como pudiera estarlo en mayo el Guadalquivir, y en el rumor de cuyas aguas nos empeñábamos en hallar el eco de la canción de Loreley.

A propósito de azul, ¡qué pronto olvidan los ojos lo que dejan de ver! Estábamos en el Museo de Bruselas ante un cuadro de Zuloaga, y yo dije: «¡Qué azul el de ese cielo tan inverosímil!». Mi compañero replicó: «Pronto se te ha olvidado el color del cielo de España». De hecho, cuando volví a la patria casi un año después, tan acostumbrada estaba a la velada luz de la Europa central y norteña que, mirando en Barcelona el mar de esmalte azul sobre el cual temblaban como azucenas de oro los rayos de sol, se me deslumbraron los ojos y estuve una semana casi ciega.

Deslumbrados íbamos de ciudad en ciudad. Algunas de las quince noches que estaban incluidas en el plazo de nuestros billetes las pasamos en el tren para ahorrar gastos de hotel y tener algo más que derrochar en la ciudad vecina, ¡y eso que éramos casi ricos! Habíase estrenado con éxito en Madrid *Buena gente*, y con los derechos de traducción, mi marido, después de pagar un pequeño adelanto que mi padre nos hiciera para emprender el viaje –ya que la pensión se me pagaba por meses vencidos–, había conseguido ahorrar ¡mil pesetas! Merced a la increíble baratura de la vida en Bélgica –el periódico se compraba por dos céntimos y el cuartillo de leche por cinco– también yo había hecho quinientos francos de economías. ¡Ancha Europa! Pero necesitábamos que el tesoro durase mucho, mucho, para ver más y más. Hubo algunos derroches, sin embargo. De La Haya a Amberes el tren era directo y sin parada alguna. No habíamos pensado en almorzar antes de tomarle, y no llevaba vagón restaurante. Estaba yo entonces bastante débil, y el no comer en todo el día, más la fatiga del viaje, hizo que llegase a Amberes con tan espantoso dolor de cabeza que parecía estar muriéndome. Mi marido, como semienfermo oficial, acostumbrado a que le cuidase yo a él, tal vez temió en su desconcierto que fuese aquélla mi última noche y decidió –yo no me encontraba en estado de oponerme a su prodigalidad– que la pasase al menos elegantemente.[126] Llevóme al más lujoso *palace* de los que se ofrecieron a su vista al salir de la estación, y, en efecto, jamás he dormido fuera de mi casa en habitación más boni-

---

[126] En la correspondencia de Gregorio a María, éste a menudo le da una especie de parte médico de sus dolencias que incluyen jaquecas, dolores gástricos e insomnios.

ta y más cómoda. A pesar del horrible cansancio que casi me quitaba el sentido, el cuerpo se dio cuenta de la molicie de la blanda alfombra, y tanto le agradó, que sin pensar en el bien aderezado lecho, me hizo tirarme al suelo como animalejo agonizante: Allí, a fuerza de tazas de caldo que el estómago vacío y necio se negaba a admitir, pero que al fin se decidió a tolerar, fui recobrando mi conciencia humana, logré hundirme en el agua tibia del baño y perder en ella el recuerdo nauseabundo del humo del tren, tomar alimento un poco más sólido que el *consommé* y entregarme a la inefable voluptuosidad de las sábanas finas y bien planchadas. Mi marido, bien al tanto de mis idiosincrasias, hízome servir a modo de analgésico y narcótico una taza de café bien cargado... y, en efecto, desperté a la mañana siguiente despejada y con tal ansia de vida como si acabase de nacer.

Otro de los derroches fue en Colonia. Sólo dos días no completos pasamos en la ciudad encantada. Habíamos gastado uno entero en visitar la catedral –era domingo– y otras iglesias hoy destruidas; navegando sobre el río legendario, habíamos ido a merendar al Jardín de Flora; al caer la tarde leímos el anuncio de una representación de gala de *Los maestros cantores de Nuremberg*. Naturalmente, decidimos asistir a ella aunque fuese en la más barata de las localidades; no había de ser más incómoda que el «paraíso» del Teatro Real de Madrid en que habíamos escuchado *Lohengrin* y *La Valquiria*. En el vestíbulo del teatro había varias taquillas para vender billetes; todas menos una estaban cerradas y ostentaban carteles –mis recientes y menguadas nociones de alemán no me permitieron descifrarlos– que anunciaban sin duda haberse agotado las localidades de poco precio. En la taquilla abierta pedimos dos billetes señalando en la lista los más baratos: *Nein!*, dijo el taquillero. Pedimos los siguientes: *Nein!*, volvió a decir el hombre... En resumen, tres monedas de oro, de las cuales, ¡ay! teníamos tan pocas, fue preciso entregarle a cambio de los dos papelitos..., pero nunca ha habido oro mejor gastado. En comodísimo asiento, rodeados de gente elegante –un poco de vergüenza me causaba nuestro modesto atavío– asistimos, hechizado mi compañero y encantada yo, a la inolvidable representación: las voces y la orquesta magníficas, la perfecta postura en escena, el concertado y artístico movimiento de los coros, en el tercer acto, aquel entrar vertiginoso de las corporaciones, en la arrebatadora oleada del vals, hacían en conjunto un espectáculo de los que no se pueden olvidar. Las obras dramáticas y musicales, si quieren saborearse en perfección, hay que escucharlas en el país en que se engendraron, allí donde los intérpretes pueden vibrar en cuerpo y alma al unísono con quien las compuso.

Aquella noche tuvimos que irnos a dormir sin cenar. En los descansillos del teatro había grandes mesas cargadas de platillos con salchichas y otras porcinas *delikatessen* que el respetable y elegante público devoraba en los entreactos; mas nosotros, con pocas horas de estancia en Alemania, aún no estábamos acostumbrados a mezclar las emociones de la música con las delicias del embutido y no habíamos querido saborear más que un par de naranjas, imaginando que, como en España, al salir del teatro encontraríamos algo que comer. Pero en Colonia, a partir de las diez de la noche, los cafés no servían más que cerveza. Suerte que en Flora habíamos tenido buena merienda.

A la mañana siguiente, antes de abandonar la ciudad, visitamos el Museo Municipal. No era muy importante, mas para nosotros fue la visita afortunada. Perdida entre cuadros sin gran interés, había una tabla de apenas medio metro de altura por cuarenta centímetros de ancho: era un «primitivo» alemán anónimo. Representaba la gótica nave de una catedral. Único personaje, la figura de la Virgen llevando en brazos al Divino Niño. No estaba en un altar, sino paseando, como sumida en honda meditación, por la nave solitaria. Largo rato pasamos contemplándola; tan ingenua y conmovedora nos pareció la imagen de la reina de los Cielos, vestida a la rica usanza medieval, andando y meditando en soledad. Y ella fue la simiente que años después germinó y floreció en nuestra *Navidad*, milagro con música de Joaquín Turina estrenado en el teatro Eslava, de Madrid.

Otro derroche: un viaje relámpago al ducado de Luxemburgo, regido entonces por una princesa niña, la que ya mujer en 1914 había de oponerse en gesto simbólico, atravesándose en mitad del camino, al paso de los alemanes que iban a invadir Bélgica. Pasamos por Namur, donde está el corazón de don Juan de Austria; por Dinant, el que después había de hacerse terriblemente célebre por su heroísmo, y entonces aún lo era solamente por la fabricación y venta de sus hombrecillos y mujercitas de retostado pan, por la encantada y shakespiriana selva de las Ardenas: nevaba a más no poder y hacía un frío infernal (tengo tal afición al calor y me causa tal terror el frío que nunca he podido imaginar el infierno con llamas, sino con temerosos témpanos de hielo). Nevaba, digo: imposible arriesgarse a dar un paseo por los primorosos jardines vestidos de encaje por la escarcha; hubimos de pasar las horas entre la llegada del tren que nos trajo y la partida del que había de volvernos a Bruselas en el lujosísimo restaurante de un gran hotel que, afortunadamente, era casi todo de vidrio y permitía disfrutar del paisaje; después de comer espléndidamente, fuimos a tomar el café en el *hall* hundidos en extracómodas butacas y mirando caer, bien a salvo del frío, las infinitas mariposas de nieve. El paisaje era no sé si decir de cuento de lobos o de opereta vienesa; es uno de los gratos recuerdos de bienestar y paz, formado por el goce de menudísimas sensualidades. ¡Cómo agradece el espíritu al cuerpo las suaves sensaciones que recordadas hacen sonreír y sirven de alivio, andando años y penas, en tantas horas duras de pasar!

¡Cómo nevaba también en Aquisgrán, ciudad a la que los alemanes llaman Aachen y franceses y belgas Aix-la-Chapelle! Con arranque poco menos que heroico fuimos a visitar la Capilla de Carlomagno: allí nos mostraron, entre otros tesoros, el cáliz auténtico de la última Cena; también me le mostraron años después en Cádiz. Decidan teólogos cuál es el verdadero.

Después de aquel viaje hemos vuelto varias veces a Bélgica, hemos podido contemplar con detenimiento cuanto en la primera visita apenas habíamos entrevisto, hemos logrado trabar amistad íntima con los canales y los cisnes de Brujas, con Santa Ursula y sus once compañeras mártires (las *once mil* famosas vírgenes de la leyenda, número prodigioso que se debe a la lectura errónea de las letras romanas XI M, tomadas todas como indicación de cantidad, *once mil*, cuando en realidad son cantidad las dos primeras, XI-*once*, y calidad la última, M-*mártires*), hemos comprendido el lado «sobrehumano» de la pintura de Rubens admirando en Amberes sus cuadros religiosos, su formidable *Cristo sobre la paja*, por encima de todos, que le redime en puro realismo de todo el artificio carnal de sus cuadros cortesanos de encargo, de todo el embustero esplendor sensual de su *Jardín del amor*.[127]

---

127 La relación de María con Bélgica será profunda y duradera. Según sus propios cálculos vivió en ese país entre noviembre de 1937 y abril de 1938, ocupándose de los niños refugiados, hijos de socialistas, que habían sido invitados por el Partido Obrero Belga. Le dedica a este país y a su gente un emocionante capítulo en *Una mujer por caminos de España, ob. cit.*, pp. 233-243.

Para mí, este recorrer iglesias, museos, colecciones particulares en Bélgica y Holanda tiene importancia especial porque me enseñó no ciertamente a *entender* el arte de la pintura –sería demasiada pretensión–, sino a disfrutar de ella, don que hasta entonces se me había negado. Gregorio Martínez Sierra tuvo de nacimiento la facultad de «discernir lo bueno y apartar lo malo» en cuanto se refiere a la representación gráfica de la belleza. Yo, hasta que aprendí a ver lo pintado mirando y remirando los cuadros de pintores flamencos, estuve casi ciega para los prodigios del pincel. Emocionábame desde la infancia la arquitectura, admirábame la escultura, la pintura no me decía nada. Únicamente el grabado en acero me producía cierta especie de placer basado tal vez en la apreciación de su habilidad minuciosa, que inconscientemente asimilaba yo a la perfección de las labores femeninas: bordado, encaje. ¡Quién había de decirme en aquellos días de juventud, cuando a duras penas iba intentando penetrar los secretos del arte incomprendido, que lustros y lustros después, casi al fin del camino de la vida, habían de saltárseme las lágrimas de pura emoción al contemplar en *Los Claustros* de Nueva York los tapices del Unicornio, a mi entender, una entre las seis más grandes maravillas que, en todos los órdenes de belleza, ha ido dejando el ser humano a su paso por la tierra!

¡Qué bien se trabaja en el silencio cortado cada cinco minutos por el repiqueteo del carillón en la antigua Brujas! En la solitaria cervecería *Die schwarze Hus* (La casa negra), donde a primera hora de la tarde no había más consumidores que nosotros dos, ¡cuántos planes, cuántos proyectos de futuras obras, cuántas escenas de nacientes comedias se han perfilado, enredado, aprobado, rechazado! Amparados por la celestial sonrisa de una rubia Virgen de Memling que con su Niño en brazos presidía serenamente el mostrador y el aparador atiborrados de frascos y botellas «espirituosos», como allí llaman a los licores, y por la terrestre de la patrona, rubia también y joven flamenca que se parecía a la celestial Doncella como una gota de agua a otra, está escrita la novela *El agua dormida* y quedó planeada *Tú eres la paz*. La patroncita nos preparaba el café en esos filtros individuales que veíamos por primera vez y que, después, se vulgarizaron en España con el nombre de «solteronas». Y el carillón decía cada cuarto de hora: ¡Aprisa, aprisa que la vida pasa!

* * *

Volvimos a París en abril. Encontramos alojamiento en una pensión del barrio de la Estrella. Era modesta, pero tenía –beneficio inapreciable– un jardín. No muy lozano, y enarenado, si así puede decirse, con grava, lo cual le daba un tono gris harto melancólico, mas, al cabo, aire libre y amparo de unos cuantos altísimos árboles. En París, los árboles tienen los troncos aterciopeladamente negros: en las altas ramas de aquellos cuatro o cinco, por ser abril, empezaba a apuntar la espuma verde de las hojas que estaban queriendo nacer; olía a savia –vino nuevo– ligeramente; los ruidos de la ciudad llegaban, ya que el jardín era interior y estaba limitado por las altas paredes de las casas, amortiguados y fundidos en rumor semejante al del agua que corre. También allí podía trabajarse bien.

Coincidió con nosotros en aquella pensión un excelente y luego ilustre amigo: Eugenio d'Ors. Andaba entonces estudiando no sé cuántas intrincadas filosofías y preparando su hogar parisiense, digamos su nido, porque estaba en inminente trance de casarse. Era tan madrugador como yo, y de mañanita, mientras Gregorio, empedernido madrileño y por lo tanto trasnochador y amigo de trabajar con luz artificial, no se decidía a saltar de la cama, Eugenio d'Ors y yo instalábamos en el jardín cada uno nuestra mesa y trabajábamos desaforadamente. Yo me burlaba un poco de él, afectuosamente, porque para escribir siempre se rodeaba de numerosos libros de referencias. Además –y esto era desde luego mucho más serio–, acostumbraba poner sobre la mesa de trabajo unos cuantos retratos de su novia a los cuales pedía inspiración.

Mucha gente acusa a Eugenio d'Ors de ser excesivamente *poseur.* Y, en efecto, su actitud ante el mundo en general es un tanto solemne. Pero yo no conservo de nuestra constante amistad, interrumpida pero nunca rota por larguísimas ausencias, sino recuerdos de pura sencillez, de camaradería sin afeites ni rebozos, de chiquillería me atrevo a decir. En *Xenius* –nombrarémosle por su goethiano seudónimo, que para mí ha llegado a ser su verdadero nombre– se da una paradoja que me parece digna de mención y que brindo a sus futuros biógrafos: es el paladín de la artificialidad, de lo elaborado frente a lo espontáneo, de lo urbano frente a lo rural, del arte, en suma, frente a la naturaleza, y en todas sus afirmaciones de este orden creo que es intelectualmente sincero; y, sin embargo, es de todos mis amigos aquel en quien he podido apreciar más profunda la influencia pánica, telúrica, natural, en una palabra. Él, que afecta desdeñar la Naturaleza, está sumergido en ella como el pez en el agua –desde luego, nada como un pez, ¡y con qué regocijo!–, corre por el campo –rebasado ya el medio siglo, corría al menos– como animalejo ebrio de juventud; salta, canta, declama sin asomo de *pose,* borracho de aire libre; come con evidente satisfacción saboreando los manjares sencillos, la tostada de pan frotada con ajo, regada con aceite, delicia de las tierras catalanas y provenzales; gusta de beber bien y en copas anchas para sentir por más poros a un tiempo el zumo de la vid...

¿Por qué esta disociación de la voluntad consciente y de la vida real, digamos física? ¿Qué desequilibrio sutil existe entre su sangre y su médula? Marañones del siglo XXI se divertirán estudiándolo; bástale a mi ignorancia consignarlo. Bien pocas veces, acaso nunca, hemos hablado de cosas de arte, de problemas de oficio, de erudición, de filosofía, ¡jamás, jamás, jamás, de política! Él, a veces, se ha burlado un poco de mi socialismo, de mi feminismo; no hemos discutido nunca en serio. ¿Para qué? Ambos nos estimamos en mucho mutuamente por nuestro trabajo literario honrado y tenaz, llevado por caminos tan diversos; ambos lo sabemos, y ello nos bastaba. Ni él podía deslumbrarse a mí, ni era posible que yo le deslumbrase a él. Siempre que nos hemos encontrado por esos mundos, éramos como representantes amigos de Estados rivales que se reúnen para una fiesta: había que agotar la deleitosa diversión de estar juntos, de acuerdo en nuestros desacuerdos del modo intelectual, en nuestro acordadísimo disfrute de los buenos y simples sabores terrenos.

Recuerdo en Madrid una tarde en que una amiga con ribetes de intelectual nos invitó, en compañía de otras varias personas de la «crema espiritual», a un té elegante. Acudimos; saboreamos con agradecimiento los exquisitos emparedados, tartas y pasteles; dijimos ambos, cada uno por nuestro lado, él a las damas, yo a los caballeros, las naderías de rigor. Pasados días, la amiga me dijo en son de reproche: «Nos hemos llevado una decepción. Invité el mismo día a usted y a *Xenius* pensando que, como son ustedes tan distintos, tendríamos ocasión de escuchar una discusión interesante. ¡Y ni uno ni otro han dicho nada!».

Una vez le pregunté:

—¿Por qué tienes ese aire solemne y magistral cuando hablas con la gente?

—Es autodefensa –respondió riéndose.

—Pero te sienta mal. Dicen que eres un *poseur.*

—¡Oh! –replicó–. En este mundo todos tenemos *pose.* La tuya es no tenerla.

Tal vez. ¿Quién sabe? Nunca nos conocemos a nosotros mismos.

En aquella pensión parisiense hice una pasajera relación pintoresca. A menudo, trabajando yo sola en el jardín, venía a interrumpir mis tareas un muchacho moreno, buen mozo, de ojos magníficos y felinos andares; era un príncipe egipcio; se llamaba Alí; tendría unos dieciocho años y hacía sus estudios militares en Saint-Cyr; estaba encomendado a la tutela del dueño de la pensión, antiguo militar que lograba imponer su autoridad al muchacho, a pesar de tenerle un miedo cerval, ya que el africanito, cuando se enojaba, era una verdadera pantera. En ocasiones llegaban hasta nuestra habitación temerosos rugidos. «Ya está el príncipe discutiendo con su autor», decíamos. Entusiasta del arte dramático francés, Alí se empeñaba en que representásemos en el jardín, bajo los árboles, la última escena de *Cyrano de Bergerac,* que en aquellos días era el triunfo cumbre de la dramaturgia francesa. También pretendió enseñarme a tirar al blanco con una carabina de salón; empeño inútil, porque yo, sin poderlo remediar, en el momento de apretar el gatillo, cerraba los ojos y, naturalmente, erraba el blanco. También mi marido, en los primeros días de matrimonio, había intentado enseñarme un poquillo de esgrima –trajo en el ajuar de boda su par de floretes– y tampoco lo pudo lograr por la misma razón: en cuanto yo veía delante el arma del adversario, cerraba los ojos... Soy, por naturaleza, *gente de paz.*

Acercábase mayo... Primero de mayo de 1906. Día que ningún socialista deja de contar entre las *grandes fechas.* Los trabajadores de París habían anunciado que, por primera vez, harían fiesta en ese día y desfilarían en manifestación pacífica por las calles de la ciudad pidiendo –reivindicación suprema de aquellos tiempos– el establecimiento legal de la jornada de ocho horas. Nadie que no haya estado en aquella última semana de abril en la capital de Francia puede formarse idea del pánico que suscitó en la clase burguesa el anuncio de la «pacífica manifestación». Los mismos trabajadores, como estaban del otro lado de la barricada, no pudieron enterarse del todo de la fuerza que se les suponía.

¿Qué absurdo no llegó a temerse? No pocos modestos y pacíficos empleados, comerciantes, rentistas, vieron ya cabezas ensartadas en picas paseadas por los Campos Elíseos. Muchísima gente abandonó la capital y se marchó al campo para ver venir. Uno de los más aterrados era el dueño de nuestra pensión; sabía que proyectábamos ir a Londres en mayo, y no cesaba de repetirnos: «¡Márchense, márchense! ¡Ustedes que pueden evitarlo, no se arriesguen a pasar aquí el día!». Tan sincero era el hombre en sus temores, que habiéndole nosotros dicho –como era verdad– que no podíamos salir de París hasta que hubiésemos cobrado un dinero que nos debían, se brindó, cosa extraña en un francés, a adelantarnos la cantidad necesaria sin otra garantía que nuestra palabra. El buen señor nos había tomado inexplicable cariño y quería evitarnos a toda costa los horrores de la revolución.

Pasó el día tremendo… y no pasó nada, exteriormente al menos. Desfilaron pacíficamente los trabajadores; los burgueses cerraron puertas y ventanas; reinó en la ciudad desusado y maravilloso silencio… Pero ello es Historia Universal y no cabe en las particulares páginas de este libro. Además, yo, entonces ignorante de ciencia social, vi pasar el acontecimiento sin darme cuenta de su trascendencia.

Pocos días después tomamos el tren que nos condujo a Boulogne, y allí el barco que había de llevarnos a Inglaterra.

¿Por qué no tomamos la ruta más cómoda y más corta Calais-Dover? Porque, ya lo he dicho, teníamos poquísimo dinero y la ruta más larga era más barata.

LONDRES

(Otro planeta, o *Per astra ad astra*)

¡QUÉ TRAVESÍA, SANTO CIELO! ¡Qué horrendo estreno de navegación! Hay que renegar del mar, amigo a quien debo tantas horas dichosas. ¡Oh Estrecho! ¡Oh Canal! Jasón, Ulises, ¿hubisteis de sufrir tales bascas para llegar en vuestras cáscaras de nuez al áureo vellocino, a los brazos de Circe? Isla de los Santos, ¿qué tesoro guardas que tan ásperamente lo defiendes?

Acabo de saber que Nelson, el superalmirante inglés a quien bien podría llamarse marino de nacimiento, durante todas sus gloriosas navegaciones se mareaba como pudiera marearse el más continental de los campesinos castellanos que no ha visto más agua que la de los charcos cuando acierta a llover en cuanto el movimiento del mar que sostenía su excelso cañonero pasaba de vaivén de cuna a ritmo de polca. ¿También él padeció tal tortura? Ello me consuela –hasta en las más vulgares ansias plácele a nuestra vanidad coincidir con un héroe– y me humilla, haciéndome pensar: «¿Qué batalla contra el prójimo o contra ti misma serías tú capaz de ganar mientras tus entrañas parecen querer salirse por la boca? ¿Ganar? ¿Ordenar? ¿Calcular? ¿Decidir? Palabras sin sentido. Ya puedo darme por contenta si no pierdo del todo la conciencia de mi humanidad, aunque sólo sea para dolerme de haber dejado de pertenecer a la humana especie si logro murmurar con desdén de mí misma: "¡Estás sufriendo como un animal!" Sólo sobrenada en el cerco mental un deseo: ¡Que se pare este barco!» Una voz entrecortada suspira no lejos de mí: «Dentro de diez minutos veremos ya las costas de Inglaterra». Es verdad... ¡Hay costas!... Existe un lugar preciso en el mapa... En mis días niños, yo le subrayaba con un trazo de lápiz azul... Hay costas... Hay tierra firme, es decir, tierra que se está quieta... Dentro de diez minutos... ¿Dónde está el límite entre el tiempo y la eternidad?

En otro Estrecho, Algeciras-Tánger, he sufrido otra vez, pasados años, la misma tortura. Pero ya la entendía, ya la esperaba, ya no era inédita, ya las entrañas advertidas podían saborear por adelantado, en medio del tormento, el placer incomparable del segundo en que cesa de golpe, totalmente, sin dejar huellas, lo mismo que un niño cesa de llorar.

¿Por qué cuando estamos de veras dentro de la mar no nos mareamos aunque sus aguas se enfurruñen? ¿Por qué, entregados a la merced de las olas, resistimos con serenidad física todos sus vaivenes? ¿Por qué nos place dejarnos sacudir, golpear, revolcar por la espumarajeante linfa cuando nos hemos confiado a ella buscando las delicias de un baño? ¿Es que en su orgullo de saberse todopoderosa, ahorra en misericordia a nuestra inanidad el malestar que lógicamente debiera acompañar sus sacudidas? ¿Es que la mera idea de que estamos buscando el placer basta para hacernos inmunes a la náusea? ¿O es que se necesita el contraste entre la ficción de estabilidad que mal afirman las tablas de un barco y la realidad del desconcertado movimiento, para removernos las entrañas? Sí: en todos los conflictos del existir, las ficciones defienden mal contra las realidades, y solemos perder la serenidad cuando aún pensamos que algo no muy seguro nos defiende, y conservarla cuando nos convencemos de que para nosotros no hay defensa posible.

Todo esto andaba revolviendo el gusanillo que en el cerebro mora, mientras dos segundos después de saltar a tierra, «ya recobrados la quietud y el seso», bebíamos la reconfortante taza de té con que Inglaterra nos recibiera. Porque, hace nueve lustros, al pie de los acantilados británicos, a la orilla misma del agua, encontraba el maltrecho navegante servida larguísima mesa sobre la cual se alineaban tazas de ese delicioso brebaje que únicamente los ingleses –no he estado todavía en China– saben preparar en su debido punto. Tal bienestar sentía mientras la caliente infusión iba descendiendo dentro de mí y aplacando los restos del tumulto entrañable, que cerraba los ojos para gozarle mejor. Mi marido, que el infeliz se había mareado más que yo, si es posible, me dijo medio en serio, medio en broma, al subir al tren:

—¡Nos hemos lucido, porque lo que es yo no vuelvo a embarcarme, y tú dirás cómo y con qué vamos a vivir en Inglaterra!

—¡Dios proveerá! –respondí alegremente, ya olvidada de los azares de la navegación, decidida a gozar las sorpresas de aquel nuevo mundo.

¡Qué pequeñito el tren comparado con los formidables artefactos continentales! Pequeño y cómodo. Así es Inglaterra: a todo lo suyo parece querer quitarle importancia. Milagro de orgullo soberano y bien educado.

¡Qué verdes las praderas! ¿Tendría yo, castellana vieja, la pretensión de haberme dado cuenta en mi país de lo que es color verde verdaderamente? Aquí, consolador para mi herido orgullo patriótico, surgió el recuerdo de unos cuantos asturianos prados tan suave y bellamente melancólicos bajo la llovizna... Y, sin embargo, no es lo mismo; este verdor de la pradera inglesa es viva esmeralda y no tiene melancolía;

el verdor de los prados de Asturias dice resignación; el de estas británicas praderas es afirmación; hasta los bien nutridos corderos que sobre ellas pacen están seguros de su propio valer, mas la orgullosa seguridad no les quita la calma ni acelera el ritmo de la sangre. Todo inglés, aunque nunca lo diga, siente en lo hondo un ¡Soy! razón de su existencia; cada español, por muchos gritos que dé para afirmarse, lleva en la conciencia un disolvente: ¿Existo? Esa es la indomable fuerza de Inglaterra; ése es su Imperio, ése es también su tesoro.

—¿Hablas de fuerza ahora, de Imperio, de riqueza? ¿Olvidas que el coloso está abatido? ¿Olvidas que está pobre el potentado? ¿Olvidas que el Imperio está deshecho? ¿Las memorias de tu juventud te transforman el seso?

—No olvido nada. Está, está... Afortunadamente, el verbo *estar*, variante del *ser*, no dice nada definitivo. Y ahora, como en los días de su triunfo exterior, la Gran Bretaña sigue siendo Imperio porque ha sabido darse con imperial largueza, porque ha sabido mantener con imperial firmeza... *Mantener*, lo que nunca sabemos los españoles, maestros en morir por aquello mismo en que no creemos.

—¡También ello es grandeza!

—¿Quién lo niega? Tan alta que da en las nubes... *Castillos en España* llaman otros países enamorados de la razón a lo que nosotros decimos *castillos en el aire*, ilusiones, sueños. Sí, por ellos muere el español; sí, desde las troneras de sus soñadas torres lanza el proyectil –única realidad– con que quita la vida a su hermano. Y mientras está viendo correr la sangre propia, vocifera para acallar la duda, grita como insensato. Para poder morir por una duda hay que estar loco. ¡Oh Cervantes!

—¿Y Hamlet? ¿Le olvidas también?

—Hamlet muere por una duda. Quiere morir porque no puede soportar la realidad.

En fin, alma dolida, estamos repasando gratos recuerdos que tienen casi medio siglo de fecha. Llegar a Londres por primera vez en el mes de mayo es grande privilegio. Lo era en aquellos tiempos. Mayo..., primavera: los días más largos del año; los atardeceres interminables; las noches breves; apenas te has dormido, amanece. Y te traen en la bandeja del desayuno, junto a la fina taza para el té, junto a la jarrita llena de nata fresca, junto a la mermelada dulceamarga y el pan tostado, una frágil rama florecida de lirio del valle.

A quien ahora va a Inglaterra en primavera ya nada de esto le sorprende. Los días largos, los crepúsculos que no terminan...

Dos guerras no han enseñado a alterar el ritmo secular del día y la noche; hemos aprendido a estirar la luz para aprovechar carbón; las cifras de las horas han danzado sobre la esfera del reloj durante años y años por decreto gubernamental. ¡Por decreto gubernamental! Ese es el monstruo nuevo que ha creado la trastornada voluntad del hombre en este medio siglo. ¡El decreto! Se vive por decreto, se muere por decreto, el decreto nos coarta la respiración. ¿Puedo atreverme a suspirar? ¿Acaso no es delito? No se hable de protesta. La protesta se paga con el pelotón. ¿Para esto somos hombres?

¡Y pensar que, en uno de aquellos crepúsculos apacibles, tendida sobre el bien recortado césped de un jardín londinense al cual había llegado desde los campos de Castilla por acto de mi voluntad libérrima, soñaba en escribir un libro que había de llevar por título: *De cómo ha nacido la libertad!*

En la estación, amigos nos esperan; hasta esa buena suerte nos está deparada; no entramos en la vida londinense por la puerta de un hotel semejante en su cosmopolitismo a todos los de Europa. Desde el primer momento penetramos en la existencia corriente y familiar y podemos gozar la peculiarísima hospitalidad inglesa que a los españoles de la clase media se nos antoja cosa de milagro. La familia española –digamos la mujer española, puesto que la familia es la mujer– no suele ser hospitalaria; dice a todo el que llega a pasar el umbral: «Está usted en su casa»; pero, en general, se guarda muy mucho de franquearle en ella otra puerta que la de la sala de recibo; plácenle las visitas, no los huéspedes; diríase que le avergüenza que la vean vivir. ¿Exceso de pudor? ¿Desconfianza del propio valer? ¿Recelo de la posible deslealtad ajena? De todo habrá en la viña. Yo imagino que esta voluntaria barrera que ella erige entre su hogar y el mundo, mucho más que mezquindad pudiera ser cordura. Esto aparte, la perfecta hospitalidad es uno de los grandes deleites de la vida, y tanto goza en ella quien la otorga como quien la recibe.

Primera sorpresa: va corriendo el coche, que aún es de caballos, por calles apacibles, trazadas en curvas perezosas, muchas pavimentadas en madera embreada y enarenada, amplias, bordeadas por casas pequeñas; al pórtico, sostenido casi en todas ellas por dos columnas jónicas, se llega por una escalinata de tres o cuatro escalones; a ambos lados de la escalinata hay verjas que limitan dos pequeños espacios adornados con plantas perennes y a las cuales abren las alargadas ventanas de los sótanos; todas las puertas están cerradas, lo mismo que en Bruselas; en todas las ventanas redondeadas en acristalados miradores hay flores, no puestas al azar en desiguales, rústicas macetas como en los balcones de nuestra Andalucía, sino bien combinadas en color y tamaño; en ésta, un cordón de azules celestillas sirve de base a un fleco blanco y oro de alegres margaritas; en la otra, maraña de rosales enanos cuajados de corolas y capullos que en su aparente desorden bien compuesto trae a la mente los laberintos de al parecer incoherentes líneas que se complacía en enredar con ciencia infalible la pluma de Durero; en la de más allá, triunfa orgulloso y frío un esplendor de rojas peonías... Las calles por las cuales vamos pasando están silenciosas, casi solitarias; el aire de mañana de mayo huele a jardín; cantan los pájaros; atravesamos un parque, Holland Park, propiedad privada que se abre con generosa naturalidad al tránsito público sabiendo que aquellos que utilicen el paso han de respetar plantas y senderos. Hemos pasado antes una calle con tiendas y almacenes y tráfico urbano de gente y vehículos que también nos ha causado impresión más de pueblo provinciano que de gran ciudad... ¿Es esto Londres? El Londres que nosotros traíamos, con cierto temor, en el pensamiento era una masa de negros edificios, circulación vertiginosa, ruido ensordecedor, gente atrafagada, todo ello envuelto en niebla y humo, entre cuyos asfixiantes cegadores cendales se crea, se trasiega, se maneja, se afana la riqueza del mundo. Aún no sabíamos que los londinenses han confinado todo el infierno de su afán en la reducida superficie de un barrio, la City, y que viven apaciblemente lejos del lugar en que ganan su vida.

Alguien nacido en el siglo XX se reirá de tal sorpresa. ¿De qué caverna salía esta mujer para asombrarse casi tanto como Segismundo? Piense el reidor que, hace medio siglo, el cinematógrafo recién nacido aún no había empezado a rodar «documentales», que no soñaba en existir la radio, que el hombre no sabía volar y, por lo tanto, no tomaba fotografías desde las nubes; que la rotativa, el heliograbado y otras novedades estaban en los limbos del no ser, y que muchos periódicos importantes hacían aún la información gráfica de los sucesos no por medio de la fotografía, sino del dibujo.

Hoy, cuando se llega a una ciudad desconocida, no hay sorpresas: el exceso de información gráfico-periodística y cinematográfica ha desflorado todos los placeres del descubrimiento: Hace unos meses desembarqué en Nueva York por primera vez, y tan familiar era para mí la silueta de su *sea-front* que desde la cubierta del barco iba poniendo nombre a cada uno de sus rascacielos.[128] Ciertamente, es placer de otra índole encontrarse perfectamente *at home* desde el primer instante en la inmensa urbe y no poder perderse en ella ni de intento, ya que Madison Square nos es, sin haber estado jamás en él, tan familiar como el patinillo de nuestra propia casa, y el Empire Building tan conocido como el campanario de nuestra parroquia. Ello es que en 1905 una pareja de ilusionados españoles pudo ir descubriendo con maravilla en Londres su paz de aldea. Y el fenómeno bien merece, al cabo de casi medio siglo, una línea de agradecimiento.

Llevaba a Londres un capricho, hijo de mis lecturas dickenianas: quería beber *whisky* como míster Pickwick y sus compañeros de quijotescas aventuras; como llegáramos en domingo, a la hora en que están cerrados los despachos de bebidas y en casa de nuestros amigos no hubiese provisión del licor famoso, nuestra amable huéspeda, queriendo complacerme, hubo de mandarlo a buscar a la farmacia para un remedio: remedio a mi curiosidad. Probéle, ¡ay de mí! No me gustó. Súpome y sigue sabiéndome a infusión de suela. Le detesto en todas sus combinaciones. Cuando veo a una dama trasegar un *highball* se me antoja que reniega de toda su hechicera feminidad. ¿Han probado ustedes alguna mañana, señoras mías, el sorbo de rocío condensado por el frío de la madrugada en una hoja de col? ¡Pruébenlo, se lo ruego! No hay licor más exaltante ni copa más suntuosa –repujada plata esmaltada en verde sobrenatural–. ¡Pruébenlo! Sabe a filtro de amor, y al mismo tiempo, aclara el seso y limpia el espíritu de toda idea turbia. ¡Pruébenlo! Y si por azar son ustedes españolas y pre-

---

[128] Desembarca en Nueva York el 20 de septiembre de 1950.

fieren, no estando tocadas del mal de poesía, el alcohol al néctar del amanecer, recuerden que de España viene un vino de oro, sangre de la vid, que casi salta en chispas a los ojos y que, sabiendo a gloria, hace perder la razón –si eso es lo que se busca– con mucho más salero y recobrarla con muchísima menos melancolía que el fermentado cocimiento de cebada o centeno destilado en Escocia.

En Inglaterra halla un espíritu latino singular e inesperado descanso. Apenas lleva un par de días respirando el aire de la isla se da cuenta de que la verdad es moneda corriente en la vida cotidiana. ¿Podéis en nuestro clima imaginar un dependiente en la tienda de telas que, desenrrollando ante vosotras dos piezas de tejido, os dice: «Sí, señora: ésta, desde luego es más bonita, pero no es lana pura aunque lo parece»? ¿O un vendedor de muebles que os avisa: «Estas sillas se venden más baratas de lo que valen en realidad, pero es que queremos salir de ellas; son, aunque tan lindas, de un modelo que no ha de repetirse porque las patas han resultado poco resistentes?». Y así en todo: «Estos dos cestillos de fresas tienen el mismo aspecto; pero éstas son de ayer y no resistirán hasta mañana; por eso se dan a menos precio».

Y de este modo siempre: nadie os dirá nunca una grata mentira por halagaros; jamás os hará nadie una falaz promesa con ánimo misericordioso de calmar vuestras impaciencias bien seguro de que lo prometido no ha de cumplirse; en resumen: nadie os tratará como a niños a quienes se engaña con un chupador o se distrae con un sonajero. No es crueldad ni austeridad; es que todo inglés os cree capaz de soportar serenamente la realidad ineludible, como él la soporta, como la ha soportado siempre ese pueblo admirable, sin alaridos, sin exclamaciones, sin énfasis, sin lamentación… Y ved qué poca y miserable cosa somos. Creémonos enamorados de la verdad: de cierto, la inquietud de no poder llegar a poseerla es el roedor que nos muerde, incansable, conciencia y corazón; y, sin embargo, los primeros días echamos un poco de menos el halago de la mentira ambiente, de la leve lisonja, de la sonrisa prometedora..., el reflejo del sol en la nube, el temblor de la luna en el agua.

Poco dura el leva malestar; pronto logramos desgarrar el cocón áspero, la dura cáscara, la astringente y picante cascarilla; pronto llegamos a la almendra pulida y sabrosa, pronto aprendemos a gustarla, pronto nos avezamos a saborear el sano alimento, pronto el alma se acostumbra a recrearse en la tranquilidad de sentir: ¡Aquí no tengo que pasarme la vida defendiéndome! Por eso digo que para los nacidos y vividos bajo la influencia mediterránea, Inglaterra es otro planeta.

Bien se ve en las escuelas: Nada de la insistencia francesa sobre la forma y el lenguaje, poco –tal vez demasiado poco– de la *información* belga que capacita para la vida cotidiana; en cambio, insistencia sobre el desarrollo físico, sobre la formación del carácter. Mucho juego, poco estudio, cultivo de la voluntad, injerto, casi puede decirse en la carne, de la lealtad. ¿En qué escuela de país latino se ha dicho nunca con seriedad: «El que miente es un villano; el que acusa, un miserable?». ¿No hay en muchas de nuestras escuelas, tanto confesionales como laicas, niños inspectores que cuidan del orden y apuntan las faltas de sus compañeros? Eso es inconcebible en una escuela inglesa. Da vergüenza hablar ya del juego limpio, tan vulgar ha llegado a ser el concepto, pero hay que repetirlo siempre que haya ocasión porque sigue existiendo.

—¿Y cómo compaginas –arguye un compatriota escéptico– esa persistencia del jugar limpio con la tradicional perfidia de la política inglesa?

—Sobre el tópico de la *pérfida Albión* se podría decir bastante: cierto es que Inglaterra suele lograr cuanto se propone; pero jamás esconde ni disimula sus fines; cierto que mueve no pocas veces los peones de las rivalidades entre aquellos a quienes quiere vencer, mas la deslealtad no es suya, sino de aquellos mismos con quienes trata. Inglaterra se es leal a sí misma en toda ocasión. ¿Qué nación puede decir otro tanto? Su patriotismo es de ley, como oro fino en libra esterlina.

—La libra ya no corre.

—No lo digas riéndote. ¡Volverá a correr!

—¿Quién lo fía?

—Inglaterra misma, que sabe estar pobre sin ficciones y con serenidad. *Servir a la patria* es tópico poco sincero en nuestros países corrompidos tal vez por exceso de sal ática. Servir a la patria es realidad en Albión.

—¡Ah! Pero sus hijos la sirven demasiado bien. No tienen en cuenta el interés ajeno.

—Aun cuando fuera ello estricta verdad, que no siempre lo ha sido, ¿no es ya primer grado de virtud saber servir a lo que mucho amamos? Sobre que el amar a la Humanidad entera ya no es virtud de hombres, sino de santos. ¡Ojalá nosotros, cuitados, supiéramos amarnos con fiel y eficaz egoísmo!

¿Qué no quisiera yo decir de Inglaterra? ¡Cómo me recreaba en pensamiento al proyectar este capítulo! «Contaré, explicaré...», me decía con anticipado regocijo de buena pagadora, ya que tanto debo a mis repetidas estancias en tierra británica. Y he aquí que, puesta a repasar buenos recuerdos, me causa extraña timidez hablar de ellos. ¡Significan tanto para mí, pero serían tan poca cosa para quien se lanzase a leerlos! ¡Y ya tantos han dicho lo que exteriormente yo pudiera decir! ¿Voy a hablar de la mansa corriente del río surcada en las tardes dominicales por barcas empujadas por el *punt* de arrogantes mancebos vestidos de claras franelas, barcas en que iban reclinadas mujercitas envueltas en vaporosos trajes de blancas batistas, tocadas con floridas pamelas?

¿He de recontar las increíbles riquezas acumuladas en el British Museum, desde los frisos del Partenón hasta los colibríes y pájaros moscas de las selvas americanas? ¿Intentaré explicaros la fascinación que me encadenaba y retenía largos cuartos de hora ante las innumerables estatuillas de Isis tocada de la tiara mágica, con su Niño en los brazos? ¿O mi anonadamiento ante los asirios toros alados? ¿Osaré deciros cómo me deslumbraba la niebla de oro con que Turner ha pintado Italia o el templado, casi voluptuoso placer que sentía mirando los retratos de Reynolds, de Romney, Gainsborough y Lawrence? Además (con tal vértigo ha corrido la primera mitad del siglo XX y en tal manera ha hecho retroceder a remoto pasado lo que fue actualidad en sus comienzos), el Londres que veíamos por primera vez es ahora ya casi tan leyenda como lo era para nosotros el del doctor Johnson, el de Swift, el de Sterne, cuyas figuras evocábamos al recorrer las tortuosas calles, llenas de librerías, que rodeaban la catedral de San Pablo. Rodeaban, digo, ya que los bombardeos de la última guerra han deshecho la red que aprisionaba el templo, y ahora se alcanza a divisar su cúpula desde lejanías urbanas en que nunca se viera. El Londres de 1905 era el de los *cabs*, cochecillos moscas montados en dos ruedas, con tan potentes ballestas que hacían de su rápida carrera un volar sobre alas de cisne, en los cuales el cochero, desde el elevadísimo pescante colocado detrás del cuerpo del coche –que era como una concha y un balcón– guiaba su caballo por encima de vuestra cabeza, con larguísimas riendas. Eran los *cabs* para mí tan poéticos como las famosas góndolas de Venecia. Uno vi hace pocos meses en un museo de Nueva York, y al mirarle, se me escapaba el alma en un suspiro hacia mi perdida juventud.

Era el Londres de los deslumbradores *music-halls* que tan marcadamente contrastaban con los sórdidos *cafés-concert* parisienses de la misma época. En uno de los más concurridos vimos, ya en su ancianidad, a Ivette Guilbert, ídolo del mundo entero en París en los días de nuestra infancia, la que lanzó la absurda moda de las medias negras que desterraron las blanquísimas de nuestras abuelas y madres, y que ha durado a pesar de su fealdad –perdónenme los cisnes de negros cuellos de Rubén Darío–, incomprensible y desdichadamente, casi un cuarto de siglo. Anciana y pobre, pero conservando maravillosa la técnica de su oficio de cancionista, renunciando a las canciones picarescas que hicieron su fama:

—*... Elle était montée à califourchon...*

ganábase la vida interpretando antiguas canciones populares francesas, haciendo de cada una de ellas un drama. Quien entonces la oyó no podrá olvidar la galante y punzante melancolía con que, en la canción de la abuela que aconseja a las nietas gocen de la vida aprovechando la juventud, cantaba:

Oh, comme je regrette
mon bras si dodu,
ma jambe bien faite...
et le temps perdu!

¿O aquella otra en que, áspera campesina empapada en rencores conyugales, relataba con horrendo placer cómo fue cosiendo en el sudario el cuerpo del marido muerto, las manos que la habían tantas veces abofeteado, los pies que tantas patadas le dieran? ¿Quién no recordará estremeciéndose aquel morder de las palabras cuando cantaba:

Quand je vins à ses grosses pattes,
j'avais peur qu'il me battit;
quand je vins à sa grosse bouche,
j'avais peur qu'il me mordit...?

Y el trágico estribillo vengador:

Jáimais tant, tant, tant,
j'aimais tant mon mari!

En París, emporio del placer sensual, ya nadie quería escucharla: Londres acogió y admiró su arte prodigioso, y gracias a sus libras esterlinas pudo morir en paz, y no de hambre, la pródiga cigarra parisiense.

(Como pudo morir un siglo antes en su lecho triste y miserable, pero no en el asilo de pobres, Luis van Beethoven gracias a las libras esterlinas con que sus admiradores ingleses pagaron anticipadamente al genio enfermo y desamparado en su patria la serie de conciertos que estaban bien seguros no había de dar.)

Sí, Inglaterra es generosa, virtud rara en hombres y en países ricos, y sabe dar sin ostentación, evangélicamente.

Nosotros, personalmente, le debemos mucho: ante todo, la buena acogida, la naturalidad con que supo mostrarnos desde el primer momento que nos consideraba como suyos; después, enseñanza, no sólo de mejor y más práctico vivir, no ya meramente literaria; mi marido no se cansaba de comprar libros, aquellos volúmenes irreprochablemente impresos en el mejor papel del mundo, indestructiblemente encuadernados en su flexibilidad, al parecer frágil; yo no me hartaba de leer su sabrosa, áspera, fuerte, socarrona literatura de los albores de la edad moderna que por tantos puntos hacíame recordar la española de la misma época. Es curioso cómo saltando por encima de Francia, vecina común que al mismo tiempo las separa y las junta, España e Inglaterra muestran indudable parentesco espiritual, un poco más libre en el genio inglés, algo más luminoso e idealista en el español. (Hay que dejar a salvo las cumbres, desde luego: más libre que Cervantes no le hay; más luminoso que Shakespeare no existe.) ¿Es que *La mujer muerta por la dulzura*, de Heywood, no hubiera podido escribirla el autor de cualquiera de nuestras desenfadadas comedias de santos?[129] ¡Es que aquel que imaginó y compuso *Pilgrim's Progress* no es hermano gemelo del arcipreste de Hita?[130] Inmensamente admiro a Montaigne, mas sólo en los días en que me trastorna la locura de la razón –y son bien pocos– me reconozco parentesco espiritual con él; en cambio, ¡tantas páginas de Bacon pudiera haberlas escrito yo misma!

Hasta parte de nuestra propia historia, y no la menos interesante, aprendí por buen azar en Londres. En la casa de nuestro grande amigo Santiago Pérez Triana, colombiano insigne, poligloto eminente y, sobre todo ello, el hombre de más amena, humorística y sabrosa conversación, de más escéptico y optimista espíritu –rara mezcla en verdad– con que tropecé nunca, tuvimos ocasión de conocer a muchos de los infinitos iberoamericanos que a la sazón vivían desterrados, por azares políticos, en la capital británica, y por primera vez pude enterarme de tantos hechos que mis dos cursos de Historia de España y tres de Historia Universal en la Escuela Normal Central de Madrid habían dejado para mí en oscuridad completa; así andaba por entonces la enseñanza oficial en España. Allí empecé a entender la verdadera significación de la independencia de las colonias españolas en América –la que en realidad tuvo para ellas– y a darme cuenta del proceso de formación de las naciones centro y sudamericanas. Allí vi por primera vez un retrato de Bolívar, pésimo graba-

---

[129] May Heywood Brown es una de las traductoras de «Martínez Sierra» al inglés. Tradujo *The Cradle Song and other plays*, Nueva York, Dutton and Co. Inc, 1929.

[130] El autor de esta obra es John Bunyan (1628-1688).

do que representaba o quería representar al glorioso caudillo jinete en fogosísimo y retorcidísimo corcel; el tal retrato, con modesto marco de caoba, había sido ofrecido a Pérez de Triana, que a la sazón representaba diplomáticamente a una de las repúblicas de Centroamérica, por sus compatriotas en un día de celebración oficial de la Independencia: era, como he dicho, malísimo y feo, y produjo una sorda y cómica lucha intestina en el hogar de nuestro amigo: su esposa, norteamericana, hija de uno de los riquísimos accionistas de la Standard Oil Company, si no recuerdo mal, el que tuvo la felicísima y genial idea de instalar la *pipe line* productora de tantos millones, tenía la afición laudabilísima de la casa elegante y artística, en la cual no consentía nota discordante y, como norteamericana, le traían completamente sin cuidado las glorias del Sur, por lo cual el infeliz retrato le inspiraba feroz antipatía. En cuantas visitas de inspección estética giraba al despacho de su esposo, hacía desaparecer el cuerpo del delito; el marido, temiendo ofender a los compatriotas que se lo habían regalado, sin pronunciar palabra, con socarrona paciencia, buscaba el retrato y volvía a colgarle en el sitio de honor que le correspondía. Después de varias silenciosas escaramuzas, venció el varón, porque era el que tenía más calma, y Bolívar triunfó definitivamente en aquel refinado hogar londinense; pero eran de ver las miradas de odio que le lanzaba su elegante enemiga.

También en casa de Pérez Triana, pero no en Londres, sino en Madrid, conocí a Roberto Cuninghame Graham, el distinguidísimo escritor escocés, gran viajero, primer diputado socialista en la Cámara de los Comunes, a pesar de ser aristócrata de nacimiento y muy rico, uno de los grandes amigos de Sidney y Beatriz Webb, de Bernard Shaw, de Granville Barker; apasionado hispanófilo, hablaba perfectamente el castellano con acento andaluz; simpatizamos inmediatamente y llegamos a ser muy buenos amigos; en una de sus frecuentes excursiones a Marruecos, por donde circulaba con nombre y vestimenta árabes y donde era popularísimo, envióme un par de babuchas de verde tafilete bordado en oro; y sin duda tenían virtud mágica, porque aunque las usé muchos años, nunca se gastaron ni deslucieron. En España están.

Poco o nada trabajamos en nuestra primera estancia en Londres –si se llama exclusivamente trabajar al escribir–. Tenía yo que visitar las escuelas, y estábamos demasiado ocupados en asimilar los nuevos aspectos, los insólitos modos de pensar y vivir, los desconocidos paisajes. Interesábannos los escaparates de Oxford Street con sus maravillas de plata labrada y de objetos de piel que parecen joyas; ¡qué neceser de costura, mezcla exquisita de dorado junco, de piel color de pan tostado, de raso limón pálido, con devanadores de marfil, punzones y alfileteros de nácar, tijeretería del más puro acero, lucía en uno de ellos! Después de contemplarle melancólicamente varios días, ya que su precio era casi prohibitivo para mi modesta bolsa de becaria, no pude resistir a la tentación, y le compré, ¡yo que no coso nunca! Las tiendas de galas y modas de París me dejan, en general, indiferente; en Londres, siempre lamento no ser millonaria.

Ilusionáronnos los castaños de Windsor. El primer día que los vi estaban en toda su soberbia primaveral, recamadas las copas de suntuoso verde por las grandes piñas de flor blanca y rosada; cada uno de ellos –¡y son tantos!– parecía una reina vestida de brocado, orgullosa de su incontrastable derecho de soberanía.

Deleitábannos los pueblecillos que rodean y cercan la capital, limpios, bien ordenados, a los cuales se llega por caminos tan pulcros y cuidados que semejan senderos de parque; entonces circulaban por ellos gentes en bicicleta que acaso cortaban al pasar una florida rama de espino para adornar el guía de la máquina. Como había poquísimos automóviles, se podía gozar el placer de ir por ellos a pie, deteniéndose en alguna de sus características *inns,* posadas acogedoras en las cuales, con el descanso, podía saborearse el modesto y sabroso refrigerio de pan, queso y cerveza. De todo esto ha hablado como nadie Wells, maestro incomparable en hacer sentir la poesía intensa de lo material, las delicias del vivir humilde y cotidiano.[131] Ahora ya no se puede ir despacio por ningún camino; los que poseen máquina devoradora de kilómetros –«hipogrifo violento que corriste parejas con el viento»– no comprenden sino el placer de la carrera vertiginosa, y ya no hay quien se atreva a ser peatón, andariego, vagabundo, por temor al polvo y al atropello. Ya las viejas metáforas «camino de la vida», «viandante animoso o fatigado» perdieron su sentido y, con ellas, desapareció el sentido de estabilidad en el vivir. ¿Quién siente ya la tierra bajo sus pies? La vida no es ya camino que lleva al bien ganado descanso; la vida es carrera que arrastra a la catástrofe casi inevitable. ¿Suspiros de vieja? Desde luego, cada época tiene sus placeres; ¡pero yo he logrado tanto y tan gran deleite en mis años mozos y maduros en andar y andar, en andar y ver! Sin duda es achaque de familia: padre y madre gustaban de vagar por los campos; varios de mis hermanos comparten conmigo la afición anda-

---

[131] H. G. Wells (1866-1946). En *Una mujer por caminos de España* explica el impacto que le causó leer al autor socialista inglés: «Hasta que un día, en una revista francesa que hallé no sé dónde, leí un trabajo de Wells titulado "Esta miseria de zapatos" (*This Misery of Boots,* 1907), y me enteré de que había estado descubriendo el Mediterráneo y de que la preocupación que tenía por tan exclusivamente mía que, por pudor intelectual, no me atrevía a hablar a nadie de ella, era el problema candente y esencial del siglo». *Ob. cit.,* p. 81.

riega; el hermano de uno de mis abuelos vivía en el hermoso valle riojano donde yo he nacido a la sombra del monasterio de San Millán de la Cogolla; cuando quería visitar a sus hijas casadas en Madrid, se echaba el atillo al hombro, y a pie recorría, andando despacio, el medio millar de kilómetros que de ellas le separaban. Tardaba un par de meses en el viaje; ganaba la posada –era zapatero de oficio– echando acaso tal cual par de medias suelas a los zapatos de la posadera, y llegaba al fin de su viaje reposado, contento y sin haber sacado un céntimo del bolso. Pasaba un mes o dos en el halago de la familia, y volvía a su valle natal por el mismo proceso.

* * *

Si para nosotros era novedad interesante la vida inglesa, bien me daba cuenta de que nosotros éramos también novedad pintoresca para los amigos de nuestros amigos que casi a diario nos invitaban. Era la *season,* el tiempo de las fiestas de Corte para los grandes de la tierra, el de los *picnics* sobre la verde hierba a orillas del camino para los humildes mortales, el de las elegantes *garden parties* para la burguesía acomodada. Subsistían aún las reuniones familiares de la época victoriana en las cuales los buenos ingleses se divertían unos a otros luciendo sin temor al ridículo sus habilidades peculiares; unos hacían música bien o mal, otros cantaban con afinación o sin ella, o hacían juegos de prestidigitación o contaban «historias» y cuentos. Mi marido era popularísimo entre las damas en su calidad de español, a quien, sólo por serlo, suponían ellas fogoso y apasionado como un don Juan; no hablaba inglés, mas se entendían en francés, que él hablaba perfectamente y ellas chapurreaban graciosamente, y parecían todos estar encantadísimos. A mí me preguntaban los caballeros: «¿Usted no hace nada para divertir a la compañía?». Y yo respondía con sinceridad y valor: «Sí, señores; yo hablo inglés». Y ellos se reían, reconociendo la verdad de mi afirmación, pero sin ánimo de ofenderme; en efecto, añadíase a mi siempre defectuosa pronunciación de la lengua de Milton el arcaísmo de mis expresiones; había yo estudiado demasiados textos clásicos, y uno de mis *admiradores* me dijo un día, divertidísimo como pudiera estarlo en una función de circo: «Habla usted, señora, como en los tiempos de Shakespeare». Siendo tan amiga del buen hablar, harto me dolía destrozar una lengua por mí tan admirada; pero ¿no ha dicho Eça de Queiroz: «Hay que hablar orgullosamente mal las lenguas extranjeras?». Para todo hay consuelo cuando se tienen letras, ya que todas nuestras desventuras las ha experimentado y comentado antes que nosotros algún ilustre predecesor.

No quise marcharme de Londres sin haberme dado cuenta de su vida áspera, ya que por tantos aspectos de su existencia suave me halagara; quise ver a los pobres a quienes precisamente la costumbre de los barrios residenciales, de las casas para una sola familia, segrega de los bien acomodados; si no salimos de las zonas occidental y central de la ciudad, podemos, viajeros ilusionados, olvidar que existen..., pero allí están. Hay muchísimos pobres en Londres –como hay mucho de todo en la inmensa urbe–; habíalos en aquella época, ápice y cumbre de la prosperidad británica, cuando el viejo país dormía tranquilo en la gloria del recién creado Imperio, sintiéndose guardado de todo azar por su escuadra invencible. En los barrios centrales, a veces asomaba la miseria su cara de hereje en la ramilletera tocada con el inverosímil y abollado sombrero que ofrecía sus flores «sin molestar», en el viejo que sacaba del hiposo organillo valses melancólicos, en el pintor de afición que embadurnaba las aceras con los engendros de su fantasía dibujados sobre las losas con cretas de colores; en mi recorrido de escuelas había tropezado con algunos muñecos de piernas raquíticas, con algunas chiquillas demasiado pálidas.

No podía pedir a mis elegantes amigos –nuestra huéspeda gozaba el privilegio de adornar su cabeza para asistir a las fiestas palatinas con las tres plumas de avestruz– que me acompañasen en tales excursiones; fue mi Virgilio para aquel infierno una maestra de escuela; con ella recorrí varias mañanas las zonas miserables en que se iba pudriendo lentamente la escoria de la civilización. No eran barrios de obreros, eran aglomeraciones de gente que sin saber por qué estaban de sobra y que no acababan de perecer porque la vida es tan inexorable como la muerte. Eran inadaptados, inadecuados, nacidos bajo el signo de la mala fortuna; «los del abismo» les ha llamado un escritor inglés; la mayor parte de los que malvivían dentro de sus límites infranqueables aunque sin barreras, habían nacido allí, y allí existían pegados al suelo por su propia mugre sin que se les ocurriera imaginar –aún no había llegado a sus antros el cine– posibilidad de vida distinta. No estaban resignados a su miseria, estaban conglomerados en ella, connaturalizados con ella; «puesto que así se vive, seguiremos viviendo». Esta es la espeluznante bienaventuranza del ser humano: cuando nada tiene, con vivir le basta. ¡Y a cien metros del Banco de Inglaterra! Porque el emporio de la pobreza irredenta empezaba donde terminaba la City, y desde las cinco de la tarde, la región de los Bancos quedaba silenciosa y solitaria sin más defensa para las cajas fuertes que unos pocos pacíficos vigilantes. Siempre me sorprendió que los naturales del horrendo reino no se desbordasen en la noche para asaltar fortaleza tan poco defendida... Así es el hombre, hay que repetir con inagotable asombro a cada paso que damos por la tierra; no hay explicación valedera ni para lo que hace ni para lo que deja de hacer.

También visité el barrio judío; también pobre, también miserable, sucio, viciado el aire por el abominable hedor de las fritangas –el mismo que emponzoña algunos recovecos madrileños–, pero era distinto: en toda comunidad israelita, por desamparada que parezca, hay voluntad y hay esperanza; su resignación no es adaptación; no hay que olvidarlo; su relación con Jehová se llama Alianza, y el Aliado todopoderoso tiene inmemorial costumbre de vencer al fin del combate, de humillar al soberbio y ensalzar al humilde.

Al salir de Inglaterra iba triste. Pensaba: ¿Volverás algún día a esta isla donde el alma te ha dicho: «También ésta es tu patria?». Como el deseo, a veces, empuja al Destino, en el siguiente mes de mayo (1906) desembarcaba en Dover. Iba sola. El compañero se me quedó en París entretenido en negociaciones para adquirir el derecho a traducir varias obras dramáticas francesas, tal vez aún no olvidado del formidable mareo del año anterior. Esta vez, los vientos me fueron favorables e hice la breve travesía serenamente. La estancia fue corta. Guardo de ella, entre otros largos de contar, dos recuerdos.

Asistía una tarde, creo que en el Albert Hall, a un concierto. El famoso compositor noruego Eduardo Grieg había venido a tocar en persona una selección de sus obras pianísticas. Grieg era entonces popularísimo en el mundo entero, pero muy especialmente en Inglaterra, donde todas las *misses* aficionadas a la música interpretaban sus danzas y canciones noruegas con el más almibarado romanticismo; el inmenso salón estaba completamente lleno, y vibraba el aire de entusiasmo y expectación. Apareció el maestro en el escenario: era un viejecillo menudo, de aire malhumorado y brusco andar. Un mechón de rebelde cabello parecido al que después ha popularizado Hitler, iba y venía por su frente. El cerrado aplauso que le acogió no logró desarrugarle el ceño.

Los saludos bruscos con que a los aplausos respondiera parecían, más bien que muestras de agradecimiento, cabezadas de protesta. Sentóse al piano, echóse atrás el mechón obstinado en estorbarle, y empezó a tocar como quien tuviese prisa, antes de haber comenzado, por terminar una obligación molesta. Saltaron al aire las primeras notas. Sorpresa..., desconcierto... Aquellas melodías que sus admiradoras acostumbraban alargar en lánguido suspiro, sonaban, interpretadas por su autor, agrestes, ásperas, con ritmo cortado y saltador; no olían a rosas de junio, sino a silvestres jaras y retamas; no se alzaban a impulso del blando céfiro, sino de desatadas celliscas de nieve; no eran bien educadas ninfas cortesanas, sino rudas y sanas mozas montañesas, tal vez cabras monteses. Oyéronse refrenados murmullos; poco faltó para que de alguna linda boca saliese un protestante «¡No es así! ¡No es así!», pero triunfó el sentido común. ¿Quién mejor que el autor sabía a qué compás y con qué espíritu debían ejecutarse sus obras? Bien puede afirmarse que aquella tarde Grieg se estrenó en Londres. Al terminar la primera parte, el público, vencido y admirado, repitió la ovación y esperó la segunda para saborear nuevas sorpresas.

Durante la espera llegó una triste noticia: había muerto Ibsen, el gran autor dramático noruego, genial colaborador y amigo del músico desde la juventud.[132] Cuando Grieg volvió a presentarse, hízose un gran silencio, y nadie se atrevió a aplaudir, pero todos tenían los ojos clavados en él. Sentóse al piano y se quedó mirando las teclas fijamente. No parecía triste, sino aún más malhumorado que antes. Tocó, añadiendo al programa algunos fragmentos del *Peer Gynt*, la obra común, el poema de la montaña noruega que soñaran jun-

---

[132] Nacido en 1828 Ibsen muere en 1906.

tos. Naturalmente, la ovación fue estruendosa, ya que el público quería juntar en un mismo homenaje al vivo y al muerto. Grieg en pie, con los brazos caídos, no daba señal ninguna de agradecer el aplauso. De pronto una chiquilla –parecía no tener más de doce años– se puso en pie sobre una butaca y lanzó al escenario una rosa. Grieg se inclinó a recogerla, y entonces, por primera vez, sonrió.

Salía una mañana del British Museum y me sorprendió una salva de artillería.

—¿A qué esos cañonazos? –pregunté.

—¿Olvida usted –respondió mi acompañante– que hoy se casa el rey de España con una nieta de la reina Victoria? Estas salvas anuncian que la feliz pareja sale del templo de San Jerónimo el Real, donde les han echado las bendiciones.

Apenas habíamos llegado a casa trajo el telégrafo la noticia del atentado de Morral al paso de la regia comitiva por la calle Mayor de Madrid.[133] Los periódicos de la noche contaron los detalles del suceso. El pueblo inglés que, como todos, tiene sus supersticiones, comentaba:

—¡Naturalmente! Algo malo tenía que suceder. ¿A quién se le ocurre casarse en el mes de mayo?

---

133 31 de mayo de 1906.

«CANCIÓN DE CUNA»[134]

---

[134] Indudablemente, es ésta su obra más famosa y representada. A la vez es uno de los éxitos más importantes del teatro español en el extranjero. Fue traducida al inglés por John Garrett Underhill y estrenada en: el Times Square Theater, Nueva York, el 28-II-1921; Fortune Theatre, Londres el 2-XII-1926; Civic Repertory Theater, Nueva York el 24-I-1927 con Eva Le Gallienne en el papel estelar siendo representada 167 veces. Sin embargo, fue la producción francesa en el Théatre des Champs Elysées la de más duración, representándose más de 300 veces. Es interesante notar que en los programas de mano para el Fortune Theatre y el Times Square Theater figura Gregorio Martínez Sierra como único autor, mientras que en el programa de mano de 1927 para el Civic Repertory Theater constan como autores Gregorio y María Martínez Sierra.

AL PONERME A PENSAR en nuestra comedia *Canción de cuna*, para escribir este capítulo, asáltame un recuerdo de infancia que ha estado escondido y perfectamente olvidado lustros y lustros en el fondo de mi subconsciencia. Sin embargo, hoy se ofrece a mí nítido y neto, no como algo que se recuerda, sino como algo que se está viviendo. Y, lo que es más, juro por el coro de las nueve Musas –y tomo como especialísimos testigos de la veracidad de mi juramento a mis patronas Talía y Melpómene–, juro, repito, que mientras se ocurrió, imaginó, proyectó y planeó *Canción de cuna*, ni una sola vez el recuerdo sumergido subió a la superficie de lo consciente. Mnemosina, tal vez, habló con sus dos hijas contándoles el sencillo y antiguo acontecimiento, y ellas pusieron algo de su vibración en el soplo con que alentaron a aquella pareja –hembra y varón– que tendida en el santo suelo a la sombra de un pinar, en la montaña suiza de la Burgenstock, iba a medias balbuciendo, casi deletreando estos versos ingenuos:

> Habéis venido aquí para escuchar un cuento,
> y os han hecho saltar las tapias de un convento.

El recuerdo es éste: era la mujer que ahora va escribiendo una chiquilla de entre cinco y seis años. En Madrid, en una plazoleta que no está lejos del Palacio Real, había –pienso que aún existe– un antiguo convento de religiosas dominicas llamado de la Encarnación. La niña, acompañada por una su parienta que la llevaba de la mano, atravesó el zaguán, y, guiadas por la demandadera, entraron ambas en el locutorio –sala de visitas– de la santa casa. Iban a visitar a una novicia que viniera a encerrarse en la clausura y a sepultar tras muros y rejas su lozana juventud desde un lejano valle riojano. Ocupaba toda una pared del locutorio fuerte reja defendida por formidables pinchos: tras de la reja se adivinaba espesa celosía a través de cuyos menudos huecos nada podía verse porque los cegaba una cortina interior de estameña negra. La niña miraba la reja con intensa curiosidad. Atravesando cortina, celosía y hierros, llegaron hasta las visitantes unas cuantas voces suaves que articulaban el saludo, en aquellos días remotos, no sólo monástico, sino general en los pueblos y aldeas de España: «¡Ave, María purísima!». La niña, bien acostumbrada a la salutación, ya que en casa de su padre, médico de pueblo, habíala oído en boca de todos los humildes clientes, de todos los mendigos que, en busca de limosna, llegaban a la puerta, respondió instintivamente y sin vacilación: «¡Sin pecado concebida!». Las voces quedas exclamaron en coro: «¡Qué lista! ¡Qué monada! ¡Tan chiquitita y qué bien responde!». La chiquilla, sin alterarse por la lisonja, que a todas las demás sensaciones vencía la de curiosidad, preguntó intrigada: «¿Dónde están esas señoras que hablan?». Risas ahogadas cruzaron la reja. Una voz dijo con mesurada autoridad: «¡Corra las cortinas, sor María de la Presentación!». Y, enmarcada en la reja, surgió una visión extraordinaria: unas cuantas figuras, en pie, hieráticas, vestidas de blanco, tocadas unas con blancos y otras con negros velos. La niña no había visto figuras semejantes sino en los altares de algún templo; mas las que ahora tenía delante no eran imágenes de vírgenes o santas, porque, aunque inmóviles, estaban indudablemente vivas. Adelantó hacia ellas y proclamó resueltamente, señalando con la mano la reja: «¡Yo quiero entrar ahí!». El coro de voces ceceantes susurra: «¡Quiere ser monja! ¡Quiere ser monja!». La voz de autoridad, respondiendo sin duda a un ruego que nadie ha formulado abiertamente, ordena: «¡Que entre por el torno!».

La visión se interrumpe.

Sin solución de continuidad, aparece en la memoria otro cuadro: la niña está dentro del convento, sobre una mesa. Rodean la mesa hasta una docena de blancas figuras femeninas. Todas admiran su atavío; la madre es primorosa y se complace en adornar a su primogénita como si fuese una muñeca; las monjitas comentan con rumor de colmena el lindo bordado del traje, el calado de los calcetines, los encajes de la diminuta enagua, hacen dar vueltas a la nena, suspiran..., tal vez desearían besarla, acariciarla, pero no la tocan: las reglas monásticas, por recelo de la sensualidad, prohíben contactos carnales entre seres humanos.

La visión y el recuerdo se rompen definitivamente.

* * *

Italia es tradicionalmente país de ensueño y de turismo. Sin embargo, yo, tan ansiosa de ver mundo, no había tenido gran deseo de visitarle: habíanle desflorado y estropeado un tanto para mí los infinitos cromos que representaban las lagunas Pontinas y los canales de Venecia y los innumerables capítulos de novela francesa en que amantes y recientes esposos van a saborear las mieles de la luna de amor a la sombra de sus campaniles o en la fresca penumbra de sus desiertos templos.

En la primavera de 1909, Gregorio Martínez Sierra me dijo:

—¿Quieres que vayamos a Italia?

—¿Por qué no? –respondí, mas no sentí la menor corazonada: a él, sin duda, le había advertido Talía de que allí nos estaba aguardando una buena ventura.

Decidido el viaje, hice los preparativos, que en aquellos tiempos de fácil vivir se reducían a calcular y apartar el dinero necesario para pagar trenes y hoteles y a comprar un Baedecker, aquel detalladísimo, veracísimo, casi infalible compendio del sutil espionaje alemán que resolvía todas las dudas y dificultades del viajero más inexperto. El recuento de maravillas naturales y artísticas marcadas a granel en sus páginas con uno, dos y aun tres asteriscos fue encariñándome con la idea de recorrer durante un par de meses el país encantado. Atraíame sobre todo, y no defraudó mis esperanzas, la incomparable Florencia. Mas, a medida que mi entusiasmo se encendía, parecía apagarse el de mi compañero. Ya he dicho que era madrileño, tan enamorado de su ciudad natal (en esto, parecido a su conciudadano Jacinto Benavente), que le costaba grandísimo esfuerzo decidirse a salir de ella, no siendo para ir a París. Comprendí que si esperaba su decisión, corríamos el riesgo de perder la aventura del viaje, y jugué la carta decisiva: lo emprendí sola.

—Puesto que dices que necesitas quince días para dejar en orden unas cuantas cosas, allá me voy y allá te espero. Así, cuando llegues, habré trabado conocimiento con la tierra italiana y podré servirte de cicerón en las hechiceras orillas del Arno. Porque, de recorrer Italia, por Florencia quería empezar.

Así se hizo.

En la estación del Mediodía:

—¡Adiós!

—¡Adiós!

—Pero, ¿vendrás dentro de quince días?

—¡Seguro!

—¡Ay de ti si no vienes! Bajaré al infierno en compañía de Dante, y te costará más trabajo encontrarme en él que a Orfeo descubrir a su Eurídice.

¡Qué largo es el camino entre Madrid y Florencia! Para mí, el tren ha sido siempre tormento casi insoportable con el cual he ido expiando por adelantado los placeres del descubrimiento. Para salir de mí misma, henchirme de bellas anticipaciones y no acordarme del humo y la trepidación, iba releyendo el Baedecker y un librote que entonces me entusiasmaba y hoy me da terror: *Las siete lámparas de la arquitectura*, de Ruskin. Detúveme un día en Barcelona. Téngole cariño a la Ciudad Condal. Su cielo, lo azul siempre velado por ligera gasa de humedad marítima, la Rambla con sus puestos de flores –¡aquellas gardenias!–, la alegría ingenua de sus habitantes, tan distinta de la alegría picaresca de los madrileños, su espíritu aventurero medio comerciante, medio ilusionista, su mentalidad, mezcla de sentido práctico y ensueño desaforado, la facilidad de su vivir, y, sobre todo, su catedral. Horas enteras he pasado en el claustro sentada en uno de los poyos que, entre los arcos, separan el patio de las galerías, escuchando el murmurar del agua de los surtidores que, al caer sobre la de la taza enmohecida, la riza levemente. Allí he pensado tantas y tantas veces en la mentida libertad humana, sujeta al Destino por los invisibles hilos de araña de la necesidad inexorable; allí, mirando el agua que surte engañada creyéndose tal vez dueña de sí misma y de llegar al cielo, detenerse en el límite predestinado y volver a caer en lluvia de lágrimas, aprendí a repetirme: «El agua en el surtidor también está libre y presa», pensando en las cadenas invisibles que aherrojan las almas...

Sucedióme en la tarde una aventura: como faltasen aún tres horas para salir el tren, no teniendo cosa mejor en que emplearlas, dime a vagar y fui a parar a una playa que desconocía, que no he vuelto a ver nunca ni sé qué nombre tiene. Surgió de repente, como si perteneciese a otro mundo, detrás de una aglomeración de casuchas viejas y medio derruídas. Era pequeña y me atrevería a decir fea, si tierra limitada por el mar pudiera serlo nunca; había en sus arenas revueltas con cascajo y escombros extraña desolación; sentía yo, escuchando el ruido manso de las olas, incomportable tedio de vivir, como si se hubiese perdido toda esperanza, no ya para mí, sino para el Universo entero; iban diciendo ellas al deshacerse en la sucia orilla: «¿Para qué? ¿Para qué? ¡No hay para qué!» Ni espuma hacían; ¿para qué? Fascinada por la monotonía de su casi imperceptible movimiento, íbame acercando a ellas paso a paso. Cuando llegué a pisar el agua, una piedra cayó a mis pies. Miré en derredor por ver de dónde venía; habíalas tirado un hombre que estaba también en la orilla, al otro extremo de la playa. Al caer, la piedra me había salpicado de agua y arena. Mientras me limpiaba la falda, el hombre se acercó andando despacio como quien se acerca a un gato para no asustarle.

—¡Buenas tardes! –me dijo con naturalidad.

—¡Buenas tardes! –respondí sorprendida–. ¿Deseaba usted algo?

—No, señora.

—Entonces... –Di un paso apartándome del mar.

—Pero, ¿no volverá usted?

—Voy a tomar el tren para Francia.

—¿De verdad, de verdad?

—De verdad –respondí secamente, un poco molesta por la aparente impertinencia.

—Usted perdone –respondió sonriendo y apartándose para dejarme paso–; es que cuando se acercaba usted al mar...

No sé por qué... Usted perdone... Temí que quería usted ahogarse.

—¿Yo?

—Usted perdone –volvió a decir.

—¿Por eso tiró usted la piedra?

—Por eso, sí, señora... Tenía usted un aire...

—Gracias por la intención. ¡Buenas tardes!

—No hay de qué. ¡Buen viaje!

Eché a andar de prisa. El se quedó en la playa, tal vez para estar seguro de que no volvía... Y yo, como si despertase de un sueño, iba pensando: Pues, señor, creo que no he tenido intención consciente de suicidarme; pero, si ese buen hombre no tira la piedra, de seguro me ahogo.

* * *

Seguí el viaje; veintidós horas después paró el tren en Niza. La ciudad de los turbios placeres me recibió hoscamente. Soplaba el antipático mistral, y cuando puse el pie en el estribo, me arrebató el sombrero; tuve que perseguirle por el andén hasta que un buen hombre le detuvo poniéndole el pie encima y alterando su forma lamentablemente, a pesar de lo cual, ¿qué remedio sino darle las gracias?[135]

Tan fatigada estaba de la noche en el tren que decidí pasar el día en la cama; el mozo que dejó mi equipaje en la consigna me indicó un hotel cercano a la estación, decente y no caro: después de un baño largo y muy caliente, dormí en paz

---

[135] Resulta irónico que éste fuese su contacto inicial con una ciudad en la cual pasaría largas temporadas de su vida. En 1924 construye Villa Helios en Cagnes-sur-mer que venderá para comprarse una casa en la ciudad misma en 1931. En 1938 establecerá su residencia fija en Niza hasta su partida para su exilio americano en 1950.

hasta el anochecer; lancéme animosísima a la calle; al cabo de una hora, ya estaba de vuelta. ¿Adónde puede ir de noche y sola una mujer como Dios manda? Si es joven, no faltará quien pretenda entablar con ella conversación sospechosa; si ya dejó de serlo, todo el que pase se quedará mirándola y pensando: «¿En busca de qué irá esta vieja loca?». La orilla del mar estaba oscura y solitaria. Niza no era hace cuarenta años la ruidosa estación de verano en que la han convertido las vacaciones pagadas de la gente modesta, la afición a tostarse al sol que les ha entrado a los ricos hartos de tragar bruma en Trouville y en Ostende, el frenesí de los devoradores de kilómetros poseedores de automóviles. La famosa Promenade des Anglais no estaba como ahora bordeada por grandes edificios y soberbios *Palaces*, sino por lindas villas blancas como palomas, rodeadas de jardines donde venían a pasar la estación invernal –entonces elegante– millonarios rusos y bien acomodados ingleses. Ya muy adelantada la primavera, en las villas no quedaban más que los guardianes; casi todos los hoteles estaban cerrados y la ciudad había vuelto a ser, en poder de sus indígenas mitad franceses, mitad italianos, una aburridísima capital de provincia.

Mi próxima parada fue en Pisa. Ventaja de viajar a solas es que va el viajero deteniéndose donde se le antoja y que, a pesar de los asteriscos del Baedecker, deja de ver lo que por el momento no le interesa. Yo, en vez de correr al cuadrilátero famoso donde se encuentra la inclinada torre, el Domo, el Battisterio, el Camposanto con los frescos de Orcagna, dejé pasar toda la primera tarde sentada en el suelo, en el pinar de la «marina». Tuve mi recompensa: sobre el mar a Poniente pude contemplar una puesta de sol tal cual nunca la había visto y que me hizo entender mejor que cien lecciones del más famoso crítico de arte la pintura italiana. El sol se hundía en las aguas no dorando y enrojeciendo amontonamientos de nubes y haciendo de ellas fantásticas ciudades, alcázares, torres, monstruos antediluvianos en confusión apasionada, inquieta y cambiante como en el horizonte de las llanuras castellanas, sino formando sobre fondo verde pálido un perfecto abanico de anchas y refulgentes varillas de oro con la más italiana artificialidad. Allí estaban Tiépolo y tantos otros cuyos cuadros había de mirar en semanas sucesivas, allí estaba toda la insincera pomposidad de la *bellezza,* cosa exterior, compuesta, exaltada voluntariamente, estallante y segura de sí misma, desmesurada y estrictamente calculada, todo el oficio o toda la comedia del arte peculiares no sólo de la pintura, sino de la vida entera en Italia. Hasta el sol, hasta el cielo, hasta el mar componen allí y mienten con magnificencia. ¡Oh, Gabriele d'Annunzio, emperador del claro y laberíntico imaginar, de la gloriosa, estelar –¿por qué no luciferina?– palabrería, concreción, símbolo, cristalización en diamante del alma de tu patria!

¡Cómo sabe a verdad la prosa serena de Miguel de Cervantes!

¡Cómo trasuda sinceridad la sobria pintura de Velázquez!

De Pisa fui, camino de Florencia, a Lucca. ¿Por qué a Lucca? Por nada. Porque, al detenerse el tren en la estación, tenía sed y me dolía la cabeza. Pensé en un gran vaso de agua de limón –deliciosa en Italia como en Portugal– y en el consuelo de apoyar la frente en una fresca almohada, y porque estaba tan ilusionada con llegar a Florencia, me complacía ir demorando un poco la realización del anhelo, tal vez para mejor saborearla.

En Lucca se visitan unas cuantas iglesias: cumplí en la mañana mi deber de turista. En la *trattoría* donde almorcé, el camarero era el vivo retrato de nuestro gran poeta y buen amigo Eduardo Marquina; me sirvieron habas frescas de postre y bebí mi primera copa de marsala. Prefiero el dulce y chispisaltante moscatel de la provincia de Madrid. Por la tarde contemplé desde los antiguos baluartes uno de esos paisajes de maravilla compuestos sin duda en las alegrías de la Creación por un querubín jardinero: verdores en declive perdiéndose de vista en ondulaciones suavísimas, salpicados por grupos de álamos esparcidos con tal armonía que casi sacaban lágrimas a los ojos. Había de contemplar días después, desde los muros del cementerio de San Miniato, en Florencia, la ondulación de las colinas de Fiésole, y poco más tarde, el paisaje que en Pompeya se otea desde las ruinas del teatro: el que se alcanza a ver desde los baluartes de Lucca no desmerece de ellos. Bella tierra es Italia, en verdad.

Llegué a Florencia a las once de la noche, por lo cual decidí pasarla en uno de los varios hoteles que había cerca de la estación. A la puerta de cada uno de ellos, el hostelero, plantado en el umbral, hacía el reclamo de la casa, ensalzando las excelencias del alojamiento e invitando a entrar como titiritero en barraca de feria. *Cámera, signorina, cámera*! Decidíme por uno. Ajusté el precio sin pasar la puerta. Pregunté si la cámera era buena:

—*O, signorina, è bellisima*! –respondió con lirismo digno de un tenor de ópera.

Si estaba limpia:

—*O, signorina, è pulita, pulita*! –afirmó dramáticamente, como si le ofendiese que alguien pudiera poner en duda verdad tan evidente. Apoderándose de mi maleta con refinada galantería, echó a andar y yo le seguí. Ya en la escalera, sin duda le mordía la conciencia la visión de la cámera que pensaba ofrecerme, porque, volviéndose hacia mí con fascinadora sonrisa, me confesó:

—*Sà, signorina, veramente la cámera e piccolina, mà*!... –Y juntaba los dedos de la mano que le quedara libre y los tendía luego bruscamente como capullo de magnolia que se abriese de golpe una mañana por el influjo de la primavera. Levantaba el hombre los ojos al cielo como para tomarle por testigo de la sublimada excelencia de la estancia pequeñita, pero...

Pequeña era en verdad. Para entrar en ella había que poner la única silla sobre la estrecha cama de hierro. El lavabo de barnizado pino, una percha de tres ganchos completaban el moblaje; mas la ropa de cama y las toallas estaban limpias, y las paredes, encaladas con una lechada teñida de pálido azul, reflejaban con cierto esplendor la luz de la bombilla sin pantalla que, solitaria, colgaba de un flexible. El huésped me miraba de soslayo con forzada sonrisa de chiquillo cogido en falta. Me hizo gracia su apuro. «Va bene», le dije, y se alejó, haciéndome una reverencia de corte. «Una noche, pronto se pasa –pensé al cerrar la puerta–. Estoy cansada y he llegado a Florencia. ¡Soñemos, alma!».

Sí que es Florencia lugar para el ensueño. Instaléme, por consejo del propio dueño del hotel en que pasara la primera noche, en una pensión de las que frecuentan las inglesas cerca de las Cascine, a orillas del Arno. Florencia (ciudad de las flores) justifica su nombre: las flores están en todas partes; en la amplia escalera de la pensión había una maceta de lozanas hortensias, en cada uno de los escalones; en el comedor, en el saloncito, en las *cámeras*, flores, y flores, y flores, sin tasa. Ocupaba la pensión dos pisos en casas distintas unidas por una larga *loggia* que tendía sus arcos a modo de puente sobre dos jardines; rosales, jazmineros, heliotropos corrían por los muros, trepaban a la *loggia*, enredábanse en sus arcos, volvían a caer en perfumados flecos; por la noche, revoloteaban sobre los jardines centenares de moscas luminosas; las habitaciones eran, a la italiana, espaciosas, altísimas de techo, destartaladas, con pocos muebles y ninguno cómodo. Instalé mis maletas, que parecían perdidas en el desmesurado espacio, e hice proyectos de trabajo para engañar mi soledad. Proyectos vanos: en las cuatro semanas que tardó en arrancarse de Madrid el compañero de vida y de viaje, no abrí la máquina de escribir ni saqué punta al lápiz; de noche me embrujaba el aroma de las flores y pasaba las horas en la *loggia* viendo trazar encajes en el aire a las moscas de luz; de día, la falta de intimidad de la habitación, en complicidad con el aire suave y vibrante de sol que entraba por las amplias ventanas, me echaba a la calle; en Italia, aún más que en España, en la calle se vive; la casa no es sino guarida donde por necesidad se come y se duerme, y la calle, en Florencia, no ya justifica, sino impone el vagabundeo. Salía de casa, bajaba despacio por la orilla del río, deteníame un instante frente a la Iglesia de la Trinidad –no entré nunca en ella–, que a la sazón gozaba de cierta actualidad gracias a la romántica aventura del músico Tosselli y su princesa (la princesa Bebé, de Benavente), curioseaba en los tenduchos del Puente Viejo; iba por las callejas llenas de ingleses –antes de la guerra del 14, la colonia inglesa en Florencia era más numerosa que la población italiana– y plagadas de tiendas de chucherías más o menos artísticas, relamidas reproducciones en alabastro o en pintado yeso de la torre de Pisa, del tazón de fuente con las palomas posadas en el borde, del Amor dormido y Psiquis contemplándole inclinada hacia él lámpara en mano, de las mayólicas de Lucca della Robbia, sus Madonnas, sus niños fajados del Hospital de los Inocentes; llegaba unos días a la plaza del Domo; otros, a la plaza de la *Signoría*. Sentábame en ésta a la puerta de un cafetucho frente a la *Loggia dei Lazzi* y pedía un refresco para tener derecho a pasar una hora en aquel prodigioso museo al aire libre: Donatello, Miguel Ángel, Cellini, la noble arquitectura del palacio ducal a mi izquierda... Allí pasaba el tiempo no diré mirando ni admirando; no me gusta mirar, sino ver, y no sé lo bastante para medir en crítica mis admiraciones. Mi modo de gozar la perfección es ponerme frente a ella en silencio absoluto no sólo de palabra, sino de pensamiento, y dejar que ella, poco a poco, vaya adueñándose de mí, haciéndose carne de mi carne, creando en mi cerebro una especie de instinto de medida, claridad y equilibrio, amaestrándome, aunque pueda parecer paradoja, en mi propio oficio y desvelando para mí sus secretos. Sí, estoy convencida de que tanto aprende un dramaturgo leyendo las obras maestras de sus predecesores como contemplando una escultura perfecta, un bello edificio. En la escultura, todo lo innecesario, por muy bello que sea, desentona y redunda; en la arquitectura, repugna y daña a los sentidos cuanto no está dictado por la necesidad estricta, lo mismo que en un acto de buena comedia. Las tres artes, Arquitectura, Escultura, Dramaturgia, son hermanas y colaboradoras y logran la emoción a fuerza de serenidad. ¡Cuánta palabrería linda y al parecer emocionante he suprimido en tantas escenas recordando la altiva sobriedad de la Venus de Milo!

De la plaza de la *Signoría* sale una callecita estrecha y recóndita; en ella hay una iglesia pequeña cuyo nombre creo recordar, pero no quiero escribir por si acaso el recuerdo me engaña –bien pudiera después de tanto tiempo– para no dar lugar a que algún crítico a caza de gazapos me eche en cara el error. Allí hice una de las grandes amistades de mi vida. En uno de los altares laterales había entonces –no sé hoy dónde estará– un cuadro tapado por oscura cortina. Mediante una monedilla de plata, el sacristán corría el velo y dejaba admirar la obra maestra. Era la visita de la Virgen a San Bernardo, pintada por Filippino Lippi. Ya he hablado en otro libro de ese cuadro. No importa. Aquí es necesario recordarle una vez más, ya que estoy segura de que es uno de los muchos elementos que más tarde cristalizaron en *Canción de cuna*.

¿Quién no conoce la leyenda? San Bernardo, alma ardiente e imperiosa, se daba con terca voluntad a la tarea de conquistar almas para el cielo; pero, en verdad, los frutos de su apostolado eran escasos. La misma violencia de su fe alejaba a los posibles prosélitos. Él se desesperaba a lo místico –que es negra especia de desesperación– juzgándose indigno de ser instrumento y canal de la divina gracia. Una noche, en su celda, sentado ante su humilde pupitre, escribía intentando combinar argumentos lo suficientemente incontrastables para vencer al Diablo y convencer a los recalcitrantes. Era gran teólogo y fiaba en el poder de la ciencia para vencer las voluntades. Cuando iba por lo más arduo de su composición abrióse la puerta de la celda, y, precedida por una ráfaga de celestial fragancia, entró una dama andante: la Virgen María, la Madre de Dios. Venía en traje de viajera, a la moda del tiempo, envuelta en elegante manta azul oscuro; sobre el hombro derecho, como dije o joyel, llevaba prendida una estrella. No venía sola, mas su acompañamiento no era la formidable escolta de Arcángeles, Tronos y Dominaciones que al parecer correspondía a su alta dignidad de Reina del Empíreo, sino modesto, risueño y familiar; formábanle hasta media docena de ángeles niños, unos con cara ingenua, otros con ojos pícaros, pilluelos celestiales a un tiempo asombrados y divertidos con la aventura. ¡Ahí es nada! ¡Escaparse del cielo en plena noche y bajar a la tierra a visitar a un fraile!... El cual, intimidado, al reconocer a la Visitante, no tiene aliento ni para caer de rodillas, y la mira con mezcla de amor y espanto. Ella es quien habla. Su discurso podría resumirse en la tradicional filosofía femenina: *Bernardo, hijo, más moscas se cazan con miel que con hiel. ¡Bernardo, paladín mío esforzado, menos violencia y un poco más de amor! ¡Bernardo, mi teólogo, un punto menos de argumentación y un tantico más de humana dulzura! Así ganarás las almas que hoy no logras.*

Dicen que la lección fue eficaz.

En el cuadro, la Virgen está hablando; el monje, anonadado, la escucha; los ángeles niños miran unos al fraile, otros a la Señora. No comprenden. Alguno de ellos, atemorizado por el milagro que le está rodeando, se coge al manto de la Viajera.

Pocas veces ha logrado un artista hacer surgir de su obra la sensación de intimidad absoluta entre el Cielo y la Tierra, de inefable familiaridad entre lo humano y lo divino. Esa intimidad, ese trato familiar y sencillo del ser humano con la Divina Esencia, ese naturalísimo vivir dentro de lo sobrenatural es la característica de la vida monástica, a pesar de todas las flaquezas, las fallas, las caídas que no puede evitar precisamente porque es de institución humana y aspira a mucho más de lo que la terrena arcilla puede alcanzar. Así viven sin darse apenas cuenta de ello las religiosas dominicas de *Canción de cuna*.

Muchas mañanas fui a visitar el cuadro. Ya, a la tercera visita, el sacristán, después de recibir la monedilla, se alejaba dejándome en libertad de mirar a mis anchas; supondría que era yo pintora y quería copiarle, aventura corriente en la ciudad de arte. Complacíame entrar en silencio a formar parte del grupo familiar y místico, divino y humano. Por eso digo que hice allí una gran amistad. Y la conservo; y es de las que me ayudan a soportar la vida cuando se pone gris y me fallan las filosofías.

Cuando, por fin, llegó «mi viajero» acabóse el vagar sin plan ni concierto: la vida real recobró sus derechos; empezó la ordenada visita de museos, iglesias, conventos, palacios, bellos jardines, dulces colinas, sorprendentes puntos de vista.

Era primavera; hacía siempre sol; ahora que me pongo a pensar en ello, me doy cuenta de que nunca he visto llover en Italia, y eso que algunas veces la he visitado en otoño. ¿Voy a hablar de nuestra maravillada atención ante las flores naturales y artificiales que parecían ir brotando a nuestro paso? Todo ello está dicho cientos de veces genial y vulgarmente, ya que apenas se cuenta escritor bueno o malo que no haya recorrido Italia y no se haya creído obligado a confiar al mundo sus impresiones, y no es cosa de descubrir a estas alturas la sonrisa de la Gioconda o la grandiosidad de Miguel Ángel. Yo, como en Flandes años atrás, iba aprendiendo a ver lo pintado alentada por mi entusiasta maestro. Hechizáronme con su emoción gozosa los primitivos hasta Perugino; los que vienen después, Rafael inclusive, si me llenaron de admiración, no me conmovieron; abrumábame su exceso de perfección, su habilidad infalible, aquella idealización maestra de la forma, aquella luz celeste deslumbradora proyectada; aquella abundancia de encantador detalle: el pie desnudo del Niño posándose en ternísima caricia sobre el pie de la Madre en la *Madonna del Cardellino*, de Rafael. *Bellezza, bellezza, bellezza*! Recuerdo que al entrar, casi el último día en que los visitamos, en la sala de los *Uffizi* donde campaba sola ocupando casi toda una pared *La Natividad*, de Van der Weyden, sentí un alivio como si después de vivir varios días a dieta de exquisitos dulces pudiese al fin comer un pedazo de pan. La Virgen que tenía al Niño en el regazo no era increíblemente bella ni sonreía con lánguida coquetería; el Divino Infante no era prototipo de pueril hermosura, no miraba con ojos demasiado seductores; los ángeles no eran mancebos demasiado apuestos, los pliegues de las vestiduras tenían no poco de rigidez y austeridad. ¡Qué descanso!

Acúdeme también a la memoria la angustia al contemplar *La Cena*, de Leonardo de Vinci, que se va borrando, que se va esfumando, que se va perdiendo irremisiblemente sin que toda la admiración del mundo baste a retener su perfección que huye. Casi tan doloroso como ir viendo agotarse una vida humana.

También *La Primavera,* de Botticelli, estaba un poco pálida, como si entre las flores soplase el hálito de la temprana muerte.

En resumen, dos meses vertiginosos de mirar, de admirar, de saturarnos de acumuladas impresiones como quien se prepara para un examen: línea, color, equilibrio de masas, laberinto de ruinas, paz de horizontes, magia de crepúsculos, hechizo de voces graves y zalameras, veneno de aromas... Y por todas partes, la madre y el niño, la Madonna con el Hijo en los brazos. ¿Cuántas Vírgenes, desde la hierática semibizantina de Cimabué, se han pintado en Italia durante siglo y medio?

Por lo cual no es extraño que en el último día del viaje, saltando como chispa del pedernal al choque de una vulgar noticia, se engendrase simultáneamente en dos cerebros la idea de *Canción de cuna.*

Era en Milán, última ciudad en que nos habíamos detenido antes de pasar de Italia a Suiza. Habíamos comido en el restaurante de la Cooperativa socialista porque alguien nos había asegurado –y era cierto– que el pollo asado y el chianti eran de superior calidad. Hacía calor y decidimos, contra nuestra costumbre, dormir siesta; siesta que consistió en leer tendidos en las dos camas gemelas que constituían casi todo el mobiliario de la espaciosa habitación; parece que estoy viendo las cortinas rojas de las dos ventanas que, aun corridas, dejaban pasar luz suficiente para la lectura. Yo leía un periódico, y encontré la noticia: Dentro de una iglesia, junto a la pila del agua bendita, el sacristán, al abrir el templo muy de mañana, había encontrado una criatura recién nacida.

—En España –dije, comentando el suceso– la habrían dejado en el torno de la Inclusa.

Pasado un momento, mi compañero dijo a su vez:

—¿No te parece que podría servir para asunto de un cuadro dramático?

—Sí –respondí casi sin pensar, como si dentro de mí hablase otra persona–, pero más valdría que dejasen la criatura en el torno de un convento. Serían curiosas las reacciones de las monjitas.

—Desde luego. Pero no se podría hacer más que un acto, y este año necesitamos una comedia en dos para estrenarla en Lara.

—Es verdad... La criatura entra en el convento..., ha caído del cielo como un bólido, y altera un poco la vida de las pobres mujeres. Eso es todo.

—No hay más.

Lectura y silencio. Pasan unos minutos.

—Para que se pueda quedar en el convento, la criatura ha de ser una niña.

—Desde luego.

—¡Qué calor hace!

—¡Y qué ruido tan insoportable sube de la calle!

....

—¿Nos detenemos en el lago de Como?

—No, no. Directo a Lucerna. Tengo ansia de aire fresco.

—Tendría que ser un convento de verdad. Sin romanticismos de ninguna clase.

—Y sin misticismos. Las monjas son mujeres a la buena de Dios.

....

—¿Has cerrado del todo las maletas?

—¿Qué podría pasar en el segundo acto?

—La niña ha entrado en el convento..., sigue viviendo en él...

—Pues pasa... que se vuelve a marchar.

¿Quién lo ha dicho? Juro que no lo sé. Tal vez los dos a un tiempo. No sería la primera vez que las dos actividades mentales trabajando juntas han dado no sólo con la misma idea, sino con idéntica forma de expresión. Ello es que se había engendrado *Canción de cuna*. La cual, a pesar de ser fruto de varón y hembra, tardó muchos más de los protocolarios nueve meses en venir al mundo.[136]

Al principio, para hablar de ella, llamábamosla Maternidad, pero renunciamos al título por no coincidir con el de la famosa comedia de Brieux. No tuvo nombre definitivo hasta después de terminada, y le encontramos en una unión de palabras de uno de los versos del *Intermedio*:

> La caricia inconsciente y la canción de cuna...

Llegados a Suiza, quisimos comenzar a escribirla, mas ¡era tan difícil! Una comedia sin acción, sin conflicto, sin protagonista, en un medio en el cual, si habían de respetarse los sacrosantos derechos de la verdad, no cabía movimiento apasionado ni siquiera desordenado, un grupo de mujeres en que no era posible, de no caer en el más absurdo melodrama, intervención masculina... ¿Qué plan hilvanar puesto que no puede sobrevenir nada? Había simplemente que poner en marcha la vida cotidiana del convento y dejar que las monjas hiciesen lo que les está permitido por la regla y hablasen lo que la misma regla les consintiera. El sentir, si le hubiese, tenía que ir por dentro y comunicarse por mera sugestión. Trabajo casi de brujería. Mirar, oír, hablar. Pero ¿querrían las monjitas hablar para quienes anhelantes habían de escu-

---

[163] En el epistolario de Gregorio a María es harto frecuente encontrar ideas o tramas para comedias o esbozos para futuras obras.

charlas? Porque ésta es la tarea fundamental del verdadero autor dramático; escuchar lo que quieren decir sus personajes: Pirandello lo ha dicho públicamente, mas todos cuantos hemos escrito para el teatro lo sabíamos de sobra antes de que él lo dijera; los personajes andan por el mundo y vienen, cuando bien les parece, a contar su aventura; el autor no hace más que escribir al dictado; ¡pobre de él si se arriesga a inventar o a opinar por cuenta propia! La obra será sencillamente literatura, y no interesará sino a los literatos y literatizantes. —¡Habla, oh, habla! –hemos dicho todos, como Hamlet a la Sombra de su padre, a los personajes que hemos suscitado, sombras también–. —¡Habla! ¡Di tu secreto!

Las señoras dominicas no tenían prisa ninguna por hablar. Estaban por lo visto encariñadas con el silencio monástico; se limitaban a vivir ante nosotros, blancos fantasmas, en los claustros, en las celdas, en el coro, en el huerto, en la capilla. Las veíamos ir y venir, no a través de las rejas, sino a través de un cristla impenetrable. ¿Qué podía importarles nuestra profana curiosidad?

Resignados a su silencio, nos divertimos en componer los alejandrinos del *Intermedio*. Era un trabajo provisional; simple medio de suscitar imágenes más bien para nosotros que para el público. Cierto que habiendo de transcurrir dieciocho años entre el primero y el segundo actos, tal vez sería menester un tantico de explicación, pero de sobra sabíamos que si una acción dramática está bien desarrollada, se basta a sí misma y no necesita aclaraciones suplementarias. El recursito de los dos criados que a principio de acto cuentan mientras limpian la habitación lo que en el entretiempo ha sucedido había muerto con Echegaray. En fin, si sobraban, en la representación se suprimirían. De hecho, en el ensayo general de la comedia (1911) se discutió la conveniencia de suprimirlos. Serafín Álvarez Quintero, gran maestro en composición dramática, era partidario de la supresión. Creo recordar que fue Benavente quien dijo: «Falta no hacen, pero unos versitos nunca están demás».

Son un tanto prosaicos en la forma, como no pueden menos de serlo versos que tienen por misión decir algo definido. Juan Ramón Jiménez los hubiera llamado *versos para...* La sublime expresión de la belleza lírica sólo se consigue a fuerza de altísima irresponsabilidad; la *divina locura* tiene poco que ver con la verdad; el mecanismo musical de la composición lírica rechaza y rompe las cadenas de la realidad. Las emocionantes poesías de Unamuno son prosaicas de forma porque son profundamente sinceras.

Las monjitas seguían callando: a días, una de ellas, tímidamente, se arriesgaba a decir unas palabras; al cabo de una semana de trabajo obstinado, teníamos no más de tres o cuatro frases; el plan estaba listo; era como un jardín recién trazado, con las sendas limpias, los arriates plantados y floridos, las perspectivas calculadas, los bancos en su sitio, el agua cantando en el surtidor; mas nadie se decidía a entrar ni mucho menos a hablar en el recinto. No había llegado la hora. Decidimos pensar en otra cosa. Y al volver a Madrid en el otoño escribimos *El ama de la casa* –Joaquín Álvarez Quintero le puso título–, que se estrenó con muy buen éxito en el invierno de 1910.

Canción de cuna tuvo un padrino desde antes de nacer: Pedro Álvarez Quintero, hermano mayor de Joaquín y Serafín, había coincidido con nosotros en buena parte de viaje a Italia. No era, como sus hermanos, escritor, pero sí buen conocedor y seguro crítico en cuestiones de arte dramático. Recordando en Madrid nuestro viaje, contámosle la última aventura, la siesta de Milán. Y él nos animaba. Siempre que nos veíamos, preguntaba: «¿Cómo va esa *Maternidad*?» No estaba conforme con que renunciásemos a la tarea. Se había encariñado con el asunto.

—De todos modos –le decíamos– no podría estrenarse; es un asunto tan especial que no le admitiría sino un *teatro de arte*, que por ahora no existe en España.

—No, no –decía él–. Escríbanla cuanto antes, y verán cómo gusta. No hay que ser injustos con el público.

—Pero, ¿y los empresarios?

—Escríbanla.

En la primavera de 1910, cuando en verdad habíamos dejado de pensar en ella, la Comunidad de Religiosas Dominicas rompió su silencio. Las reverendas madres comenzaron a hablar; pero no dialogaban; hablaban en coro; sus palabras no se ordenaban a modo de conversación corriente, sino a manera de sinfonía; era como rumor de abejas que entran y salen de la colmena; no había párrafos, no había réplicas, había una masa melódica y armónica en la cual se enlazaban voces diversas; algo desacostumbrado. Mas, puesto que, al fin, se dignaban dictar, preciso era anotar su dictado. Fue trabajo curioso. No tuvieron nombre los personajes hasta que estuvo terminado el primer acto; no fueron los autores quienes asignaron a cada uno su importancia dentro de la acción; fueron ellos, mejor dicho, *ellas*, quienes imperiosa e inequívocamente afirmaron su carácter. Al releer el acto, no cabía duda: Esto lo ha dicho la abadesa... y esto la vicaria... y esto la señora maestra de novicias... y aquello esa lega infeliz, y lo otro aquella novicia apasionada. Fuimos poniendo un nombre delante de cada frase; salían del anónimo las interlocutoras clara y netamente definidas; no había modo de atribuir a una lo que había salido de los labios y del corazón de otra; ellas mismas se habían caracterizado o revelado sin voluntaria intervención de quienes habían de responder de su vida escénica. Mecanismo extraño. He visto trabajar muchas veces a mis ilustres colaboradores músicos: Usandizaga, Falla, Turina. Mucho me interesaba sobre todo verles «instrumentar».

Una vez encontrados los temas melódicos, que equivalen al plan de la obra dramática, una vez sentida o escuchada interiormente la totalidad de la masa sonora, íbanla desligando y atribuyendo a cada instrumento su propia función. Aún me parece oír la voz de Falla: «Esto lo grita el clarinete». O la de Turina: «Este sollozo de pasión dolida no puede llorarlo más que el violín». ¡Con qué rapidez, con qué seguridad iban salpicando de notas el papel de la partitura saltando desde la línea alta del flautín a la baja de los timbales! Verdaderamente, los instrumentos dictaban, reclamando su puesto, su turno, afirmando su inconfundible personalidad como los personajes de una acción dramática lógica y humana, como las monjitas de *Canción de cuna.*

Empezamos a escribir las primeras escenas en Madrid: luego fuimos, como casi todas las primaveras, a París, decididos a pasar allí unas cuantas semanas; pero, apenas llevábamos tres días, recibimos telegráficamente noticia de la muerte de mi padre.[137] Volví a España inmediatamente, mas no logré verle muerto; cuando llegué lo habían ya enterrado. De vuelta a París, sobre aquella pena sin despedida seguimos trabajando en la comedia. No se terminó hasta el otoño en Madrid. Ya he contado la lucha por lograr el estreno, y cómo nos ayudó a vencer en ella la decidida buena voluntad de los hermanos Álvarez Quintero. Ya iban los ensayos muy adelantados cuando un cisma teatral vino casi a echar por tierra el proceso. Por una de esas cuestiones de vanidad personal que son esencia, alimento y única distracción en la vida de los actores despidióse del teatro Lara, acaudillado por Simó Raso, un grupo considerable de actrices que habían casi todas de tomar parte en la representación; preciso

[137] Leandro Lejárraga muere el 1 de junio de 1908.

fue ensayar de nuevo apresuradamente con los que vinieron a llenar los puestos de los desertores... que habían ido a esteblecerse por su cuenta en un teatrillo medio improvisado unas cuantas puertas más arriba en la misma calle, hasta en la misma acera.

Hubo que volver a ensayar a toda prisa. Afortunadamente, *Canción de cuna* es obra que no ha menester lo que se acostumbra llamar interpretación brillante para comunicar su sencillo mensaje, y, también por fortuna, quedaba en su puesto la actriz que había de interpretar el personaje más importante, el de la madre vicaria: fue ella la incomparable Leocadia Alba, que dio carne y alma en creación genial al espíritu del conveno, verdadero protagonista de la comedia. Se acostumbra en los carteles anunciadores, en las críticas y aun no pocas veces en la apreciación corriente del público a señalar como principal personaje el de sor Juana de la Cruz, la novicia que siente con más violencia el instinto maternal, la que sirve de madre material y sentimentalmente a la criatura abandonada, y no es así: *Canción de cuna* no es una comedia «de figurón», es decir de las que colocan en primer término voluntariamente exagerado y absorbente el conflicto y la personalidad de una sola figura rodeada de comparsas más o menos simpáticos y pintorescos: es una comedia de *grupo* y su protagonista está constituido por una colectividad; ejemplos de la primera clase de obras dramáticas abundan y saltan a la vista: *Hamlet, La vida es sueño, El alcalde de Zalamea, El abuelo, La estrella de Sevilla, La loca de la casa.* Modelo perfecto de la comedia de grupo es *Fuenteovejuna.* En ella, el pueblo entero es el protagonista y siente y conduce la acción del drama. Así en *Canción de cuna,* el convento lo es todo; la comunidad de religiosas dominicas siente y vive el conflicto dramático, a saber, la lucha entre la austeridad de la regla que no consiente pasión alguna fuera del amor al Divino Esposo y la inclinación innata en toda mujer a cuidar de toda criatura desvalida, inclinación que no es sólo urgencia del instinto de conservación de la especie, ya que suele ejercitarse igualmente en favor de todo animalejo pequeñuelo y desamparado. Las monjas de *Canción de cuna*, antes de adoptar a la niña hallada en el torno, habían adoptado con casi igual entusiasmo a la paloma que cayó una tarde herida en el huerto. No es maternidad, es compasión, piedad hacia cuanto no puede valerse por sí mismo. Y ese conflicto le concentra y encarna el personaje de la madre vicaria. Cierto que el llanto de la maternidad dolida le solloza al final del segundo acto Sor Juana de la Cruz, la que fue para la abandonada más madre que ninguna; pero la última palabra la dice Sor Crucifixión, la vicaria, y Leocadia Alba, con aquel su inigualable romperse de la voz cuando siente alejarse el coche que se lleva a la hija de todas en el momento en que ella está amonestando a sus hermanas sobre cuestiones de rutina monástica, es la culminación del drama.

Tan verdad es que el interés dramático de la obra está esencialmente en la comunidad, que el día del estreno el público encontró un poco largas las dos únicas escenas en que los autores habíamos querido sacar del grupo a tres de los personajes, individualizando un poco el interés, a saber, la escena en que Teresa, la niña recogida, habla de su amor con Sor Juana de la Cruz en confidencia pueril y apasionada, y la escena de la misma Teresa hablando con su novio a través de la reja del locutorio. Los espectadores querían tener delante a toda la comunidad, habían entrado en el espíritu de la regla, deseaban oír al *grupo* y sólo a él; no consentían que, en función de un *afecto particular*, se les escamotease ni por un momento al verdadero héroe de la tragedia.

En las representaciones consecutivas, respetando la opinión de este último y decisivo colaborador, suprimimos parte de estas dos escenas, aunque las conservamos íntigras en la obra impresa porque el público, cuando lee, tiene más paciencia que cuando escucha.

El estreno de *Canción de cuna* fue para sus autores la aventura más emocionante en su carrera de dramaturgos.

Mi compañero andaba entre bastidores, como es costumbre, animando a los intérpretes, o más bien compartiendo con ellos el pánico de la primera representación; yo, en un palco, me limitaba a presenciar el alumbramiento con no menos terror, debo confesarlo; estaba en mi papel, que ha sido siempre, no tanto por voluntad cuanto por constitución mental, el de mirar la vida desde fuera. Siempre he asistido como espectadora a mis propios conflictos y gracias a un peculiar desdoblamiento todas mis actividades me parecen ejecutadas por otra persona. Por lo cual, como un conflicto ajeno tiene importancia muy relativa para el que desde fuera le está mirando, nunca he tomado demasiado en serio –aunque de veras me hayan dolido o regocijado– ni mis penas ni mis alegrías; las unas no han logrado jamás hundirme en desesperación, ni las otras embriagarme; soy mi propio espejo y mi propio fantasma; sé, lo he sabido siempre, que todo pasa y que de todo he de salir por las misericordiosas puertas de la muerte.

El éxito del estreno fue brillante y ruidoso; desde aquella noche fuimos *uno de tantos* en la comunidad de autores y pudimos estar seguros de que no habíamos errado al elegir camino. No sé cuál sería en aquella ocasión afortunada la satisfacción más íntima de mi colaborador: a mí, mujer al cabo, complacíame sobre todo haber hecho llorar a los hombres. Las mujeres tenemos fama de ultrasentimentales, y por lo tanto, no me sorprendería, aunque me halagase, el que las damas, olvidando el desastre del maquillaje, dejasen correr lágrimas abundantes; pero el que los caballeros, después de luchar bizarramente contra la emoción por aquello de «un hombre no llora» que les han repetido desde niños, se rindiesen a ella, me complacía extraordinariamente. Hubo un momento –no se me olvida– en que la mayoría de ellos sacaron sus pañuelos para enjugar las importunas lágrimas, y sobre el patio de butacas pareció que se hubiese posado una bandada de palomas.

Otra alegría noble que no se ha repetido en ninguno de nuestros estrenos fue que el buen éxito semejaba una fiesta de familia; no sólo estábamos contentos los padres de la criatura y los intérpretes y los empresarios, sino todos nuestros compañeros de oficio parecían gozar como propia nuestra buena fortuna; no únicamente los autores consagrados a quienes la conciencia del propio valer evitaba el agrio de la rivalidad, sino hasta los competidores en la lucha por romper el cerco mostraban regocijo al parecer sincero como si la comedia fuese hija de todos. Cosa maravillosa.

Claro es que el Destino –enemigo del hombre– rara vez deja de tomar su desquite. Pocos meses habían transcurrido desde la emocionada primavera. Una noche de diciembre, volviendo del Teatro Español, donde habíamos presenciado una representación del drama de Zorilla *El zapatero y el rey*, Gregorio Martínez Sierra sintióse enfermo con fiebre altísima: llevaba ya unos cuantos días malhumorado, estado de ánimo extraño en él y que me tenía harto preocupada, ya que si melancólico por naturaleza, pocas veces consentía al malhumor deshonrar su melancolía. De todos nuestros años de intimidad, no recuerdo una sola palabra áspera: ha sido uno de los seres humanos con más perfecto dominio de sí mismo. A la mañana siguiente, el médico dio el entonces temeroso diagnóstico: Fiebre tifoidea. Y de las más rebeldes: tres meses en cama y casi un año entero de convalecencia.

No hablaría de esto, ya que en el presente libro he llevado el propósito de huir de cuanto sea meramente personal, si la enfermedad no hubiera tenido una curiosa repercusión en el destino de *Canción de cuna.* Tan grave llegó a estar mi compañero, que una noche corrió por Madrid la noticia de que había muerto. En vista de lo cual la Real Academia de la Lengua Española decidió, a propuesta del entonces nuestro gran amigo el novelista y académico Ricardo León, conceder a la afortunada comedia el premio que anualmente otorgaba a la mejor obra dramática estrenada durante la temporada anterior... A un autor muerto no está bien negarle una rama de verde laurel.

LA CAPA PERDIDA

(*Tragedia absurda*)

AL IR ACERCÁNDOSE EL FINAL de este compendio de recuerdos asáltame el de una pena que tenía olvidada hace años y aun lustros. Es una pena absurda como casi todas las que proceden del fondo irracional del alma, aquel en que anidan los anhelos contradictorios. Y sobrevino porque un anhelo que yo tenía por grande, al realizarse, suprimió, mejor dicho, asesinó a otro que yo tenía por pequeño, pero cuyas raíces, por lo visto, largas y resistentes como las de esas plantas menudas que viven en los secos arenales, se me habían enroscado al corazón.

Es de saber que cuando nos casamos el colaborador y yo éramos personalmente pobres: todo nuestro caudal seguro consistía en las siete pesetas y media –poco menos de un dólar al cambio de entonces– que yo ganaba diariamente como maestra en una de las escuelas municipales de Madrid; añadíase, como aportación adventicia, lo poco que lográbamos en pago de nuestras balbucientes literaturas.[138] El haber de nuestro libro mayor estaba formado por radiantes columnas de esperanzas: Fama, estrenos, éxitos, formidables derechos

[138] La escuela situada en la Plaza del Dos de Mayo se llamaba en su época de docencia Escuela Modelo. Actualmente es el colegio Pi y Margall.

de autor, viajes, posibilidad de estupendas generosidades. ¡Vaya usted a poner puertas al campo de los sueños! Todas ellas en conjunto constituían el anhelo grande.

El pequeño, origen de la pena, era casi pueril. Entre los regalos de boda había mi marido recibido una capa, obsequio de su abuelo materno, comerciante de altura que al morir pocos meses después dejó a sus herederos más de un millón, cantidad respetable en aquellos tiempos. La capa era de lo mejorcito en su clase, de paño fino, con embozos de terciopelo rojos y verdes, pero ¡ay!, no era nueva. El abuelo, hombre práctico, juzgó que el nieto, al empezar a vivir, podía darse por muy satisfecho con ostentar una prenda de primerísima calidad, en buen uso y que, verosímilmente, duraría años y años. Su desprendimiento le daría ocasión plausible de comprar para su uso personal otra de la cual tal vez estaba encaprichado y que su espíritu comercial no le permitía adquirir necesariamente sin remordimiento de conciencia económica.

La capa, repito, era buena prenda y quien la llevase podía presumir de potentado. Es de suponer que algunos compañeros de clase en la Universidad mirarían con envidia al feliz portador en las crudas mañanas de invierno, pero el afortunado que no había cumplido los veinte años tenía odio invencible a la tal *pañosa*. Echábasela encima porque era friolero, pero le humillaba pensar que, con todo su elegante aspecto, era un mezquino aprovechamiento de sobras. De estas humillaciones de chiquillos nos reíamos al llegar a viejos, pero, al sufrirlas, escuecen como picazón de ortigas… ¡Lo que él hubiera dado por poderse comprar con su dinero una capa nueva, por no sentir al embozarse en ella que otro, antes que él, se había agasajado entre sus pliegues!

Esposa novel e ilusionada, ansiaba yo arrancar del corazón del esposo la enconada espina: mas, al hacerme cómplice de su afán, transforméle un tantico por magia de amor. «¡Tendrás capa nueva, flamante y *tuya* –decidí en un acto de fuerte y secreta voluntad–. ¡La tendrás cuando menos la esperes y la tendrás como regalo mío, con lo cual su valor será doble a tus ojos!».

La promesa, fácil de formular en las reconditeces del querer, era harto difícil de cumplir. Una buena capa en España, en el año de gracia de 1900, costaba más de 30 duros. ¿De dónde sacarlos? Estaban por entonces muy en boga las teorías norteamericanas sobre los milagros del ahorro. ¡Si yo pudiese ahorrar, recortando con paciencia y tesón algunos centimillos del gasto diario!

Compré una hucha de barro y empecé a ahorrar. Parecerá increíble, pero estuve cinco años ahorrando sin llegar a reunir la suma deseada. Algunos meses, en las cuatro primeras semanas, ahorraba medio duro y hasta tres pesetas; pero, ¡ay de mí!, en los últimos días, la caja general estaba exhausta, preciso era mandar a la compra… y había que acudir a la hucha. En otras ocasiones, retrasábase el habilitado un par de días en traer la paga a los maestros. Cierta noche, un amigo escultor que después ha ganado muchísimo dinero, pero que en aquella época se veía negro para comer, llegaba angustiadísimo: su modelo, que con abnegación heroica, amén de prestar al artista su anatomía para darle idea aproximada de la belleza olímpica, le servía de esposa morganática y de fregona, costurera y sastra, se había puesto enferma; a las desagradecidas diosas del Olimpo no se les ocurría enviar a Ganimedes con una confortante taza de caldo o con un par de duros para ir a la farmacia. ¿Qué hacer sino acudir a la necesidad urgente? Al llegar el verano, el peso de la hucha tal vez me daba la ilusión de que pronto alcanzaría la meta…; mas, en Madrid, el calor era espantoso, diríase que diciembre y sus hielos no llegarían nunca. ¿Quién piensa en capas en el mes de julio? ¿No era más razonable mermar en cincuenta pesetas el tesoro y comprar un billete de tercera para ir en busca de un poco de aire fresco a cualquier peñascal de la Sierra?

Nunca rompí la hucha cuando así me robaba a mí misma. Sosteníala amorosamente en el regazo, acariciábala como a un animalejo favorito, pedíale perdón por el despojo y luego, con una plegadera, le revolvía las entrañas e iba encaminando las monedas hacia la ranura. Caían lentamente en mi falda, olían a humedad y a fresco barro como desenterradas... La conciencia, que siempre se mete en lo que no le incumbe, infundíame no sé qué resquemores. Poquito a poco, en meses sucesivos, la pérdida se compensaba, el tesoro volvía a crecer... y tornaba a menguar en constante marea...

Hasta que un día, al fin, en un teatro, resonaron palabras de las cuales éramos en parte responsables. Estrenóse en Madrid la comedia *Buena gente*, de Santiago Rusiñol, en la cual, como traductores, cobrábamos por mitad los derechos. Entraron de una sola vez en casa ¡mil quinientas pesetas! Inmediatamente hubo capa de flamante paño para mi compañero, y para mí otra de no menos flamante piel de cordero que imitaba el rizo de astracán y que trocaba en realidad otro ensueño mío tan vehemente que ni a reconocerle me atrevía.

Ustedes pensarán: «¡Qué regocijo!». Cierto. El compañero se envolvía en su capa y yo acariciaba los negros y lustrosos vellones de la mía, mas al mirar la hucha, que estaba en uno de sus mejores momentos, antojóseme que ella estaba mirándome con reproche, y ¡me entró una pena! Insensata, absurda, extravagante, ridícula, idiota..., lo que ustedes quieran, pero tan punzante y tan efectiva que no la he sabido olvidar; ha estado años y años dormida, y hoy despierta y me dice como me dijo entonces:

—El amor, por grande que sea, no sirve de nada, no vale para nada, no consigue nada... Ya ves..., tú, en cinco años, con todo tu cariño y tu afán, no has logrado reunir treinta duros..., y ahora, de pronto, porque sí...

—Mujer imbécil –decía la razón–, este dinero que hoy te llega de golpe es tan tuyo como el otro, lo ha ganado tu esfuerzo, le ha conseguido tu constancia.

—Sí, pero no es lo mismo. Yo me entiendo..., ¡y tú me entiendes, hucha de mi corazón!

En un ataque de ira contra mí misma, tiré al suelo la hucha. Rompióse en cien pedazos; allí quedaron revueltos cascajo y monedas.

De romántico efecto sería decir que, recogiendo el montón, lo arrojé por la ventana o lo tiré a espuerta, pero la realidad es otra: separé meticulosamente la plata del barro y eché las pesetas en la caja sin tapa que guardaba mis hasta entonces tan escasos caudales. Casi lloraba de dolor rabioso: ya que no habéis valido para lograr mi anhelo –gritaba *in mente*–, ¡id a pagar viles necesidades! Serviréis para comprar cebollas, ajos, pimentón, vinagre, escobas, trapos de fregar el suelo, betún para las botas...

—¡No habéis servido, no, para colmar mi afán, mi amor no ha servido para haceros servir, el amor no sirve de nada!

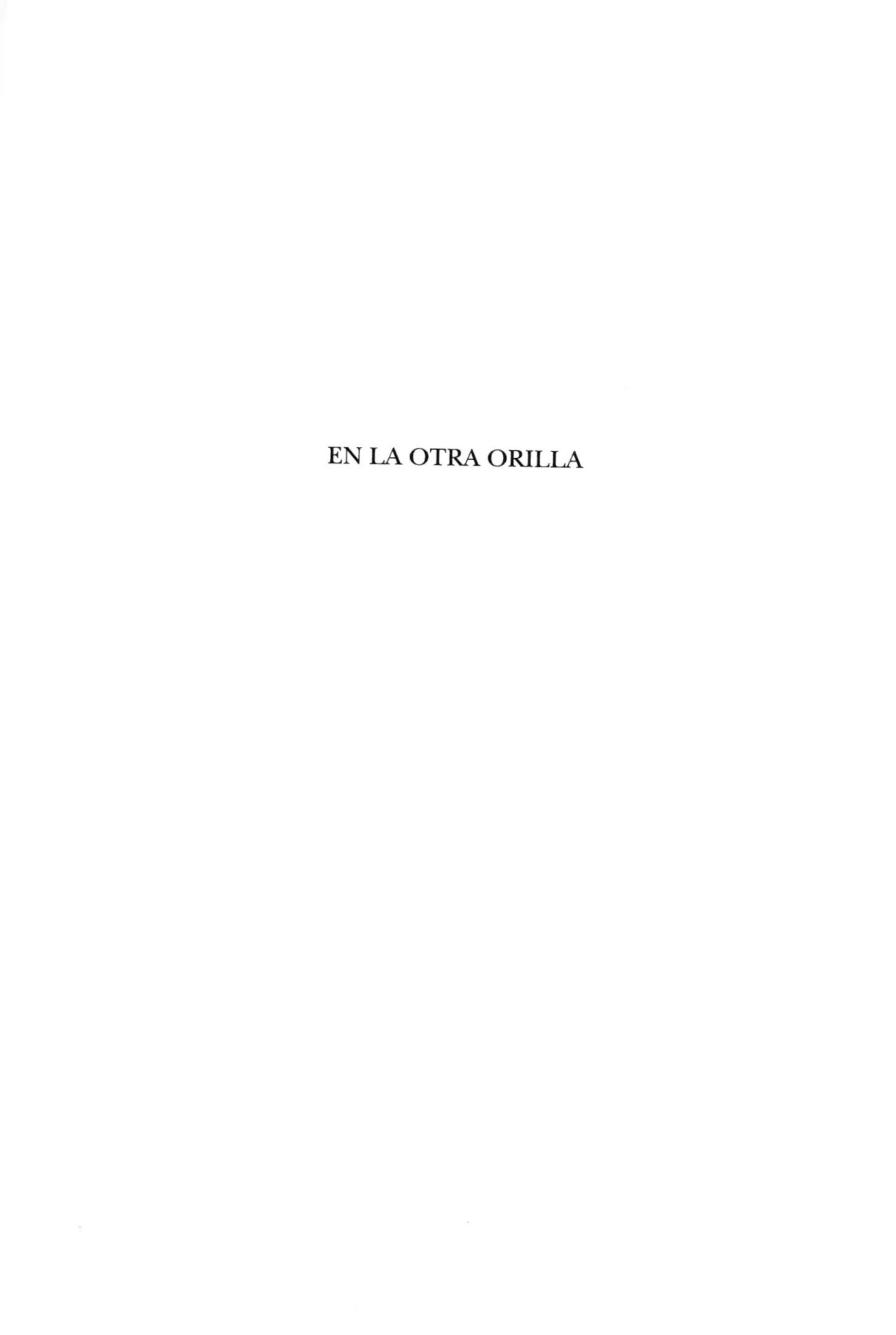

EN LA OTRA ORILLA

¡Cuántas veces, en esta larga vida, contemplando el mar, me he divertido al figurarme las tierras, entonces para mi fantasía casi de leyenda, que se tendían en la otra orilla!

Para mí, hija de Europa, la «otra orilla» era entonces América. Nunca había querido venir a ella. ¿Por qué? Al parecer, no existía motivo plausible; al menos, yo no había dado con él. Era una resistencia instintiva, casi orgánica. ¿Quién decía tercamente ¡no! en el fondo de mi subconsciencia cada vez que se presentaba ocasión de cruzar el Atlántico?

¿Miedo a la distancia? En modo alguno. Siempre he sido nómada y viajera; apenas he plantado la tienda en un grato rincón, he sentido el temor a echar raíces y el angustiado anhelo de lo desconocido que está llamándome.

¿Aprensión a los riesgos del mar? Mucho menos. No soy demasiado valiente, pero sí tan curiosa y distraída que, ocupada en ver y en imaginar, no suelo darme cuenta del riesgo hasta que ha pasado.

¿Apego invencible a la tierra natal? Desde que me conozco, he sabido leer y no sólo en mi lengua materna, y he leído tan vorazmente tantos cuentos e historias venidos de tierras señaladas por todas las puntas de la rosa de los vientos –¿dónde estás, rosa de los vientos, hechizo de mi infancia, que ya casi nadie es acuerda de ti?–..., han llegado a mí, digo, en la infancia, cuando el alma se cuaja, noticias y ensueños de tantos países, que he sido ciudadana del mundo muchos, muchos lustros antes de que se hubiese acuñado la frase para el uso político y corriente.

Entonces, ¿por qué?

Hoy, de repente, lo he comprendido. Es enero: Es verano: Gran maravilla pudiera parecer a una española; estoy sentada bajo un cobertizo –*carpa* dicen aquí– que me defiende contra los ardores del sol estival; estoy en una playa argentina, a la orilla del mar, en la «otra orilla». Estoy en una de las regiones que fueron para mí tantos días leyenda e imposible. Y todo me parece, si ciertamente bello, natural y corriente, bañado en la luz clarísima de la realidad, desentrañado y desenmarañado por la paciencia de lo cotidiano. Los bañistas, sentandos o tendidos en la arena, ostentan su casi desnudez con el mismo impudor inocente que los de Niza, que los de Ostende, que los de Santander; los sillones de mimbre acogen nuestro cuerpo con las mismas curvas que aquellos de Europa, y la verde pintura que los cubre y decora parece haber salido del mismo bote. Aquella gran sombrilla con listas rojas, azules, anaranjadas, ¿no se ha escapado de Juan-les-Pins? Ese mozallón que pasa con su lata de café caliente, ¿no es hermano gemelo del que circula por San Sebastián llevando al hombro su barquillera?

Miro el mar, el pedazo de mar siempre el mismo –aunque sea a cada minuto infinitamente diverso– que estoy acostumbrada a ver; el mismo, es decir, el único que la limitación de mi vista me permite otear, el mismo que en Málaga, en Trouville, en Cádiz, en Nápoles, en California, el mismo, el invariable que yo puedo alcanzar, ni una pulgada más ni un milímetro menos; que, para cada uno de nosotros, el horizonte siempre está a idéntica distancia...

Miro el mar y comprendo: Mi alma, sin yo saberlo, no quería cruzar el Atlántico porque estaba obstinada en conservar, para su propio disfrute, solaz y hechizo, imperios de ensueño. ¡Tenía tantos en este *plus ultra!* No quería enterarse, y sobre todo no quería que yo me diese cuenta de que los Andes estaban hechos meramente de roca y vestidos de nieve, como los Alpes; de que los bosques de Norteamérica trasudaban idéntico misterio que la Selva Negra; de que, cardo más, cardo menos, la pampa, la inconmensurable que los ojos mortales no pueden ir midiendo sino milla a milla, era réplica fiel de la limitada llanura castellana.

Miro el mar, y comprendo. La olas van y vienen como de costumbre, deshaciéndose sobre la arena en gesto fatigado y complacido, que siempre es placentero en la fatiga el haber encontrado lugar en que tenderse. Aquí como allá y como en cualquier parte. La leyenda se ha desvanecido; pero el alma no puede vivir sin soñar. Por fortuna, el ritmo desencadena inevitablemente el mecanismo de la ensoñación; a la mente la mece el movimiento isócrono como al niño en la cuna y la va dejando poco a poco hechizada. Si se produce después de estar dormido el cuerpo, el sueño es todo lo que quisieran psicólogos-biólogos: desenfreno de instintos, fijación del deseo satisfecho, precipitado de inconfesables heces, mas siempre involuntario, incontinente, incontrastable; surge y se desvanece sin que sepamos cuándo ni cómo; ni siquiera podemos darnos cuenta del tiempo que duró. Mas, si la facultad soñadora entra en acción antes de que el cuerpo se haya dormido, el sueño se hace actividad consciente, elige tema, decide caminos, prefiere y determina formas... Este soñar despierto (¿hasta qué punto?) es el ensueño.

Acunada, pues, por el ir y venir de las olas, doyme a ensoñar. Y mi ensueño se lanza a navegar rumbo a «la otra orilla». Que esta vez es Europa. Irremisiblemente. Ilusionadamente. En cuanto hay lejanía, hay ensueño. Apenas hay obstáculo, hay ilusión.

¿En qué puede soñar una anciana? ¿Con qué puede ilusionarse una fantasía si ya no hay porvenir? Una anciana ensueña el pasado, es decir, recuerda. Después de todo, tan fantasmagórica es la luz del crepúsculo matutino como la del atardecer. Y el engaño de la luz indecisa puede ser tan ilusionante cuando el sol está a punto de surgir como cuando acaba de hundirse. El temblor de la esperanza joven se parece harto al del viejo añorar; hay una diferencia: la esperanza cabalga por el aire en suspiro ardoroso; el recuerdo desciende lentamente la surcada mejilla en una lágrima involuntaria.

En «la otra orilla» está Portugal, tierra suave y melancólica, la más amable porción de la Península Ibérica. Apenas entran en la bien graduada pendiente lusitana que los conduce al mar, los broncos, intratables ríos de España se hacen amigos del hombre y le consienten que navegue sobre ellos; los montes se humillan, las tierras descienden casi insensiblemente y así hallan con toda naturalidad, al dar en el Atlántico, la ruta al infinito sin que para emprenderla sus hombres hayan menester el espasmo desesperado característico del alma castellana.

En el Portugal de mis recuerdos –más de cuarenta años de fecha– hay una playa; no elegante y ruidosa como ésta de Mar del Plata, sino solitaria y empapada en silencio; no se oye en ella más voz que la del mar. Hay un pinar ralo sobre la arena. Es la playa de Espinho.[139] Sentados en el suelo, a la sombra recamada con manchas de sol de los pinos batidos y torcidos por los vientos, están tres hombres y una mujer, todos en la edad del suspiro ardiente, del anhelo, de la ilusionada

---

139 Gregorio y María pasaron el mes de agosto de 1907 en este pueblo portugués.

esperanza. Aún se están preguntando con la inevitable presunción juvenil que les hace creerse ya maduros porque han leído unos cuantos libros: «¿Qué haré yo en la vida?». Con toda su jactancia, no saben que la pregunta habría de ser: «¿Qué hará de mí la vida?».

Por entonces estaba muy de moda una máxima harto falaz, venida precisamente de «la otra orilla»: «Eres el arquitecto de tu propio destino».

La mujer es la que hoy está aquí recordando; uno de los varones es Gregorio Martínez Sierra; el otro, el portugués Manuel Laranjeira, médico, escritor, sabio, soñador desenfrenado y escéptico; el cuarto, cuyo nombre he olvidado hace poco, tan poco que solamente ahora al irlo a escribir me he dado cuenta de que ha desaparecido de mi memoria, es uno de esos hombres capaces de vivir los sueños ajenos tal vez con mayor lealtad que si fuesen propios, de adherirse no ya a la persona, sino a la existencia de otro varón a quien admiran total y desinteresadamente, hasta llegar a ser como su sombra fiel, sin exigir siquiera correspondencia; con la inexpresada aceptación de su fidelidad por el héroe a quien la consagran, tienen pago bastante.[140] Las mujeres no podemos comprender ese extraño fenómeno de renunciamiento que no cabe en nuestra naturaleza. Una hembra no renuncia, no se anula voluntariamente más que en el amor. No hay mujer que acepte caudillaje de otra. Jamás he creído en el mito de las Amazonas.

¿Qué hacen mis cuatro sombras mientras yo, para contemplarlas, cambio de dirección el milenario girar de los mundos?

---

[140] Manuel Laranjeira (1877-1912). Autor portugués asociado con el teatro naturalista. Su prólogo dramático, *Amanhá* (1902), ha sido descrito por los más destacados historiadores de la literatura portuguesa como la mejor obra dramática de esta escuela.

No se miran, no hablan: cuatro monólogos, coexistentes y ni siquiera paralelos. No tienen de común sino el ritmo del mar que los aúna. Cuatro soledades que forman grata compañía.

Gregorio Martínez Sierra, cuartillas en mano, escribe –¡singular aventura!– versos. No acostumbra su mente realista y positiva a perderse en lirismos. La acción es alimento casi exclusivo de su espíritu. Portugal y su hechizo han hecho el milagro. Mi compañero va llenando el papel de renglon-cillos desiguales: los que luego han de formar un libro que llevará por título *La casa de la primavera.*[141] Mi marido hace versos ¡para mí!, que no soy un ensueño, sino la realidad, ni una lejanía, sino la presencia constante, ni un imposible, sino el pan cotidiano; ese pan compartido sobre blancos manteles, lo digo con orgullo, ha sido el único motivo que ha suscitado en él ese desbordamiento de gracia plena, el deseo imperioso de romper a cantar. Nunca ha vuelto a hacer versos por nada y para nadie el hombre que rimó los *Romances del hogar* en loor de la casa de la primavera. Para este libro guardo cariño especialísimo, precisamente porque no tengo en él, fuera del platónico papel de musa, más participación que la prosaica y tediosa de haber corregido las pruebas de imprenta.

Yo también tengo papeles en mi falda, sobre los cuales he intentado escribir escenas de una comedia que, terminada, ha de llamarse *Juventud, divino tesoro,*[142] y que en realidad no ha de valer gran cosa. Nunca me inspiró el aire libre para

---

141 *La casa de la primavera,* Madrid, Ed. Renacimiento, 1907. Incluye poemas de Rubén Darío, Juan Ramón Jiménez, Eduardo Marquina, Antonio Machado, Francisco Villaespesa y Enrique Díez Canedo.

142 *Juventud, divino tesoro,* estrenada en el teatro Lara en 1908, es la primera comedia representada y reconocida por entero como obra de «Martínez Sierra». Fue un éxito moderado.

escribir. Soy tan fundamentalmente panteísta que cuando estoy en contacto directo con la naturaleza no sé hacer otra cosa que perderme en ella; soy árbol en la selva, agua en el río, vela en el mar, ala en el viento, musgo que se pega a la roca. Para trabajar con fruto necesito paredes que me aíslen, tedio que me encarcele, soledad que me muerda. Para hacer mi tarea es preciso que olvide mi amor esencial.

Manuel Laranjeira anda también pensando en un drama que quiere escribir. Se llamará *Amanhá* (Mañana). El mañana que él sueña no es una aventura personal. Su pasión es su tierra, Portugal, por la cual siente amor desesperado. No puede resignarse a la decadencia de su patria, sobre cuyo destino, médico pesimista, hace diagnóstico amargo. Y esa desesperanza, que él junta y amalgama con la acritud de su propio destino, no le deja vivir. ¡Qué inquietud la suya! La intenta calmar y en realidad la exaspera con innumerables tazas de café: hasta treinta llega a beber por día. Bien puede sollozar: ¡Me duele Portugal!, como Unamuno, que fue también su amigo, gritó: ¡Me duele España! Mas a Unamuno le consolaba su soberbia vital –presumía no menos que llenar el vacío de su soledad consolando a Dios de la suya–, y a Laranjeira le acababa de hundir en desolación el convencimiento de su impotencia; sentía que llevaba dentro el cansancio, el virus del desaliento que envenena la sangre portuguesa... Callaba, inmóvil, mirando sin ver, rumiando sus hieles.

Su amigo callaba también. Puesto que el ídolo estaba, aunque presente, ausente, ¿qué le quedaba sino esperar su vuelta a la realidad?

El cuadro, a poco, mudaba de aspecto. Pasada la calígine de la hora de siesta, mi compañero, saliendo de su trance lírico, se alejaba unos cuantos metros para, en una llanada próxima, aprender a andar en bicicleta adoctrinado por el amigo fiel. Levantábase un asomo de brisa; las ramas de los pinos empezaban a susurrar. Animados por su ejemplo, Laranjeira y yo rompíamos a hablar; primero leíamos los versos que nos había confiado el poeta del hogar, mientras daba las caídas indispensables para adquirir la ciencia ciclista; animábamosle con nuestras voces; luego ensartábamos desconcertados comentarios sobre el ser, el no ser y otras pequeñeces; hablábamos..., más bien hablaba él; siempre he sentido singular deleite escuchando a quien sabe lo que dice. ¡Cuánto he aprendido y sigo aprendiendo, callando, callando mientras otros hablan! Ha sido mi suerte y gran privilegio tropezar con bastantes hombres y con una mujer[143] a quienes ha valido la pena de escuchar.

¿Cómo conocimos a Manuel Laranjeira? Fue un verano –creo recordar que el de 1907– en que teníamos poquísimo dinero; el calor, en la horrenda canícula madrileña, era particularmente insufrible. De Portugal, país hermano y vecino que desconocíamos tan en absoluto como casi todos los españoles que, por aquellas fechas, teníamos los ojos del deseo vueltos exclusivamente a Francia, de la dulce Lusitania no sabíamos sino que la vida era barata aunque allí se contase el dinero por millones.[144] Emprendimos, pues, el camino en busca de las refrigerantes y vivificantes brisas atlánticas. La playa de Espinho no atraía a los turistas españoles; todos se los llevaba la elegante Figueira da Foz: en Espinho estábamos

---

143 «Matilde de la Torre, uno de los más positivos valores como inteligencia, erudición y voluntad en la España del siglo XX. Desconocida por ser mujer. De ella pienso hablar largamente en otro libro». (Nota de la autora.) Matilde de la Torre fue amiga y compañera de partido de nuestra autora. En *Una mujer por caminos de España*, María le rinde un gran homenaje. *Ob. cit.*, pp. 219-220.

144 «Un conto de reis –un millón de reis– equivalía en aquellos tiempos a cinco pesetas». (Nota de la autora.)

casi seguros de no topar sino con portugueses; un encanto más, porque tanto yo como el compañero siempre fuimos de opinión que para andar entre españoles no vale la pena de salir de España. Si se ha de comprender y gozar un país, hay que vivirle con sus naturales.

Fuimos a dar en el hotel Braganza, grande y destartalado, pero atendido con limpieza y cortesía. Allí acostumbrábamos trabajar: leer, escribir, planear, corregir pruebas de imprenta, amén de tomar sendas tazas de café, en una mesita del *hall*, donde encontrábamos más espacio y más fresco que en la habitación. Veíamos pasar y repasar ante nosotros, dando vueltas evidentemente voluntarias que a mí se me antojaban los círculos concéntricos del perrillo en que encarnara Mefistófeles para atrapar a Fausto, a un hombre extraño, pequeño, extraordinariamente feo y extraordinariamente vivo de movimientos. Feo, sí: pocos hombres lo habrán sido o podrán serlo tanto como Manuel Laranjeira. Tenía algo muy bello, sin embargo: los ojos, esos ojos portugueses de terciopelo y fuego. En los suyos brillaba, venciendo la melancolía lusitana, tal viva lumbre de inteligencia que una vez que se había cruzado con ellos la mirada, no había medio de fijar la atención en ninguna otra facción de su rostro. Ventanas de un espíritu que nunca dormía –de hecho, la maldición que le llevó al suicidio fue el no poder dormir–. ¿Qué hada rencorosa dejó caer en su cuna el don fatal de estar siempre despierto, mientras las otras a manos llenas prodigaban los suyos: don de sabiduría, don de entendimiento, don de consejo, don de piedad?...

Alma febril, desorbitada, curiosa, ansiosa de comprender y de ser comprendida, impaciente, intolerante y misericordiosa, mas con misericordia dictatorial. ¡Cómo amaba a los niños! Y ellos acudían a él lo mismo que moscas a la miel. A las mujeres, pienso que les tenía demasiada lástima para poder amarlas verdaderamente: la relación de amor es lucha en la cual no cabe compasión para el adversario; en cuanto se empieza a compadecer, se deja de amar. El amor de Manuel Laranjeira, ya lo he dicho, era su Portugal; amor indignado, resentido, amargo. Algunos de sus amigos han podido pensar que si la muerte no le hubiera segado con tanta prisa, habría llegado a ser algo muy grande y eficaz en la gobernación de su país. No lo creo. La misma universalidad de su comprensión, su totalidad de simpatía humana habían suprimido en su espíritu las limitaciones que son indispensables en todo conductor de muchedumbres si ha de imprimir a su voluntad la línea única y sin contemplaciones fuera de la cual no hay salvación. Para mandar a hombres, sobra y estorba la humanidad. Laranjeria fue humano en el más alto y noble sentido de la palabra, por lo cual no podía ser gobernante. Su elocuencia misma no era de tribuno, sino de profeta.

Daba, pues, vueltas en torno nuestro... y tras las vueltas vino una sonrisa, y tras la sonrisa un saludo y una fulminante intimidad. No era posible otra cosa. Él sabía quiénes éramos y voluntariamente nos había elegido; nosotros ignorábamos quién era él, pero no podía menos que halagarnos que alguien en país extranjero estuviese al tanto de nuestro trabajo cuando aun en nuestra patria éramos poco menos que desconocidos. Nosotros en él descubríamos rica tierra incógnita; él en nosotros confirmaba la existencia de una tierra que hubiera ya estudiado en un mapa. Y a nosotros y a él antojósenos el descubrimiento hallazgo de un presentido hogar; ¡teníamos tantas aficiones comunes: la música, el mar, el pensamiento, las bellas palabras! Sentíamos –él más agudamente que nosotros– la amargura de ser hijos de patria decaída y deshecha...; desdichada, pensábamos nosotros, envilecida, sentía él; y porque no faltase un poquito de sal en la miel del acuerdo, existía el contraste entre la paz de nuestra vida y la inquietud morbosa de la suya. Pequeñeces había también de las que unen graciosamente: él y yo compartíamos el desmedido gusto por el café, que en él era locura y en mí deleite; ni él ni mi marido encontraban nunca hora de irse a dormir; y así, mientras yo –costumbre aldeana– me recogía pronto y conciliaba heroicamente el sueño sobre el colchón proceloso (no encuentro adjetivo más propio) de un lecho portugués, imagen increíble de un mar a un tiempo revuelto y petrificado, ellos, acompañados de otros amigos músicos, pasaban las horas nocturnas desgranando fados tristes a orilla del mar. Al retirarse casi de madrugada, los muy canallas daban desde la calle grandes voces para despertarme...

Pocas semanas duró nuestro amistoso trato en arcilla mortal y espíritu acaso inmortal, mas en ellas pusimos el entendimiento y la conversación de una larga vida. Después, nuestra amistad se conservó por cartas en las cuales él nos llamaba: *Meus amigos de illusão,* y a mí, especialmente, *Minha mística senhora.* ¿Mística a mí, tan empedernidamente panteísta y terrena? Él allá lo explicaba a su modo: mística por el empeño voluntarioso de prenderme a las menudas bienandanzas del vivir cotidiano, de cuidar fuegos inexistentes, de calentarme en ellos como si fueran realidades: «¿Siempre encendiendo hogueras de ilusión? ¡Cuidado, *minha mística senhora,* cuidado con quemarse las alas!». Cuidado, ¿para qué? No le tuve. No le tengo. Vieja soy, y con palitos secos sigo encendiendo lumbres ilusorias. No me pesa. Cicatrices tengo de algunas quemaduras, es cierto; las que el pueblo llama «alas del corazón» están tan maltrechas, desgarradas y deshilachadas como las de las solícitas abejas cuando acaba el verano. ¡Qué importa! ¿No era delicia trabajar volando en el oro del sol? ¡Y si acaso hemos logrado amasar un poquillo de miel y encerrarla en celdillas para que otros la coman!

En sus cartas, siempre prometía venir a Madrid a vernos, pero nunca cumplió su promesa; buen portugués del siglo XX, fallóle no el anhelo, sino la voluntad. Yo le animaba contándole cómo de un reciente viaje a Suiza había traído una maravilla de cafetera *express* en la cual se destilaba un café que bien pudiera llamarse ambrosía... Una mañana de invierno –1912– velaba yo a la cabecera de mi marido gravísimamente enfermo de fiebres tifoideas; llegó una carta de Portugal con la noticia de su muerte; enfermo de fiebres tifoideas también, en un momento de calentura sobreaguda, o –¿quién sabe?– en un instante de cansancio incomportable al remitir la calentura, no pudo con el peso de la vida y se pegó un tiro; no tenía a la cabecera mujer que le quitase el revólver de la mano... Los amigos, al darnos la noticia, sabiendo, decían, nuestra mutua amistad, pedían que enviásemos un artículo necrológico... Llorando, no sé si sólo por su muerte o también por la que, en aquellos instantes, temía para su otro amigo, escribí unas cuantas cuartillas. Y así terminó todo.

Sus cartas, paquetito apretado de papeles pequeños sobre los cuales con letra menuda y fuerte había escrito tantas nobles palabras, quedaron en Madrid en 1936. Supongo que, en unión de otras muchas de otros varios amigos que llenaban un mediano arcón y que hoy, de existir, serían valiosos autógrafos, habrán servido de combustible algún crudo día de la guerra civil para cocer una cazuela de humildes sopas de ajo cuando no había a mano otra cosa que quemar...

De Portugal guardo algunos gratos recuerdos: la visita a Coimbra y un paseo cómicopoético por su «Choupal da Rainha» (Chopera o alameda de la Reina). Poético, porque el sitio lo es en alto grado; cómico, por el modo que tuvimos de pasearle. Mi compañero, en la luna de miel ciclista, iba en su flamante bicicleta; yo caminaba a pie. Y, para no perder el contacto, él adelantaba unos cientos de metros, y los recorría luego en sentido inverso para volver a emparejarse conmigo; pedaleaba unos minutos lentamente, hazaña difícil para un novato, pero luego, aguijado por el demonio del vértigo, volvía a adelantarse y tornaba a buscarme. Nos reíamos, y aún deben estar riéndose de nosotros aquellos chopos centenarios.

Entrada en Oporto por el puente sobre el Duero en noche a un tiempo de luna y de niebla; la niebla sobre el río, la luna bajo un cielo de profundo azul; el puente suspendido entre dos abismos tendiendo transparente sombra sobre el nácar con que la luna, en lo hondo, teñía la húmeda y profunda respiración del río... Pasaron cuarenta años y la magia de la visión persiste. Nunca se borrará.

Lisboa, con su plaza del Rocío, inmenso cuadrilátero uno de cuyos lados es el mar...

Las mujeres feas, más las «varinas» que llevan sobre la cabeza el cesto plano lleno de pescado, tienen porte y empaque de canéforas...

Los hombres guapos, con ojos de lumbre y palabras románticas...

Los carritos cargados de limones –después he vuelto a encontrarlos en Roma– junto a los cuales, en un segundo, el vendedor prepara para el transeúnte sediento un vaso de fresca bebida...

Aquellas tiendas en las cuales no se vende más que agua de diferentes fuentes, como en otras es uso en el mundo entero vender vinos de marcas distintas...

Y en todo ello, bajo el sol que echa chispas sobre una fauna semitropical, esa melancolía portuguesa, ese incomprensible *tædium vitæ* que ha llevado al suicidio a tantos de sus hijos, los mejores...

Volviendo a *La casa de la primavera*; este libro «fuera de serie» en la historia de nuestra colaboración plantea un divertido problema, no sé si decir ético o estético. Varias de mis amigas, después de leer las plácidas rimas: «La amada hace encaje de bolillos», «Por la risa de la muy amada», etc., solían decirme: ¡Te gustará ser musa! Yo, la verdad, no me lo había preguntado nunca. Mas, impulsada por la curiosidad ajena, adentréme por los laberintos de mi conciencia para hallar respuesta. En primer lugar –investigué–, ¿qué es una musa? Pensé en las que alcanzaron grado supremo en el escalafón sagrado: Beatriz, Laura, musas estéticas, existentes, contemporáneas de sus respectivos poetas; podemos, según eso, incluirlas en la categoría de aquellas a quienes Rubén Darío declaró «las mejores» en su «Balada en loor de las musas de carne y hueso», escrita precisamente para honrar *La casa de la primavera.*

Musas de carne y hueso... ¿Cuál es su colaboración en la obra del genio? ¿Qué hicieron por él o para él? Simplemente vivir, pasar, mirarle de reojo dulce o maliciosamente, ponerse un poco pálidas...

Quel leve impallidir del dolce riso...[145]

un día en que el poeta, cansado de melindres, amenaza con acabar el *flirt* y tomar bravamente las de Villadiego.

¿Les gustaba ser musas? No creo que se dieran mucha cuenta de que lo estaban siendo. Agradábales sin duda el olorcillo a corazón quemado, buen aperitivo para la antropofagia femenina sensual-sentimental. De aquellos versos que incrustaron en diamante sus nombres sobre los pórticos de la inmortalidad, ¿qué se les dio? ¿Acaso no les hubieran parecido tan bellos los del más ramplón rimador del barrio si se los hubiese enviado envueltos en suspiros?

---

[145] «"Aquel leve palidecer de la dulce risa...", Petrarca, Soneto LXXXIV, *in vita* de Madonna Laura". (Nota de la autora.)

Once hijos tuvo Laura en honesta colaboración con su esposo legítimo, once, a compás de las rimas de Petrarca, antes de morir probablemente de fiebre puerperal...

De Beatriz no se sabe que amase ni a Dante ni a hombre alguno: si leyó los versos del excelso poeta, acaso lamentara que aquel arrogante espíritu no hallase en su pasión el valor de acercarse un poco más a ella...

¿Me hubiese complacido ser Laura o Beatriz?

Pensemos en la famosa musa de Musset, la inexistente, la incorpórea, la que con él, junto a él, contra él, luchara en la fecunda *Noche* por encontrar palabras en que comunicar al mundo la fiebre del poeta, la musa espejo, la musa fantasma, sombra, proyección, humo, exhalación de la fiebre del hombre que la está creando en el instante en que la implora y que, al crearla, se da el placer de fingirse a sí mismo que la escucha...

¿Qué halago puede haber para una mujer viva en pensar que acaso los ojos de la sombra inspiradora coinciden en color con los suyos? ¿No le cabe, para templar su orgullo, la duda amarga de que si en el segundo en que él está exaltando en una dulce rima el sabor de sus labios se le ocurriese a ella llegar a darle un beso, él la rechazaría con impaciencia por venir a cortarle la inspiración?

Mas en *La casa de la primavera* no hay fiebre ni hay sombra; son sus versos la crónica rimada de un convivir plácido... De verdad, verdad, sin hipocresía, ¿no te gustó ser musa?

De verdad, sin hipocresía... Sí..., por una vez... no estuvo mal... Aparecer y desaparecer entre un leve concepto y un asonante..., jugar al escondite en el espejo mágico de un verso..., dejar caer, riendo, un consonante si el poeta vacila en la rebusca... no está mal... por una sola vez.

Mas, en el fondo de la conciencia donde ya no se trata de jugar a la vida, sino de vivirla, pienso que si una musa de carne y hueso siente dentro de sí el rumor de *la fuente que mana y corre aunque es de noche*[146] con claridad bastante para dictar palabras a un rimador, lo más sensato que puede hacer es lanzarse a rimar por cuenta propia.

La casa de la primavera tuvo un bello pórtico. Precedíala en su primera edición una a modo de corona de rimas compuestas en honor de aquel templo de la humilde y pacífica ventura por los mejores rimadores del momento: Rubén Darío, Juan Ramón Jiménez, Antonio Machado, Eduardo Marquina, Juan Maragall, Francisco Villaespesa, más una exquisita prosa del poeta catalán José Carner.

Quiero hablar un poco de aquella guirnalda de lozanos laureles porque encierra elocuente lección de humildad no sólo para mí, sino para todas mis hermanas que puedan hallarse eventualmente, como yo me hallé entonces, en función de musas.

De aquellos poetas que se dignaron honrar nuestro hogar y su paz, sólo tres, Juan Ramón Jiménez, Eduardo Marquina y José Carner, habían pasado su puerta y sabían de lo que hablaban al hablar de la casa y de la musa. Los demás escribieron sus versos por amistad con el poeta y por fe en su palabra, sin saber si yo tenía los ojos azules, verdes o negros. A Rubén Darío, emperador de la lírica española del siglo XX, gloria máxima en su generación, mago de la lengua castellana, a pesar de haber nacido en América, no le conocí ni de vista, aunque durante muchos años, como es razón, ni un solo día dejara de oír hablar de él a mi marido y a sus amigos y siguiera línea a línea y paso a paso su admirable labor y las pintorescas andanzas de su vida desconcertada y tumultuosa. Gregorio Martínez Sierra sentía por el excelso poeta admiración inconmensurable, y él la pagaba en una excep-

146 «San Juan de la Cruz». (Nota de la autora.)

cional estimación medio condescendiente, medio respetuosa, tanto en lo literario como en lo humano. Ya uno de nuestros primeros libros, *Teatro de ensueño*, lleva un prólogo suyo escrito con sinceridad, y su magnífico y emocionante poema *Canción de otoño en primavera*, una de las más puras joyas de la lírica moderna española, a Gregorio Martínez Sierra va espontáneamente dedicado.[147] En Madrid guardaba –y espero que aún exista– el manuscrito original. No puedo, por tanto, enorgullecerme por su *Balada en honor de las musas de carne y hueso*: no habla en ella de mí, por mí, ni para mí. La idea de que su joven amigo tiene una musa para andar por casa, le hace a él recordar las de su juventud y, en realidad, la *Balada* es un canto a la carne femenina, para él cifra y compendio de las Nueve Hermanas. Tal vez el haber oído decir que yo era, amén de maestra de escuela, un tanto «leída» y «escribida», le hizo a él pensar la línea: *...y Urania rige todo este sistema*, pero ni aun de eso estoy muy segura.

Tampoco he hablado nunca a Antonio Machado. Y estoy contenta de que haya sido así. La razón puede parecer paradójica, pero es sincera. Antonio Machado, grande y hondo poeta, es tal vez de todos los de nuestra generación aquel en cuyos versos he encontrado resonancias que corresponden más exactamente a mi propio sentir. Nunca he escrito versos que merezcan el sagrado nombre de poesía porque mis emociones han hallado su expresión natural en la prosa, y el recurrir a la forma rimada para comunicarlas me hubiese pare-

---

[147] Aquí María se confunde. En *Teatro de ensueño* no figura el poema «Canción de otoño en primavera», que Rubén Darío dedicó a Gregorio Martínez Sierra y que incluyó en el volumen titulado *Canciones de vida y esperanza*. Lo que sí figura de Darío en *Teatro de ensueño*, a manera de pórtico o introducción, es un texto titulado *Melancólica sinfonía*. Le agradezco a Antonio González Herranz este importante dato.

cido frívolo artificio profanador de su sinceridad, mas, de haber tomado el camino de los rimadores, mis poemas hubiesen sido hermanos de los suyos. Y por eso, aunque algunas veces le he visto de lejos en las oficinas de nuestra casa editorial Renacimiento,[148] donde venía a cobrar sus derechos de autor, nunca quise acercarme a él por temor a encontrarme con un hombre que no fuese digno de su poesía.

Francisco Villaespesa jamás me vio. En alguna ocasión, en la calle, en un teatro, alguien me dijo: «Aquél es Villaespesa». Nunca sentí deseo de conocerle. Su poesía toda exterior, delicia del oído, música irresponsable como sonar de viento entre las ramas, jamás me interesó. No me gustan los versos sin un poquillo de alma. La caricia del ritmo no logra estremecerme si no lleva dentro un leve punto de metafísica. Villaespesa fue en su vida lo que la gente llama «un perfecto bohemio» y en ello consiste su encanto para muchos: yo pienso que eso de la bohemia nada tiene que ver con la poesía, a no ser que alcance en su abyección profunda a remover las heces dolorosas de un fondo humano como el de Francisco Villon. Cuando un vagabundo desorbitado es capaz de componer la lamentación por los ahorcados sintiendo que merece ser uno de ellos y presintiendo que lo será, está bien. De otro modo, ¿qué significa?

Juan Maragall, excelso poeta, no entró en nuestra casa –no sé si estuvo en Madrid nunca–, pero fuimos a visitarle a la suya y a ofrendarle nuestra admiración aprovechando uno de nuestros viajes a Barcelona. Era hombre magro, serio, áspero en el trato, de gran corazón. Nos recibió serenamen-

---

[148] Gregorio Martínez Sierra es el director literario de la Biblioteca Renacimiento de 1910-16. El precioso catálogo de esta editorial se ha reeditado con prólogo de José Carlos Mainer. *Biblioteca Renacimiento*, Madrid, El Crotalón, 1984.

te. Sentía estimación, que en catalán quiere decir cariño, por los leves poemas que componen *La casa de la primavera*. Uno de ellos: *Plática de una dulce mañana*, era su predilecto. «Amigo –escribió en una carta a Gregorio, refiriéndose a él–, ¡qué envidiable mañana de Pascua Florida ha tenido usted!». Los versos que envió para honrar el libro no se refieren ni al poeta ni a la musa ni a la casa... Hablan de la *ginesta*, la retama, flor agreste, nacida sobre áspera y punzante ramazón, color de oro, llena de miel como su propio espíritu..., la retama que se corta, y se quema en los hornos de pueblo para cocer el pan... Al enviarlos, parecía decir: Ahí va mi ramo; colgadle en vuestra puerta; cuando pase sobre él el viento y remueva su rústica fragancia, vosotros que estáis dentro de la casa entenderéis lo que ella quiere decir. No hacen falta lisonjas entre hermanos.

De Juan Ramón Jiménez ya va dicho en otro capítulo de este libro cuánto ha significado en nuestra vida juvenil. Sus versos para el pórtico de *La casa de la primavera* son uno de tantos eslabones en la cadena de nuestra irrompible amistad. Y no son la única contribución al libro; ayudaba a corregir las pruebas, y con sus escrúpulos de rimador perfecto limaba aquí una estrofa, recortaba un brote indisciplinado, salía por los fueros de la bella prosodia, alteraba el orden de las composiciones, buscaba un título como de costumbre...

Nuestra relación de amistad con José Carner fue breve encuentro en la relativa realidad del tiempo, mas yo no la he olvidado nunca. Su gran cultura, su inteligencia clara y certera, su innegable don de poesía hacían de su trato deleite de primerísima clase. Envió, cosa extraña tratándose de un poeta, para *La casa de la primavera*, una página en prosa. Tal vez, aunque sabía hacer tan buenos versos pensaba como yo que el corazón habla siempre en prosa cuando quiere decir la verdad. La vida apartó de tal modo nuestros caminos que nunca nos hemos vuelto a ver. Me complacería en extremo volver a encontrarle. No creo que sea de aquellos en quienes el paso de los años deteriora la calidad. Tenía, o mucho me engañé al juzgarle, demasiado buen temple. Al querer fijar mis recuerdos para hablar de *La casa de la primavera*, he tenido a la vista un ejemplar de una de sus últimas ediciones. Con asombro he visto que la bella página de José Carner no figura en su pórtico. ¿Por qué? Misterio. Tal vez algún compaginador de cortos alcances, pasándose de listo, juzgó que en un libro de versos estaba de más una página no rimada. Cuando, bajo mi supervisión, vuelva a editarse el libro, el *poema en prosa* de José Carner tornará a ocupar el puesto que por derecho le corresponde.

He dejado de propósito para el último lugar a Eduardo Marquina porque debo hablar de él no sólo como contribuyente a la guirnalda lírica que voy deshojando, sino como nuestro colaborador en obras de teatro. Dos hemos escrito juntos: *El pavo real* y *Una noche en Venecia.*[149] De antiguo venía nuestra amistad con el autor de *En Flandes se ha puesto el sol.* Desde que él vino a Madrid de su Cataluña, a principios de siglo, fue uno de tantos escritores con quienes Gregorio Martínez Sierra se relacionara en cafés y saloncillos de teatros en las nocturnas tertulias literarias que yo no acostumbraba frecuentar; no le conocí hasta 1905, en nuestro primer viaje a París. No recuerdo qué amigo de Barcelona nos había encargado una visita para María Gay, la famosa cantante de ópera que tenía su residencia fija en un hotelito de Auteuil. Lla-

---

[149] *El pavo real* se estrena en el teatro Eslava el 14-X-1922, y *Una noche en Venecia* se estrena en este mismo teatro el 19-XI-1923. Según Marquina, Gregorio Martínez Sierra colaboró en estas obras pero nunca quiso aparecer como autor colaborador. Ver *Obras completas*, IV, p. 1.351. Sin embargo, María sí lo hace.

mamos a la verja del jardín. Con gran sorpresa nuestra, no fuimos recibidos por la célebre artista, que andaba en *tournée,* sino por Eduardo Marquina, que parecía estar en su propia casa. Estábalo, en efecto: casado con la hermana de María Gay, representaba, en todos los sentidos del verbo «representar», el papel de pastor y guía en aquella familia Pichot, extraño y pintoresco grupo humano que no puede olvidar nadie que le haya conocido.

Eran los Pichot, María Gay y tres varones, hermanos de la esposa de Marquina, hijos de un próspero y sereno comerciante barcelonés, una nidada de soñadores, aspirantes a las más altas cumbres de la gloria artística, músicos dos de ellos, pintor el otro. Alentábales a soñar, o mejor dicho soñaba en ellos y para ellos, su madre, alma romántica y ambiciosa, que renunció a toda existencia personal por aventar el fuego sagrado en que sus hijos habían de quemarse las alas. Con anuencia de su pacífico esposo, fuése a París y se instaló en el hotelito de Auteuil, donde atendía con devoción a María cuando ésta descansaba de sus giras mundiales de cantante, cuidaba de las dos preciosas niñas que habían nacido del matrimonio Gay y empujaba a los otros rumbo a la gloria. El excelente señor Pichot seguía en su comercio barcelonés ganando plata con que sostener aquella incubadora de triunfadores, y venía de vez en cuando a hacer una cordial visita a los suyos.

El sueño de llegar a las altas cumbres de la fama sólo le alcanzó María, precisamente la que no le había soñado. Nunca reparara ella en su voz magnífica mientras vivió en el hogar paterno. Casó con Juan Gay, músico profesional, y él descubrió el tesoro y la enseñó a cantar. Más le hubiese valido guardar el secreto de los dioses, ya que el pájaro a quien adiestrara en las artes del bello trinar se le huyó de las manos.

Precisamente, cuando yo conocí a Eduardo Marquina andaba ocupado en solucionar el espinoso conflicto conyugal de su cuñada, procurando conseguir para ella una separación legal que, dejándola en libertad completa, la autorizase, sin embargo, a seguir usando en los carteles de teatro el apellido Gay, con el cual se había hecho famosa.

No faltará entre muchos que crean haber conocido a Eduardo Marquina alguno que sonría con incredulidad al leer esto. ¿Eduardo Marquina, arreglador de conflictos familiares? ¿Eduardo Marquina, en funciones de hombre sesudo y práctico? ¡Eduardo Marquina, el poeta más *poeta*, es decir, más fundamentalmente irresponsable, más despreocupado, más informal que es posible echarse a la cara! Pues, sí: tal es la desconcertante paradoja de la vida de un hombre a quien ahora que ha desaparecido del mundo de los vivos no sabemos realmente en qué vuelta de la rueda del tiempo deseamos situar.

Yo le imagino en la era de los trovadores vagando satisfechísimo de castillo en mesón, cantando con igual sinceridad y desenvoltura a cuanta castellana o mesonera se dignara acogerle, calentándose a su lumbre y bebiendo su vino con copa de oro o en cuenco de barro, ensartando conceptos y líricas definiciones en cualquier provenzal Corte de Amor...

O en los patios de la Universidad en París o en Salamanca, en los patios, digo, no quemándose las cejas sobre los libros como un Luis Vives o un Miguel Servet, sino atrapando al vuelo jirones de sabiduría que acaso escapaban a través de las puertas de las aulas; que entrar en ellas fuera malgaste de fuerza vital, ya que la vida con todos sus sabores y sus fuegos estaba en la calle...

O picardeando por callejuelas, encrucijadas y tabernas en la Corte de todas las Españas, cortejando a comediantas y a damas de la vida, rimando en competencia con Lope madrigales perfectos...

Pues, sí, repito, el poeta más capaz de cantar en la mano, en cualquier bella o dadivosa mano que quisiera tenderse hacia él, sin tener cuenta alguna del porqué ni del ayer ni del mañana, el hombre del momento y de la ocasión, el que hubiese vencido al mismo Satanás, no tirándole el tintero a la cabeza como el terrible monje alemán ni anegándole en agua bendita como la formidable monja castellana, sino emborrachándole con unos cuantos jarros de buen o de mal vino en una fementida venta manchega, representaba con la más asombrosa perfección uno de tantos papeles en la comedia de su vivir, el de mentor y numen familiar, ordenador, regente, desenmarañador de todo enredo, guía seguro en todo laberinto para aquella colmena desorientada, perdida sin brújula en un desierto, cegada por deslumbradores espejismos que era la familia de su mujer. A él acudían todos, en él fiaban todos y todos se apoyaban y amparaban en él. Pasábase la vida yendo y viniendo entre España y Francia, y gracias a una fantasía más desaforada que la de todos ellos conseguía ordenar el caos y solucionar cuanta dificultad se presentaba. No he contemplado nunca maravilla de fantasmagoría mejor lograda.

Porque eso era Eduardo Marquina, tanto en la vida como en el arte, un edificador de alcázares con nubes, un creador de apariencias que, gracias a su habilidad inimitable de histrión sincero, lograba hacer tomar por realidades a cuantos compartían su existencia: familia, amigos, empresarios, comediantes, editores, grandes y chicos... Conversador insuperable en amenidad, gracejo, elocuencia cuando era menester; con las damas, madrigalesco y rendido; con las buenas mozas, festivo y audaz; con las bellas hetairas, cómplice galante; despreocupado camarada con los varones sus iguales, irónicamente lisonjero con aquellos de quienes esperaba protección, hubiérase podido pensar que tenía el alma líquida, adaptable a la forma de todo vaso, ánfora o escudilla, copa de fino baccarat o cuerna de pastor. Así iba, minuto tras minuto, urdiendo la comedia, comedia, comedia de su vida...,[150] que no fue siempre fácil ni llevadera, ya que el oficio de poeta produce dineros escasos e inseguros, y él estaba empeñado en crear para su compañera todas las apariencias de estabilidad económica que había menester el espíritu ordenador y práctico que sin duda heredara de su padre y en rodearla de los refinamientos de exquisitez con los cuales se manifestaba en ella el sueño de grandezas de su madre.

—Soy –solía decir–, a Dios gracias, la única de mi familia que no tiene aspiraciones artísticas.

En lo cual se engañaba; no sólo tenía aspiraciones, sino necesidades, urgencias y exigencias de belleza ambiente en su grado máximo: no podía sufrir a su lado línea incorrecta, color inadecuado, mueble tosco, tela grosera, forma frustrada; necesitaba para ser feliz la elegancia no ostentosa y vulgar, sino sutilizada en las más puras y simples esencias... que son, precisamente, las más caras. Su casa era prodigio de orden, de supremo buen gusto; capaz era de pasarse todo un día corriendo tiendas de floristas hasta dar con las cinco exquisitas macetas de jacintos en su sentir indispensables para el hueco de aquella ventana. No pedía fiestas ni joyas ni exterior vanidad; era casera con encarnizamiento, inexorable mujer de hogar, pero necesitaba en él la perfección. Veía la vida por los ojos de su marido; tenía fe absoluta en su capacidad para lograrlo todo, y él, por no desmerecer de aquel concepto de todopoderoso, ponía en escena la más conmo-

---

[150] «No digo esto en son de censura. Toda vida humana es comedia más o menos perfecta. *Representamos* bien o mal hasta ante nosotros mismos. De otro modo, ¿cómo podríamos soportar la existencia? Si Calderón ha dicho, coincidiendo con Shakespeare, «la vida es sueño», Lope de Vega ha afirmado: "El mundo comedia es / y los que ciñen laureles / hacen primeros papeles / y, a veces, el entremes"». (Nota de la autora.)

vedora de sus farsas para fingirle el necesario paraíso, expri-miéndose el seso con tal de traerle a fuerza de rimas o de componendas el tapiz regio o el mueble inimitable con los cuales había ella soñado y sin los que le parecía imposible vivir.

Burlábase él donosamente cuando hablaba con los amigos de aquel fanatismo del hogar sin tacha. Anoche –decía él–, al entrar en mi casa, mi mujer me gritó desde la cama: "¡Ven, pero no pises, que esta tarde han puesto la alfombra nueva!"

—¡Alma mía –le respondí espantado–, no soy el Espíritu Santo para poder llegar a tus brazos volando!

Gran fumador él, llenaba ella la casa de ceniceros; luego se lamentaba:

—¡Has dejado colillas en los tres del despacho!

—¿Para qué son? –argumentaba él sonriendo–. No pongas más que uno. ¿Cómo he de desairar a los demás si los has puesto tú?

¿Amarguras? ¡Quién sabe! El vivir es duro cuando se quiere llevar la vida por encima de las posibilidades. ¿Decaimientos? Es posible. Ahí está su comedia *La hiedra.*[151] Aunque también lo es que se hiciese creer a sí mismo sus propias fantasías.

Nuestra colaboración se debió a un azar de viaje. Habíanos reunido en Salamanca la voluntad de la gloriosa actriz María Guerrero, cuya compañía daba una serie de representaciones veraniegas en la ciudad del Tormes. Marquina les acompañaba en el viaje, y nosotros habíamos acudido para estrenar allí, como prueba para el estreno en Madrid en el próximo invierno, nuestra comedia *Mamá.* Algunas noches, durante la representación, conseguíamos escapar a la tiranía del teatro y paseábamos por calles y plazas buscando, cosa

[151] *La hiedra* de Eduardo Marquina se estrena el 27-II-1914.

difícil de hallar, un poco de aire fresco. Hablábamos de cosas del oficio, por no variar.

—No soy autor dramático –decía Marquina con aguda y sincera autocrítica–. Cuando veo representar comedias de ustedes, de los Quintero, de Benavente, me doy cuenta de ello. ¿Cómo se las arreglan ustedes para enterar al público desde la primera escena de quién es y de cómo es cada uno de los personajes, para encauzar desde luego la acción clara y lógicamente? Yo me pierdo en un laberinto, y necesito ríos de palabras para hacer comprender… si comprenden.

—Aplauden.

—Ya lo sé…, aplauden…

—Y frenéticamente. ¿Qué más quiere usted, ilustre autor de *En Flandes se ha puesto el sol?*

—Aplauden… Aplauden los versos, no aplauden la comedia. No soy autor dramático.

Tenía razón. A pesar de sus ruidosos triunfos en escena, no era autor dramático. Las tempestades de entusiasmo suscitábalas no el creador de caracteres ni el ordenador de situaciones, sino el rimador brujo. Más de una vez, en la lectura de alguna de sus obras ante la compañía –Eduardo Marquina leía sus versos prodigiosamente–, María Guerrero, que tenía justificadísima vanidad de su voz y que para lucirla gustaba de declamar bellas estrofas, se entusiasmaba por una «tirada» y proclamaba con imperio: «¡Eso lo digo yo!».

—Pero, Mariíta, estas estrofas son las que tienen más importancia en el papel del primer actor.

María, imperturbable, repetía:

—¡Eso lo digo yo!

—Pero, María, si *eso,* como tú dices, no es capaz de sentirlo más que un hombre…

—¿No eres tú el autor? ¿No mandas en tus personajes? Te digo que esos versos son para mí. ¡Arréglatelas!

Y el dócil autor *se las arreglaba*, y los versos pasaban de labios del amante a los de la amada, de los del galán traidor a los de la dama leal.

—¡Ya oirás el aplauso cuando yo los diga!

Y llegaba el estreno y se hacía el milagro, porque la sala se venía abajo al sonar, cinceladas por la voz prodigiosa de la comedianta, las elocuentes, musicales rimas. Pero había que ver la irónica sonrisa del poeta cuando, dando la mano a la actriz palpitante de orgullo, se adelantaba al proscenio para inclinarse agradeciendo al público su aplauso...

Hablando, hablando de estas y otras cosas, decidimos hacer un ensayo de colaboración, y nos dimos a rebuscar asunto en que pudiesen unirse con naturalidad la acción dramática y el brillante lirismo. Decidimos pedir inspiración al tesoro de las viejas leyendas hindúes. Tal es el origen de *El pavo real*. No hay para qué ocultar que predomina en la obra el inconfundible aroma de *Sakuntala* mezclado con otros elementos de los libros sagrados de la India. Hice yo la rebusca de materiales –que fue uno de los trabajos más gratos que recuerdo–. Luego, mi marido y yo compusimos el plan; después, yo escribí la comedia entera en prosa y, por último, Eduardo Marquina la puso en verso. Trabajo prodigioso el suyo de exactitud, de compenetración, de comunión emocional; ni un matiz ni un detalle se perdieron; aventaba el poeta el rescoldo de la emoción tenue y la intensificaba, exaltaba, incendiaba con la pirotecnia de la rima. ¡Un bello milagro! ¡Estupendo colaborador! Pensándolo bien, me doy cuenta de que el gozo de trabajar con él se parecía al de colaborar con un gran músico..., mas con una ventaja: Eduardo Marquina era muchísimo más inteligente que todos los grandes músicos que fueron nuestros colaboradores. No quiero, al decir esto, rebajar en nada el valor esencial de mis muy admirados Usandizaga, Falla, Turina; pretendo más bien explicar que la inteligencia de Marquina podía ponerse en contacto con la nuestra en zonas mucho más amplias: con un músico, por grande que sea, no es posible lograr acuerdo más que en dos puntos: emoción y situación dramática, porque la música no va más allá. Un escritor con otro puede coincidir o disentir –una cosa y otra son colaborar– en todo el ancho campo del entendimiento, y el de Marquina era fertilísimo; no poseía gran cultura informativa, pero una vez lanzado sobre la pista, parecía adivinar aún más que aprender. Era también excelente colaborador –en esto se parecía a Turina– porque carecía en absoluto de vanidad (si alguna vez se daba importancia ante la gente, era fingiendo, y con nosotros no sentía necesidad de hacer comedia) y nunca se obstinaba por puntillo de honra en defender un punto de vista.

Para *Una noche en Venecia*, el procedimiento de colaboración fue distinto. Andaba yo por aquellos días fuera de España, en el hermoso valle de Chamonix. Gregorio Martínez Sierra y Eduardo Marquina eligieron de común acuerdo época, lugar de acción y «motivos» de la obra. Yo, sobre esos motivos, fui escribiendo escenas a granel. «Pon todo cuanto se te ocurra –me escribía mi marido–, que aquí decidiremos.» Así lo hice. Envié a Madrid no una obra dramática en forma, sino una serie de pequeños poemas en prosa: allá ellos dos hicieron la composición, seleccionando y ajustando Gregorio, versificando Marquina. Como mi ausencia de España fue en aquella ocasión bastante larga, no vi representar la obra y no puedo juzgar de sus cualidades escénicas. Sí sé que alcanzó buen éxito, no tan entusiástico como el de *El pavo real*.

*

Me detengo. Este repasar de viejas memorias se va transformando de gozo en angustia. A fuerza de evocar sombras

–casi todo lo que fue mi vida ha desaparecido– antójaseme que soy una sombra también. No seguiré. No puedo seguir. No quiero seguir. Cierto, la memoria es arca sellada y mágica: una vez entreabierta, deja escapar recuerdos inagotables, pero ¿vale la pena? Cuando se intenta hablar de seres que ya no existen, parece que se fuera escribiendo con sangre. Y luego, se cansa uno de recordar. ¿Es ello tal vez forma alquitarada del cansancio de vivir?

Porque, indudablemente, a ratos, se cansa uno de vivir... y, sin embargo, quiere seguir viviendo. No en la memoria de los hombres ni en el juicio acaso lisonjero de la posteridad: esas son engañifas que a nadie engañan; quiere uno vivir su vida propia, única, material y efectiva.

—Luego –me pregunta un curioso que no es impertinente– ¿cree usted en la inmortalidad? ¿Tal vez en la reencarnación?

Me parece que sí. Durante mucho tiempo estuve segura de que no hay más allá para el ser humano. Comencé a vacilar en mi convencimiento hace no mucho tiempo, al ver muerta a mi madre. Había llegado a edad avanzadísima conservando toda su inteligencia excepcional, todo su poder de emoción y hasta de ensueño. Una tarde, luego de haber estado hablando con ella animadamente como de costumbre, salí de casa. No había pasado un cuarto de hora cuando me llamaron por teléfono: Había muerto repentinamente. Estaba caída en el suelo: parecía una blanca paloma herida y derribada en pleno vuelo. Y yo me preguntaba: ¿Dónde estás, inteligencia que hasta el último instante has sido mi maestra? ¿Dónde está la luz clara de tu pensar? ¿Dónde tu ciencia del vivir, acumulada? ¿Dónde el saber y el imaginar deslumbradores aún hace unos minutos cristalizados en duro diamante? Todo ello era, tiene que seguir siendo, porque lo que una vez llega a ser no puede caer en la nada. Volverás, entendimiento prócer aun enriquecido por experiencias que yo ni siquiera puedo imaginar, volverás cuando hayas descansado de la fatiga del vivir. No ando lejos de pensar que la muerte es sólo un descanso temporal del espíritu. Pero ahí está el enigma: ¿Cuánto tiempo necesitará el alma para descansar de una vida?

Niza, Tempe (Arizona),
México D. F., Buenos Aires, 1949-1952.

ÍNDICE

ACABÓSE DE IMPRIMIR
EL 28 DE SEPTIEMBRE DE 2000